El Arte de la

Planificación Natural de la Familia®

Guía del Estudiante

El Arte de la
Planificación Natural de la Familia®

Guía del Estudiante

Prólogo por John T. Bruchalski, MD, FACOG

La Liga de Pareja a Pareja
Internacional, Inc.
P.O. Box 111184
Cincinnati, OH 45211-1184
U.S.A.

Este manual es parte integral del curso de Planificación Natural de la Familia que ofrece La Liga de Pareja a Pareja (LPP). La mejor manera de aprender sobre la Planificación Natural de la Familia es asistir a una clase dada por un instructor certificado o adquiriendo El Curso de Estudio en el Hogar. Para más información sobre cómo encontrar una pareja instructora cerca de usted, visite nuestro sitio **www.planificacionfamiliar.net.**

Diseño del libro por Scott Bruno de b graphic design
Foto de portada por Ron Rack de Rack Photography

Información de Catálogo
        2009936770

El Arte de la Planificación Natural de la Familia® Guía del Estudiante
La Liga de Pareja a Pareja
Prólogo por John T. Bruchalski, MD, FACOG
Planificación Natural de la Familia
Anticonceptivos
Lactancia
Moralidad sexual

ISBN 978-0-926412-36-1

Publicado por La Liga de Pareja a Pareja Internacional, Inc.
P.O. Box 111184
Cincinnati, OH 45211
U.S.A.
800-745-8252
www.planificacionfamiliar.org
www.ccli.org

Impreso en los Estados Unidos de América
10 9 8 7 6 5 4 3 2

Tabla de contenido

Prólogo P

Me siento muy honrado al recibir la invitación para escribir el prólogo de la nueva *Guía del Estudiante* para el curso de Planificación Natural de la Familia que ofrece La Liga de Pareja a Pareja. Este manual surge en un momento fundamental en nuestra comprensión sobre el matrimonio y la sexualidad. El lenguaje revolucionario y liberador de la **Teología del Cuerpo** del Papa Juan Pablo II va finalmente moviéndose fuera de la academia y los círculos teológicos para integrarse a algo tan importante como la Planificación Natural de la Familia (PNF).

Hace casi 40 años de Woodstock, el amor libre y la legalización del aborto. Muchos matrimonios han experimentado, directamente, los traumas y fracasos de la propuesta del "sexo sin consecuencias" introducida por los métodos anticonceptivos.

Las familias quieren y merecen algo mejor. Ellas siguen buscando formas para mantener su equilibrio al tiempo que imparten una idea adecuada y verdadera sobre el lenguaje del cuerpo.

Una gran cantidad de manuales sobre autoconocimiento y educación sexual han fallado en guiar a nuestras familias. La **Teología del Cuerpo** y la PNF se encuentran listas para asumir las riendas de este proceso.

La Liga de Pareja a Pareja (LPP) se ha dado a la tarea de actualizar sus materiales didácticos y de adiestrar sus instructores de manera más completa. El propósito es poder responder a los retos de una sociedad cambiante que requiere nuevas formas de presentar este mensaje.

Como fundador del Centro Tepeyac para la Familia he visto como se alinean los esfuerzos en el campo de la medicina, sociología y teología para combatir el "dogma" de la mentalidad anticonceptiva.

Veo entonces cómo la LPP reúne a expertos en sexualidad matrimonial y conciencia de la fertilidad para crear un programa que ofrezca un nuevo modelo para presentar el mensaje de la PNF. El lenguaje es uno de los elementos cruciales para poder entender e identificarse con la cultura. Este es uno de los aspectos más importantes en la manera en que la LPP aborda los temas del sexo y el matrimonio.

El lenguaje que la LPP utiliza en su nuevo curso invita a los matrimonios, médicos y clérigos a ir hacia la fuente de la verdad y beber de ella. Esta nueva *Guía del Estudiante* lleva el trabajo de los fundadores John y Sheila Kippley a un nuevo nivel con la inclusión de la teología del Papa Juan Pablo II. El padre Richard Hogan hábilmente incorpora este lenguaje a lo largo del programa en temas que van desde las señales de fertilidad hasta la teología del matrimonio.

Muchas cosas han pasado en los últimos cuarenta años. En nuestra práctica como médicos y en los esfuerzos por ayudar a otros, el Centro Tepeyac para la Familia recibe cada día a muchas mujeres de distintas edades que buscan servicios de obstetricia y ginecología en un contexto de respeto a su dignidad como mujeres.

Creo que los días del "doctor = dios" deben terminar, junto con las pastillas, pociones, aparatos y dispositivos. Las mujeres buscan cuidado médico que se ofrezca en cooperación con ellas y que respete su equilibrio interior y el ambiente, especialmente en lo relacionado a su sexualidad y fertilidad.

La PNF responde a estas expectativas. Este método les permite asumir un estilo de vida virtuoso, que fortalece el carácter, que permite tomar decisiones críticas a la vez que se ora, se escucha y se comprende el lenguaje del cuerpo. Este manual y este curso presentan las razones y los recursos que ellos necesitan en un formato nuevo y dinámico.

Finalmente, como miembro de la Junta Asesora de Médicos de La Liga de Pareja a Pareja, he seguido de cerca su desarrollo y publicación y les comparto que me siento complacido en cuanto a su enfoque y su calidad. Al mismo tiempo es importante saber que hay nuevos estudios sobre efectividad de métodos de PNF como el que enseña la LPP. Sin duda esta

Guía del Estudiante llega a tiempo para atender los reclamos de profesionales de la salud, matrimonios y novios que buscan un programa de PNF de calidad, precisión y fácil de entender. Todo esto en un contexto de respeto a la persona y la familia.

Cualquier pareja de novios, sin importar su afiliación religiosa, puede beneficiarse de este programa. ¿Qué pareja no quiere tener un matrimonio que dure toda la vida, lleno de crecimiento y madurez? Médicos y profesionales de la salud tienen la oportunidad de familiarizarse con este nuevo programa de manera que puedan ayudar a proteger la sexualidad, la fertilidad y las relaciones en lugar de destruir, amputar o restringir procesos fisiológicos normales y sanos. Nuestro primer mandamiento en la medicina es *no hacer daño*.

Aún los clérigos que preparan parejas para el matrimonio pueden mostrarles que el secreto de un matrimonio sano es el mutuo respeto y la apertura a la vida. Nos encontramos en un momento decisivo en cuanto a nuestro entendimiento sobre el matrimonio, la familia y la dignidad de la persona.

Como parte de esta consolidación de esfuerzos que luchan contra el vacío de la mentalidad anticonceptiva la LPP responde con esta *Guía del Estudiante* y un nuevo curso que tienen el potencial de cambiar nuestras ideas del matrimonio y la visión de los médicos. Esto se logra transformando los corazones, las mentes y el alma, de persona a persona, de pareja a pareja. Esta es la manera en que las revoluciones comienzan.

¡Felicidades LPP!

John T. Bruchalski, M.D., FACOG
Fundador, Centro Tepeyac para la Familia
Director y Presidente de Divine Mercy Care

P Prefacio

En la primavera del año 2004, La Liga de Pareja a Pareja (LPP) consultó a sus instructores y promotores voluntarios con el propósito de estudiar las opiniones de los asistentes a las clases y de aquellos a cargo de las oficinas de vida familiar de las distintas diócesis donde enseñan. El objetivo principal fue identificar la mejor manera de servir a los estudiantes y mejorar la enseñanza del curso. Este manual, junto con la presentación de la clase de Planificación Natural Familiar (PNF), son el resultado de este análisis.

En realidad, no hemos hecho cambios substanciales al Método Sintotérmico. Los cambios tienen que ver con la *pedagogía* — la manera en que se enseña el material y cómo identificamos los tiempos de fertilidad e infertilidad utilizando las normas de la LPP. Uno de los cambios más importantes en este manual, es el hecho de que **el contenido está ordenado para seguir el formato de la clase.**

Gran parte de la información que verán en la clase ha sido incluida en la guía de forma que puedan seguir la presentación, página por página. Hemos integrado ejemplos prácticos en cada clase y páginas a color, que ayuden a la comprensión del material. Aún cuando esta guía viene acompañada por una presentación dinámica que incluye videos y animación en la clase; también puede utilizarse por sí sola si no es posible asistir a una clase.

¿Qué es la Planificación Natural de la Familia (PNF)?

PNF es una manera de conocer su fertilidad. Es simplemente tener conciencia de la fertilidad de la pareja. Es una forma de leer los signos y señales del cuerpo asociados a la fertilidad y la infertilidad. Este conocimiento permite a los matrimonios tomar decisiones sobre si deben posponer o buscar un embarazo de manera virtuosa, es decir conforme a la moral. La PNF es fundamentalmente una manera de "leer" el lenguaje del cuerpo para determinar la fertilidad femenina. Sin embargo, *El Arte de la Planificación Natural de la Familia® Guía del Estudiante,* presenta este método en el contexto de la visión católica sobre la sexualidad y el matrimonio.

Como dice el Dr. Bruchalski en el prólogo, esta visión se presenta de forma simple y que puede ser usada por cualquier persona, sin importar la religión a la que se adhiera — hemos sido creados a imagen y semejanza de Dios, tenemos una dignidad propia con la que hemos nacido y la Planificación Natural de la Familia respeta esta dignidad. Estos conceptos se introducen durante la Clase 1, junto con la información sobre la anatomía y la fisiología del ciclo reproductivo de la mujer. También se incluyen datos sobre la interacción de las hormonas y cómo estas producen unas señales de fertilidad que podemos observar. La clase concluye con la presentación sobre cómo identificar la infertilidad posovulatoria en el ciclo de la mujer.

En la Clase 2, discutimos más a fondo las fases del ciclo de la mujer, incluyendo las fases de infertilidad preovulatoria y la fase fértil. Además de continuar con la discusión sobre lo que dice la Iglesia Católica sobre el matrimonio y la sexualidad, se incluye la paternidad responsable como una aplicación virtuosa de la PNF. Ésta concluye con cómo usar el método para lograr un embarazo.

Por último, la Clase 3 presenta un resumen sobre otros métodos naturales que sirven de base para las normas de un solo indicador, enseñadas por la LPP. Estas tienen gran utilidad en aquellas ocasiones en que no todos los signos de fertilidad se encuentran accesibles. La Clase 3 habla sobre aquellos comportamientos que atacan la dignidad humana, entre ellos los anticonceptivos. Esta presentación incluye fundamentos científicos que demuestran que la PNF es una alternativa efectiva (99%) a estos comportamientos. Finaliza la clase con el tema de la lactancia y sus efectos en la fertilidad.

Es nuestro deseo que tanto el formato de esta guía, como el nuevo enfoque permitan que miles de parejas puedan aprender adecuadamente este método a la vez que descubren los beneficios para su matrimonio.

Esta versión en español del El Arte de la Planificación Natural de la Familia® Guía del Estudiante es la culminación de más de tres años de trabajo en equipo. Largas horas de traducción, redacción y reflexión, conforman este esfuerzo de producir un manual que tome en cuentas las diversas culturas y vocablos de America Latina. Colaboradores de distintos países han ofrecido sus comentarios y sugerencias, para ayudarnos a presentarles un manual claro, moderno y útil. La LPP quiere agradecer de forma especial a Erick Carrero, Silvia Schmidt y Ann Gundlach, por todo el tiempo dedicado a hacer de este manual una realidad. También queremos reconocer las valiosas contribuciones de Zaida Sepúlveda y Adriana Artigue que nos ayudaron con sus correcciones y perspectivas.

Y no podemos dejar de mencionar a la Junta de Directores, el personal de la oficina Central de la LPP y a sus voluntarios por su dedicación y paciencia a lo largo del desarrollo de esta manual.

Clase 1

1 Introducción

Esta primera clase se divide en cinco lecciones: *Introducción, La Teología del Cuerpo y su relación con la sexualidad, Anatomía y el ciclo femenino, Señales medibles de la interacción hormonal* e *Interpretación de las señales de fertilidad.*

A continuación un resumen de las lecciones de la Clase 1.

Resumen: lecciones Clase 1

La Lección 2, *La Teología del Cuerpo y su relación con la sexualidad*, introduce uno de los elementos esenciales en el enfoque de La Liga de Pareja a Pareja (LPP). Si recuerdan el *Prefacio* anterior (vea página xi), la LPP tiene como base las enseñanzas de la Iglesia Católica sobre sexualidad y procreación, el Método Sintotérmico (MST) de PNF y los beneficios de la lactancia continua y exclusiva. La *Teología del Cuerpo y su relación con la sexualidad* introduce los fundamentos de la doctrina católica sobre la sexualidad y la procreación. Estos fundamentos eran los mismos para todas las iglesias cristianas hasta el 1930.

La idea central de la Lección 2 se resume en que el cuerpo humano, expresa o manifiesta a la persona. A través del cuerpo cada uno de nosotros comunica a los demás quiénes somos, qué pensamos o escogemos, cuáles son nuestros sentimientos y emociones. El cuerpo humano habla en un leguaje que puede ser leído y entendido. Uno de los dialectos más importantes del cuerpo, es el que se comunica a través de la sexualidad. Una vez que podemos leer este lenguaje, es posible llegar a comprender mejor nuestro propio ser. Para los esposos este conocimiento adquiere una mayor relevancia y profundidad. En esta lección se discuten los fundamentos para el estudio del Método Sintotérmico, que se basa en la lectura del lenguaje del cuerpo que se expresa a través de la sexualidad humana.

La Lección 3, *Anatomía y el ciclo femenino*, enseña cómo leer este lenguaje. Aquí se presenta brevemente la anatomía masculina y femenina, incluyendo el ciclo femenino. Generalmente el hombre es fértil desde su adolescencia hasta su muerte mientras que la mujer es fértil solamente unos pocos días cada mes. Aún así, es importante poder entender el proceso por el cual la mujer experimenta estos tiempos de fertilidad e infertilidad aproximadamente cada mes. Esta lección explica la presencia de cuatro hormonas asociadas a los cambios que ocurren en una mujer fértil y saludable, durante su ciclo menstrual.

Además de producir cambios notables que van desde la menstruación, a las variaciones de fertilidad e infertilidad, también se producen otros cambios cuyos efectos podemos observar. La Lección 4, *Señales medibles de la interacción hormonal*, discute los distintos cambios que se pueden observar. Entre ellos, el cambio en la mucosidad cervical, la temperatura basal y el cuello del útero. Esta lección introduce el uso de la gráfica de anotaciones en la cual la pareja registra estos cambios según vayan ocurriendo.

La Lección 5, *Interpretación de las señales de fertilidad*, enseña a la pareja a interpretar las señales de fertilidad para determinar el momento del ciclo en que se encuentran. También introduce la Norma Sintotérmica (NST) para identificar el comienzo de la Fase III en el ciclo femenino: el tiempo de mayor infertilidad luego de la ovulación. Una vez, que la pareja pueda identificar los límites de la Fase II (tiempo fértil) y la Fase III (tiempo infértil), tendrán mayor certeza sobre el momento en que es posible concebir un hijo y el momento en que es menos probable. La última sección de esta lección recuerda a las mujeres que deben comenzar sus anotaciones al día siguiente de la Clase 1. Esto implica que deben repasar el material cubierto en clase y anotar las observaciones de sus señales de fertilidad, a lo largo del día. Además, se incluyen las guías para usar la PNF en su primer ciclo, luego de usar anticonceptivos hormonales o cuando las temperaturas son alteradas o no han sido registradas en algunos días del ciclo. También se hace mención de las dos Clases Suplementarias: una para posparto y otra para premenopausia.

Las lecciones intercalan ejercicios prácticos con la intención de reforzar la información presentada. Estos ejercicios ayudan a los esposos a leer e interpretar las señales adecuadamente, lo que les permite aplicar su conocimiento de la PNF para decidir si desean buscar o posponer un embarazo.

Aquellos que asistan a las clases, tendrán la oportunidad de completar estos ejercicios en clase junto a la tarea que será asignada a lo largo de la serie de clases. Los estudiantes que utilicen *El Curso de Estudio en el Hogar*, deben revisar la información adicional y las instrucciones en el Apéndice para que puedan completar los ejercicios y revisar las respuestas correctas.

Recuerden que los matrimonios instructores generalmente se encuentran disponibles antes y después de la clase para contestar sus preguntas o discutir otra situación que necesiten. Si están aprendiendo a través de *El Curso de Estudio en el Hogar*, la oficina Central de la

LPP es el lugar a donde dirigir sus preguntas o comentarios. Pueden hacerlo por teléfono, correo electrónico o a través de la página de Internet, *www.planificacionfamiliar.org.*

¿Qué es la Planificación Natural de la Familia (PNF)?

¿Qué es PNF?

- Conciencia de la Fertilidad

- Manera de leer las señales de la fertilidad e infertilidad

- 99% Eficaz

El cuerpo humano habla en más de un idioma. Uno de estos es la expresión física del amor que se expresa de forma singular en la capacidad de procrear. En esta clase ustedes aprenderán a leer el lenguaje que el cuerpo expresa a través de la sexualidad mediante la observación, anotación e interpretación de estas señales del cuerpo, ésta es la esencia de la PNF.

La Planificación Natural de la Familia se basa en la **conciencia de la fertilidad**, que es el conocimiento que cada pareja tiene de su propia fertilidad. Es una forma de leer las señales que el cuerpo produce para saber si es fértil o infértil. Cuando se analizan estos datos a través del Método Sintotérmico se pueden posponer los embarazos con una efectividad mayor al 99%.

El uso de este conocimiento para posponer o lograr un embarazo de forma virtuosa, es lo que llamamos paternidad responsable.

Una vez terminada la Clase 1 las parejas podrán:

- comprender que el cuerpo humano tiene su propio lenguaje

- estudiar el lenguaje del cuerpo que se expresa a través de la fertilidad humana

- aprender a registrar e interpretar las señales medibles de la fertilidad

- saber cómo identificar los límites entre el tiempo fértil (ovulación) y el tiempo de mayor infertilidad en el ciclo femenino (luego de la ovulación)

- ser capaces de aplicar lo aprendido en clase

La próxima lección discutirá las implicaciones de aceptar que el cuerpo humano es la expresión de la persona.

La Teología del Cuerpo y su relación con la sexualidad

Lección 2

De los escritos del Papa Juan Pablo II, existen dos de gran importancia sobre los temas de la sexualidad, el matrimonio y la familia: la *Teología del Cuerpo* y *Familiaris Consortio* (Sobre la misión de la familia en el mundo actual).[1] La Teología del Cuerpo se refiere a una serie de predicaciones presentadas los miércoles durante las audiencias Papales desde septiembre de 1979 a noviembre de 1984, en Roma. (Hubo algunas interrupciones a esta serie. Por ejemplo, durante el Año Santo de la Redención de 1983 dichas audiencias fueron dedicadas a otros temas). Las audiencias de los miércoles creaban el marco ideal para que los visitantes y los peregrinos tuvieran la oportunidad de ver y escuchar al Papa Juan Pablo II. El Papa decidió utilizar estos miércoles para realizar una catequesis dedicada a un tema específico. La primera serie fue conocida como la Teología del Cuerpo.

El Santo Padre publicó el documento *Familiaris Consortio* el 22 de noviembre de 1981. Sin duda uno de los trabajos más extensos sobre el tema de la familia que la Iglesia haya escrito.

---

[1] Ver [Juan Pablo II, *Hombre y mujer los creó: Una Teología del Cuerpo*] Pope John Paul II, *Man and Woman He Created Them: A Theology of the Body*, traducido por Michael M. Waldstein (Boston: Pauline Books & Media, 2006). También vea Papa Juan Pablo II, *Familiaris Consortio*. La mayor parte del material está basado en el libro *¿Es buena la PNF?* y *El Cuerpo humano: un signo de dignidad y un regalo* escritos por el Rev. Richard M. Hogan (Cincinnati: Couple to Couple League, 2005).

Trasfondo histórico

El 25 de julio de 1968, el Papa Pablo VI (1963–1978) publicó la encíclica *Humanae Vitae*.[2] En este documento el Papa enseña que tanto la anticoncepción como la esterilización y el aborto son pecados graves contra la vida y el matrimonio. El Papa se apoya en la forma en que Dios ha creado cada vida humana. Lamentablemente, el Papa Pablo VI tuvo gran oposición a sus argumentos; tanto dentro de la Iglesia como en el mundo exterior. Sacerdotes, teólogos y hasta algunos obispos se opusieron con amargura contra la postura del Papa. Es justo decir que la encíclica *Humanae Vitae* fue el documento de mayor controversia desde la Reforma en el siglo XVI. Fuera de la Iglesia, esta postura era vista como anticuada y pasada de moda.

Esta enseñanza del Papa Pablo VI era sólida pero encontró la cultura de los 1960, en que se lanzó un tiempo de protestas en contra del orden social y moral que dieron paso a la revolución sexual. En los Estados Unidos los jóvenes universitarios protestaban contra la guerra en Vietnam. En diferentes partes del mundo comenzaban las protestas a favor de los derechos humanos, la justicia social y la igualdad de derechos de la mujer. La resistencia y la rebelión contra la autoridad eran los sentimientos predominantes en la sociedad. A principio de los años 60, la píldora anticonceptiva ya se había creado y estaba disponible en el mercado. La Píldora se presentaba como la señal de liberación de las mujeres que tenían que lidiar con los embarazos y las dificultades asociadas con estos. Liberadas de esta "amenaza", ellas gritaron a favor del "amor libre" con suficiente fuerza como para ser escuchadas en muchos segmentos de la sociedad.

Mientras tanto, dentro de la Iglesia, comenzaba el Concilio Vaticano Segundo que duró desde 1962 hasta 1965. El Concilio fue recibido como una oportunidad en que la Iglesia pudiera renovar sus enseñanzas, su liturgia y su manera de operar. El ambiente dentro de la Iglesia no era muy distinto al de afuera. Todo estaba cambiando y la manera de promoverlo era presionar a aquellos que estaban a cargo de tomar las decisiones. Un ejemplo de esto fue la divulgación de un informe confidencial sobre el tema de la píldora anticonceptiva. El Papa Juan XXIII (1958–1963) pidió a una comisión, compuesta por obispos y expertos, que estudiara el tema de los anticonceptivos a la luz de la nueva Píldora. El Papa Pablo VI amplió la comisión y dos informes incluyeron los resultados del estudio. Ambos informes eran confidenciales. Sin embargo, los dos fueron "filtrados" a la prensa. El informe en su mayoría aconsejaba al Papa sobre la posibilidad de cambiar la postura vigente. El informe en minoría presentó una opinión opuesta. Una vez que estos informes fueron divulgados, la presión aumentó intentando obligar al Papa a que cambiara su posición con respecto a los anticonceptivos.

---

2 Papa Pablo VI, *Humanae Vitae* (Boston: Pauline Books & Media, 1968).

Las protestas y el clima de "cambio" continuaron. La expectativa de que la Iglesia iba a cambiar su posición en cuanto a los anticonceptivos, creó dentro de la Iglesia, una situación que no era distinta a la de la cultura popular.

Cuando, finalmente, la encíclica fue publicada pudo compararse a un hombre parado en la vía del tren, intentando detenerlo, mientras éste viaja a cientos de millas por hora. En cierto modo, la postura de Pablo VI, aunque profética y absolutamente consistente con el Evangelio, no tuvo una legítima oportunidad de discutir sus méritos.

Más aún, la argumentación y la estructura del documento utilizaban un formato similar al de Santo Tomás de Aquino (1225–1274) en el siglo XIII. Si aceptamos que para los años sesenta, muy pocas personas utilizaban la misma manera de pensar que Santo Tomás no es difícil reconocer que aún quienes favorecían la encíclica tuvieron dificultad para promoverla. Esto fue más evidente al momento de presentarla a los jóvenes, novios y matrimonios. Hacía falta una nueva manera de presentar el mensaje de *Humanae Vitae* que fuera comprensible para esta audiencia.

Visión de la sexualidad y el matrimonio

Para promover la maravillosa visión que la Iglesia proponía, era necesario abordar el tema desde una nueva perspectiva. En el libro del Génesis, Dios invita a todas las personas humanas a lograr una unión de amor a través del matrimonio. Esta unión es un reflejo del amor de Dios en la Santísima Trinidad. Pero cuando se presentaba la pregunta sobre el uso de los anticonceptivos, y la Iglesia respondía: "No", el ángulo positivo de su enseñanza, en cuanto al matrimonio y la familia, quedaba opacado.

Parecía que cada vez que a la Iglesia se le preguntaba sobre el acto sexual, la respuesta era siempre la misma: "No". ¿Puede una pareja usar anticonceptivos? "No". ¿Podemos usar fertilización *in-vitro*? "No". Pero el "No" de la Iglesia no era siquiera la mitad de la historia. Lo que la Iglesia intentaba decir era que cada persona humana está llamada a un matrimonio que le permitiera ser reflejo de Dios mismo. El "No" se refiere a esas cosas que no son dignas de la persona. En efecto, la Iglesia nos dice: "No miren hacia abajo. No se confor-

Notas

men con lo indigno, con menos de lo que ustedes se merecen. Los efectos de aceptar esta propuesta terminan en la degradación de la persona. Miren a lo alto, hacia las estrellas, y vean la visión que Dios tiene para cada persona, en especial para todos los esposos". El "Sí" de la Iglesia, en lo relacionado al matrimonio y la familia, es más importante que el "No". Una nueva presentación era esencial si se deseaba promover el contenido en la encíclica *Humanae Vitae*.

La Teología del Cuerpo

En sus discursos sobre la *Teología del Cuerpo*, el Papa Juan Pablo II nos presenta una nueva manera de formular la doctrina de la Iglesia en lo relacionado a la sexualidad humana. Si unimos *Familiaris Consortio* y las últimas tres catequesis de la *Teología del Cuerpo* podemos apreciar su contribución a una nueva manera de entender el amor auténtico entre un esposo y una esposa. Esta nueva visión enfatiza el lado positivo de la enseñanza de la Iglesia en cuanto a la sexualidad y la familia.

Además ayuda a entender la razón para los "No" de la Iglesia en cuanto a los anticonceptivos y los pecados relacionados al sexo. Esta comprensión es necesaria si se quiere proteger la dignidad humana.

Juan Pablo II comienza su reflexión afirmando que los seres humanos son las únicas criaturas terrenales que Dios ha creado a Su imagen y semejanza. Al ser humanos somos diferentes de los animales y las plantas porque somos personas con capacidad para pensar y escoger. Sin embargo, nos parecemos a los animales y las plantas en que tenemos cuerpo. Decir que somos personas implica que somos similares a los ángeles y las tres personas de la Santísima Trinidad, pero diferentes debido a que nosotros tenemos cuerpo y ellos no. Tenemos una única naturaleza ya que somos personas con cuerpo. Nuestro cuerpo es la expresión visible de nuestra persona. Dios nos creó de una manera específica para que hubiera una expresión visible de las personas en el mundo. Ni los animales ni las plantas logran este propósito porque no son personas. Los ángeles y las tres personas de la Trinidad (en su naturaleza divina) tampoco, ya que no tienen cuerpo.

El cuerpo nos deja ver a la persona. En otras palabras, nuestros cuerpos hablan un lenguaje, un lenguaje propio de la persona humana. Claro que esto no es nada nuevo. Diariamente leemos el lenguaje corporal de las personas que nos rodean. Todos hemos tenido la experiencia de preguntar a alguien que queremos mucho: ¿Te pasa algo? Y aún cuando recibimos la famosa respuesta: "Nada", sabemos que el lenguaje del cuerpo nos dice "a gritos" que la persona no está bien. El cuerpo revela lo que ocurre en nuestro interior, lo que pensamos y lo que sentimos. Este idioma, propio del cuerpo, contribuye a revelar el misterio de nosotros mismos.

Si a esta reflexión, añadimos que Dios nos ha creado a su imagen y semejanza, tenemos que concluir que el cuerpo revela algo más allá de nosotros. El cuerpo nos da la oportunidad, cuando actuamos bien, de revelar a Dios mismo. Estos actos revelan a Dios mismo, a través de una imagen física. Entonces, el cuerpo tiene una dignidad y un valor muy alto por derecho propio.

Sin embargo, esta no es la única manera de ver el cuerpo en nuestra cultura. Una alternativa es ver al cuerpo como una máquina que nos pertenece, como si fuera un automóvil o una casa. Esta visión del cuerpo lo convierte en un objeto.

Ciertas historias de ciencia ficción promueven la visión del cuerpo como una máquina. Estos libros y películas incluyen máquinas que pueden actuar como personas y personas que se convierten en máquinas. El mensaje subliminal es que el cuerpo humano es un compuesto de distintas piezas y que, una vez exista la tecnología, podrán ser remplazadas por piezas mejores.

Los comentaristas deportivos hablan de los atletas diciendo que sus brazos son "como revólveres" o que sus piernas son dos "columnas". Todo esto contribuye a mirar al cuerpo como una combinación de "revólveres y columnas", creo que entienden.

No es extraño que la gente se refiera al "reloj" cuando habla del corazón. Quizás han escuchado a alguien decir que "se le acabó la gasolina" para decir que está cansado o que necesita comer algo.

Notas

No hay nada inmoral en estas referencias, pero todas ellas, de alguna manera contribuyen a la idea de que nuestro cuerpo es una máquina. **Sin embargo, es cuando comenzamos a creerlo cuando comienzan los problemas.**

Las cosas, como las máquinas, pueden comprarse y venderse. Sin embargo, ninguno de nosotros compró su cuerpo. Nuestros cuerpos son parte del regalo que recibimos mediante la cooperación de nuestros padres. Ellos son parte del don de la vida.

El cuerpo humano es la expresión de la persona humana y no de una máquina. Cualquier acto que intente manipular, usar o dañar el cuerpo es un ataque contra la persona, porque lo que hacemos al cuerpo también lo hacemos a la persona. Nunca debemos tratar a una persona como un objeto que se pude usar. Todos merecemos ser amados, nunca usados. Debemos vernos como seres nobles, imágenes de Dios cuyos cuerpos son sagrados, capaces de hablar el lenguaje de la persona y el lenguaje de Dios.

La PNF y el lenguaje del cuerpo

La Planificación Natural de la Familia puede leer el lenguaje que se expresa mediante la sexualidad femenina y masculina. En otras palabras, la PNF nos enseña a conocernos a nosotros mismos y a nuestros cónyuges. A través de nuestra propia sexualidad llegamos muy cerca del misterio de Dios. Decimos esto porque la sexualidad humana revela el misterio del amor, el acto más humano y a la vez más divino que podemos expresar. Ese conocimiento nos lleva a maravillarnos frente al misterio más profundo sobre nosotros mismos, nuestros cónyuges y sobre el mismo Dios.

Una vez que descubrimos este misterio, nos sentimos llamados a amar y el amor auténtico expresa generosidad. En otras palabras, la PNF nos brinda la oportunidad de descubrir este misterio y por consecuencia valorar más a nuestro cónyuge y también a Dios. Es por eso, que podemos decir, que la PNF ayuda a fortalecer los matrimonios.

En la siguiente lección comenzaremos a leer el lenguaje del cuerpo, según lo expresa nuestra sexualidad. Primeramente es necesario comprender en qué consisten estos sistemas y cómo funcionan. Nos vamos a enfocar primeramente en la anatomía masculina y femenina. Más adelante discutiremos varios aspectos del ciclo femenino.

Anatomía y el ciclo femenino

3

Lección 3

El cuerpo humano es "un prodigio", "una maravilla".[1] Éste participa de una dignidad sin límites, puesto que es la expresión de la persona humana. Y por lo tanto, este valor y dignidad le corresponde a todo hombre. Más aún, cuando miramos la totalidad de la persona humana aceptamos que no es posible comprenderla si nos limitamos a las funciones biológicas del cuerpo. Existe cierta coordinación, sensibilidad e "inteligencia" que no es posible explicar con otra palabra que no sea: misterio. Una vez que aceptamos el misterio podemos mirar el conjunto y comprender que el cuerpo expresa el "misterio" de la persona. Si miramos detenidamente, veremos el lenguaje que hablan estos sistemas.

De todos los sistemas del cuerpo humano solamente los reproductivos o sexuales han sido dados por Dios para que podamos expresar nuestro amor de la manera más natural e íntima posible.[2] Si Dios es amor y hemos sido creados a "imagen y semejanza" suya; hemos sido llamados a amar como Dios ama. Es a través de nuestra sexualidad como podemos expresar ese amor divino. Cuando comenzamos a leer el "lenguaje" de la sexualidad humana nos adentramos en el misterio de cada persona. Diseñados para producir, nutrir y proteger las células reproductivas, tanto el sistema reproductivo masculino como el femenino son una maravilla. Primeramente estudiaremos la anatomía masculina y luego la femenina. El final de la lección lo dedicaremos al sistema reproductivo femenino.

[1] Salmo 139:14.

[2] El "amor natural" distingue al acto sexual matrimonial del amor expresado por Dios, cuando Él nos comunica su gracia "sobrenatural".

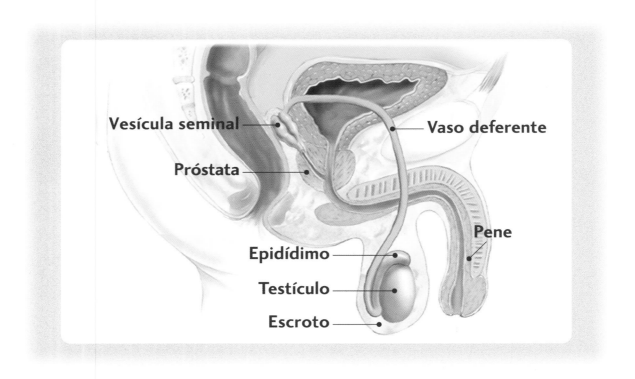

Vesícula seminal — Vaso deferente

Próstata

Pene

Epidídimo

Testículo

Escroto

Anatomía masculina

En cuanto al sistema reproductivo masculino, decimos que el **pene** es el órgano sexual externo en el varón. Este tiene la función de eyacular el **semen** y conducir la orina fuera del cuerpo. El **semen** se compone de los espermatozoides y el fluido seminal. Los **espermatozoides** se producen en los dos **testículos** que se encuentran en una bolsa o membrana que llamamos **escroto**, localizado fuera del cuerpo en el área de la ingle. Los espermatozoides son muy sensibles al calor y necesitan producirse en un ambiente más frío que la temperatura del cuerpo. Teniendo los testículos fuera del torso permite que los espermatozoides se mantengan saludables — parte del diseño de Dios.

Unido a cada testículo se encuentra el **epidídimo**, que sirve para almacenar los espermatozoides producidos en él, y durante este tiempo los espermatozoides siguen madurando y cuando se liberan pasan a través de los conductos **deferentes** hacia la **vesícula seminal**. Tanto la vesícula seminal como la **próstata** producen ciertas substancias que van a formar parte del fluido seminal, y que a su vez ayuda a que los espermatozoides se mantengan vivos.

La próstata es una glándula localizada en la base de la vejiga y que produce la mayoría del fluido seminal, éste es un fluido que contiene azúcares y otros nutrientes que sirven como alimento, medio de transporte y mantiene vivos los espermatozoides.

Una vez alcanzada la **pubertad**, un varón saludable produce espermatozoides constantemente. Al momento de la eyaculación el fluido seminal contiene aproximadamente de 200 a 500 millones de espermatozoides.

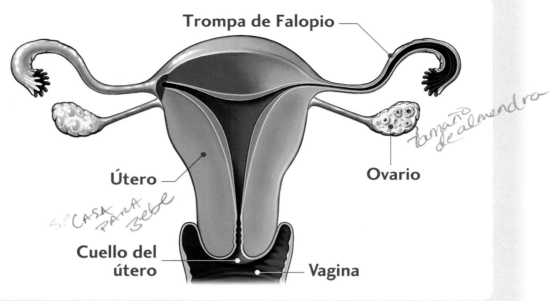

(anotaciones manuscritas) Flujo ayuda al esperma a vivir.

(anotación manuscrita) tamaño de almendra

(anotación manuscrita) Se casa para Bebe

Trompa de Falopio

Útero

Ovario

Cuello del útero

Vagina

Anatomía femenina

En evidente contraste con el varón, los principales órganos reproductores de la mujer se encuentran en el interior del cuerpo. En este corte frontal de la anatomía femenina fácilmente vemos los órganos internos del sistema reproductor. Pueden observar que la mujer tiene dos ovarios. Cada **ovario** tiene la forma parecida a la de una almendra. Dentro de los ovarios se encuentran miles de óvulos, aún sin madurar, cada uno de ellos se encuentra dentro de un saco llamado **folículo**. El día de su nacimiento, cada mujer tiene todos los óvulos que tendrá durante su vida — varios cientos de miles. Una vez alcanza la pubertad, los ovarios comienzan a liberar los óvulos de sus folículos, usualmente, uno por cada ciclo menstrual. (Su capacidad de concebir está ligada a la posibilidad de liberar sus óvulos). En la ilustración pueden ver el ovario derecho y el desarrollo del folículo a lo largo del ciclo.

En la parte superior del útero se encuentran las **trompas de Falopio**, que se extienden hacia ambos lados en dirección a los ovarios. Su función es transportar el óvulo una vez liberado. Cerca del ovario, la trompa de Falopio tiene la forma de unos dedos que están diseñados para atrapar el óvulo cuando salga del ovario.

El **útero** es un órgano muscular en forma de pera, su capa interior (**endometrio**) se desarrolla y crece durante la primera parte de cada ciclo (vean la ilustración donde se presenta esa capa con un color rojizo, dentro del útero). El propósito de esta capa o revestimiento es permitir que la nueva vida, recién concebida, pueda alojarse y recibir la nutrición que necesita.

En la parte inferior del útero se encuentra la cerviz o **cuello del útero** que se adentra en la **vagina**. La vagina es el órgano que conecta el útero con la parte exterior del cuerpo. Tanto el cuello del útero como otra serie de glándulas a lo largo del revestimiento del útero serán activadas durante distintos momentos del ciclo reproductor.

El ciclo femenino

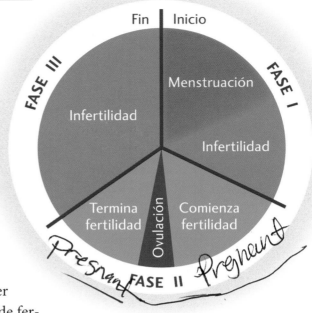

El ciclo menstrual femenino puede dividirse en tres partes o fases. La **Fase I**, comienza en el primer día de sangrado menstrual que usualmente dura de tres a cinco días. Luego de la **menstruación** la mujer tiende a experimentar varios días sin señales aparentes de fertilidad. La Fase I es un tiempo de infertilidad y su duración varía de mujer a mujer y a veces de ciclo a ciclo.

La **Fase II** comienza tan pronto como la mujer observa el comienzo de alguna de las señales de fertilidad. Esta fase dura hasta varios días después de la **ovulación** (momento en que el óvulo es liberado del ovario).

El tiempo después de la ovulación (posovulatorio) es conocido como la **Fase III**. Este es un tiempo de infertilidad y representa el último tercio del ciclo de una mujer saludable.

Estas tres fases del ciclo femenino ocurren a consecuencia de las **hormonas** — mensajeros químicos producidos en otro lugar del cuerpo y que generan distintas reacciones fisiológicas. Ciertamente, es la interacción de cierto número de hormonas lo que produce las distintas fases en el ciclo femenino.

Notas

Menstracion = 5 dias no importa si te baja mes dias. Los demas dias pueden per sangrado interior,tratando de salir. Si solo te baja 3 dias tambien se cuentan 5.

Veamos las cuatro hormonas principales, que permiten que el sistema reproductivo femenino funcione de forma adecuada. Dos de ellas son producidas por la **glándula pituitaria**, una glándula pequeña localizada en la base del cerebro. Las otras dos hormonas, se producen en los órganos reproductores femeninos.

Hormona Estimuladora del Folículo (HEF)

Durante la Fase I, la glándula pituitaria segrega la **hormona estimuladora del folículo** o folículo estimulante **(HEF)**. Esta hormona afecta los ovarios e inicia la transición de la Fase I a la Fase II. Es la que estimula el desarrollo de los óvulos dentro de los folículos del ovario iniciando los cambios que eventualmente producirán la ovulación. Usualmente, sólo uno de ellos logra una maduración completa y es liberado en la ovulación. (En raras excepciones un segundo folículo completará también su maduración y será liberado dentro de las siguientes veinticuatro horas). A medida que el folículo crece y se desarrolla una segunda hormona entra en escena — el estrógeno.

Estrógeno

El aumento del **estrógeno** produce ciertos cambios en el cuerpo de la mujer:

- las glándulas que se encuentran dentro del cuello del útero producen una secreción o mucosidad que es esencial para la supervivencia del espermatozoide.

- el orificio del cuello del útero (hoz) — se abre levemente y el cuello se ablanda para permitir la entrada de los espermatozoides.

- el revestimiento del útero — endometrio — comienza a desarrollarse añadiendo más capilares y tejidos que permitan, en caso de una concepción, que la nueva vida encuentre un lugar adecuado para implantarse.

- un nuevo mensaje es enviado a la glándula pituitaria y otra hormona es liberada — Hormona Luteinizante (HL).

Hormona Luteinizante (HL)

La **hormona luteinizante (HL)** actúa como un mensajero químico, que viaja desde la glándula pituitaria hasta el ovario avisando que es tiempo para liberar un óvulo maduro. Una vez el óvulo es liberado, el folículo (ahora vacío) se convierte en una estructura que llamamos el **cuerpo lúteo**, cuyo nombre proviene del latín y significa "cuerpo amarillo". Ahora el cuerpo lúteo tendrá una nueva función: además de producir estrógeno, también va a producir progesterona.

Progesterona

La **progesterona** tiene varios efectos en el sistema reproductor femenino. Entre ellos:

- hace que el cuello del útero se cierre y se ponga duro
- mantiene el flujo de sangre y tejidos en el endometrio
- causa que la mucosidad producida por las glándulas cervicales se espese, seque y/o desaparezca a nivel de la vulva
- afecta la **temperatura basal** (la temperatura al momento de levantarse luego del descanso de la noche) haciendo que suba y se mantenga elevada por cerca de dos semanas hasta la próxima menstruación.
- avisa a la glándula pituitaria que no debe haber más ovulaciones en ese ciclo

En el caso de que no ocurra un embarazo, los niveles de progesterona se mantendrán altos hasta el comienzo del siguiente ciclo. En este momento, el descenso de la progesterona le indica al cerebro que es hora de comenzar un nuevo ciclo.

La extraordinaria coordinación de estas cuatro hormonas — dos del cerebro (HEF y HL), y dos del ovario (estrógeno y progesterona) — permiten que el ciclo menstrual femenino funcione por décadas desde la **menarquia** (inicio de la menstruación) hasta la **menopausia** (cuando terminan los ciclos menstruales femeninos).

Es importante mencionar que la HEF y la HL son igualmente producidas por la glándula pituitaria en los varones. La HEF está asociada con la maduración de los espermatozoides y la HL con la secreción de testosterona, que es la principal hormona masculina.

Notas

A modo de repaso, decimos que la Fase I comienza cuando la mujer tiene su menstruación a consecuencia de una caída en el nivel de progesterona, cuando el cuerpo lúteo deja de funcionar. La Fase I, corresponde a un tiempo de infertilidad en el ciclo, cuando no hay actividad en los ovarios. La Fase II, es el tiempo fértil, comienza cuando la HEF producida por la glándula pituitaria hace que algunos óvulos inmaduros comiencen a desarrollarse en el ovario. El folículo segrega estrógeno lo que produce mucosidad, la apertura del cuello del útero, desarrollo del revestimiento uterino que llamamos endometrio y la producción de HL. A su vez, la hormona luteinizante es la que hace que el folículo libere el óvulo maduro. Tan pronto esto ocurre, el folículo se convierte en el cuerpo lúteo y produce progesterona. La Fase III, comienza algún momento después que la progesterona entra en acción y se considera un tiempo de infertilidad en el ciclo femenino.

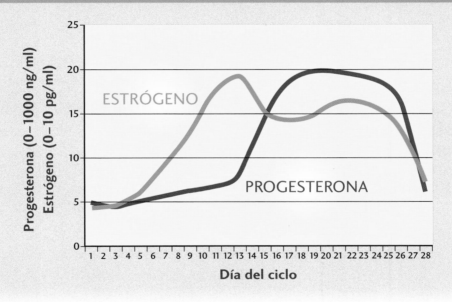

Niveles relativos de estrógeno y progesterona

Progesterona (0–1000 ng/ml)
Estrógeno (0–10 pg/ml)

ESTRÓGENO

PROGESTERONA

Día del ciclo

Esta gráfica ilustra los niveles de estrógeno y progesterona en varios momentos durante el ciclo. Vean que el estrógeno (línea verde) aumenta durante la primera parte del ciclo, y luego baja un poco cuando la progesterona aumenta, luego de la ovulación. Es fácil reconocer que el estrógeno es la hormona dominante antes de la ovulación. Sin embargo, no queda duda que la progesterona (línea azul) domina luego de la ovulación. Es importante señalar que aún cuando una hormona domina una mitad del ciclo, ambas se encuentran presentes durante todo el ciclo. El cuerpo de la mujer produce estas hormonas de manera continua, pero la cantidad varía según el momento. De hecho, la segunda parte del ciclo mantiene una cantidad significativa de estrógeno, pero no supera la producción de progesterona. Es por eso que durante esta parte predomina la progesterona.

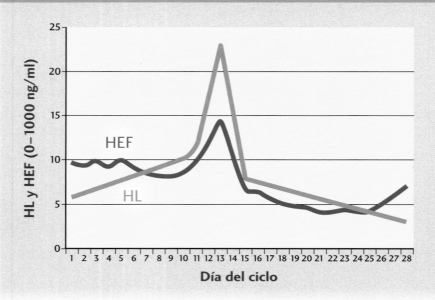

Esta gráfica presenta los niveles de las hormonas HEF *(en ingles FSH)* y HL *(en ingles LH)* durante un determinado ciclo. Ambas se encuentran en sus niveles más altos durante la parte inicial y media del ciclo. La HEF (línea roja) presenta mayor intensidad que la HL al comienzo del ciclo. Ambas hormonas llegan al nivel más alto (cúspide) a mediados del ciclo, en un ciclo menstrual típico de 28 días. Tanto en ciclos cortos como en los largos, estas hormonas alcanzan la cúspide aproximadamente dos semanas antes del inicio de la siguiente menstruación.

A medida que se aproxima la ovulación y la producción de estrógeno de los ovarios aumenta, el cerebro recibe una señal que resulta en un aumento en los niveles de HL (línea naranja). Este aumento de HL a mediados del ciclo, es lo que provoca la expulsión del óvulo fuera del ovario, que llamamos ovulación. Una vez culmina este evento, tanto la HEF como la HL juegan un papel de menor importancia en el ciclo.

La descripción de las hormonas y su relación con la anatomía femenina y las fases del ciclo menstrual, establecen los principios científicos en los que se basa la PNF. *La Planificación Natural de la Familia se basa en datos científicos observables.*

Estas cuatro hormonas son las responsables de los cambios que ocurren en el ciclo femenino y de otros cambios que podemos observar. Una vez que reconocemos estas señales, cualquier mujer con un ciclo menstrual saludable puede identificar los momentos fértiles o infértiles. La siguiente lección discute las tres señales observables de mayor relevancia: mucosidad cervical, temperatura basal y el cuello del útero.

Señales medibles de la interacción hormonal

4

Signs of Phase III = Pregnant
- *mocosidad cervical*
- *Temperatura basal del cuerpo*
- *cambios en el cuello del útero*

Lección 4

Las tres fases del ciclo menstrual surgen como resultado de cuatro hormonas. Estas hormonas producen otros efectos que podemos observar. El método de PNF que se enseña en este curso está basado en tres señales: la mucosidad cervical, la temperatura basal y el cuello del útero. Cualquier mujer que aprenda cómo observarlos los encontrará con facilidad.

Una vez que los observa, deben ser anotados en la gráfica que se incluye en este curso (vea página siguiente). La gráfica permite llevar un registro diario que se usa para identificar los límites entre las fases del ciclo. Cuando se conocen estos límites, las parejas saben cuando son fértiles o infértiles.

Notas

Temperatura siempre en la mañana antes de pararse.

Nunca despues de pararse.

- siempre a la misma hora.

. Por lo menos 4 horas de haber dormido.

Fecha (día/mes/año) [ ]   **Gráf núm.** [ ]   **Recuerde día:** 6 autoexamen mensual de los senos

Edad _____ Peso _____ Estatura _____

Hora temperatura _____

Día de cíclo	1 2 3 4 5 6 7 8 9 10 11 12 13 14 15 16 17 18 19 20 21 22 23 24 25 26 27 28 29 30 31 32 33 34 35 36 37 38 39 40
Menstruación	
Registro de coitos	
Día del mes	
Día de semana	

Llene cuando envíe su gráfica para revisión

Miembro Núm. _____ **Teléfono** _____

Nombre _____

Dirección _____

Ciudad _____ Estado _____ Código Postal _____

Correo electrónico _____

HISTORIAL DE CICLOS

Variación de ciclos anteriores: Corto _____ Largo _____

Basado en _____ ciclos registrados

Día más temprano de subida en temp _____

basado en _____ ciclos

Fin Fase I: Norma Ciclo más corto _____ Doering _____

NOTAS

Celsius column: 37.8 37.7 37.6 37.5 37.4 37.3 37.2 37.1 37.0 36.9 36.8 36.7 36.6 36.5 36.4 36.3 36.2 36.1 36.0 35.9 35.8

Día de cíclo (bottom): 1 2 3 4 5 6 7 8 9 10 11 12 13 14 15 16 17 18 19 20 21 22 23 24 25 26 27 28 29 30 31 32 33 34 35 36 37 38 39 40

Día Cúspide *

Mucosidades	Símbolos
	Sensaciones
	Características

Cuello del útero

NOTAS Anote manchado, cambios en la hora, estados de ánimo, dolores, etc.

SÍMBOLOS (MUCOSIDAD)

O	No hay mucosidad
⊖	Menos fértil
⊕	Mas fértil

SENSACIONES (MUCOSIDAD)

s	Seca
h	Húmeda
r	Resbalosa

CARACTERÍSTICAS (MUCOSIDAD)

n	Nada
p	Pegajosa
e	Elástica

CUELLO DEL ÚTERO

f	Firme	●	Cerrado
bl	Blando	O	Abierto

* Día Cúspide es el último día de la mucosidad más fértil antes de que comince el proceso de secado.

2009 © La Liga de Pareja a Pareja Internacional, Inc.   Para ordenar gráficas, LPP — P.O. Box 111184, Cincinnati OH 45211, 1-800-745-8252, o visítenos en www.planificacionfamiliar.org

La gráfica de PNF

Al anotar la información en la gráfica, trate de hacerlo lo más detalladamente posible.

Fecha

Anote el mes y el año cada vez que comience una nueva gráfica.

Edad/Peso/Estatura

Tener esta información es esencial para aquellos que revisan su gráfica (instructores de PNF, médicos, etc.).

Hora en que se toma la temperatura

Anote la hora en que normalmente se toma la temperatura cada día.

Fecha (día/mes/año)		Gráf núm.		**Recuerde día:** 6 autoexamen mensual de los s

Día de ciclo	1	2	3	4	5		7	8	9	10	11	12	13	14
Menstruación														
Registro de coitos														
Día del mes														
Día de semana														

Edad __23__ Peso __120lbs__ Estatura __5'5"__

Hora temperatura __7:00 a.m.__

Llene cuando envíe su gráfica para revisión

Miembro Núm. __963905__ Teléfono __555-555-1234__

Nombre __Elena Torres__

Dirección __12 Broadway Blvd.__

Ciudad __St. John__ Estado __KS__ Código Postal __67576__

Correo electrónico __etorres4PNF@gmail.com__

HISTORIAL DE CICLOS

Variación de ciclos anteriores: Corto _____ Largo _____

Basado en _____ ciclos registrados

Información personal

Esta sección contiene la información necesaria para que un instructor de PNF pueda comunicarse con usted y ayudarle con la interpretacion de su gráfica. Si usted ha asistido a un curso de PNF de La Liga de Pareja a Pareja o si ha utilizado *El Curso de Estudio en el Hogar*, usted tiene derecho a recibir ayuda e interpretación de sus gráficas por un año.

Notas

Gráf núm.	2	Recuerde día:	6	autoexamen mensual de los senos																									
Día de ciclo	1	2	3	4	5		7	8	9	10	11	12	13	14	15	16	17	18	19	20	21	22	23	24	25	26	27	28	29
Menstruación	X	X	X	/	•																						X		
Registro de coitos				✓			✓							✓	→														
Día del mes	16	17	18	19	20	21	22	23	24	25	26	27	28	29	30	31	1	2	3	4	5	6	7	8	9	10			
Día de semana	J	V	S	D	L	K	M	J	V	S	D	L	K	M	J	V	S	D	L	K	M	J	V	S	D	L			

Número de gráfica

Enumerar las gráficas facilita el seguimiento, particularmente cuando desea saber cuántos ciclos de experiencia tiene al revisar un determinado ciclo. Comience con "1" si este es su primer ciclo utilizando la PNF. Si tiene experiencia previa con algún otro tipo de PNF y tiene registro de sus ciclos anteriores, le sugerimos que enumere la gráfica de la LPP con el siguiente número que corresponda.

Día del ciclo

El Día 1 del ciclo es el primer día de la menstruación. Si su sangrado comienza en algún momento antes de la medianoche ese día se considera como el primer día del ciclo. Observe que la gráfica tiene hasta 40 días para anotar. En el caso de que tenga más de 40 días en su ciclo, continúe en una nueva gráfica y marque "41, 42, etc.", arriba de las columnas.

Si comienza a usar el método por primera vez lo más probable es que tenga que comenzar su gráfica a medio ciclo. Si sabe el día en que comenzó su ciclo solamente tiene que marcarlo en la gráfica como Día 1 del ciclo y anotar los días del mes y de las semanas hasta que llegue al día de hoy. Si comete algún error, no se preocupe. Una vez comience el nuevo ciclo tendrá la oportunidad de actualizarse.

Observe que cada gráfica incluye un recordatorio para hacerse el autoexamen de los senos en el Día 6 del cada ciclo.

Menstruación

Use una "X" para indicar flujo menstrual normal o abundante. Una diagonal "/" para indicar parcial o menos flujo. Utilice un punto "•" para indicar manchado o flujo escaso.

Una vez comience el nuevo ciclo anote "X" para indicar el comienzo del flujo. El día antes de que comience el flujo es el último día del ciclo anterior. Por ejemplo si su menstruación comenzara el Día 29 del ciclo, usted debe anotar una "X" en el espacio que corresponde al Día 29 y ese mismo día comienza una nueva gráfica. Su ciclo anterior fue de 28 días de duración.

Registro de coitos

Coito es otro término para referirse a las relaciones sexuales. Utilizamos este término porque es menos familiar, especialmente para los niños.

Los días de relaciones sexuales se anotan con una marca de cotejo en la fila de registro de coitos.

Usted puede decidir si desea o no, mantener un registro detallado. Sin embargo, le pedimos que, al menos, incluya el último coito de la Fase I, cualquiera que ocurra durante la Fase II y el primero de la Fase III.

Día del mes y día de la semana

Estas anotaciones sirven para conectar su ciclo con el calendario. También le permite asociar ciertos eventos y posibles influencias en su ciclo (vacaciones, días feriados, bodas, etc.). Es útil anotar los días de fin de semana, ya que algunas personas tienen distintas rutinas durante el fin de semana. Algunas mujeres anotan la primera letra de cada día en la fila de "día de la semana". Por ejemplo, L, M, V, etc.

Notas

Dia 6 siempre empiezas a tomar la temperatura. Esto para ver si la phase II empezo.

V = Esto en la graphica significa = sexo
V = check mark = sex

Dirección _____

Ciudad _____ Estado _____ Código Postal _____

Correo electrónico _____

HISTORIAL DE CICLOS

Variación de ciclos anteriores: Corto __26__ Largo __32__

Basado en ____8____ ciclos registrados

Día más temprano de subida en temp. _____14_____

basado en ___8___ ciclos

Fin Fase I: Norma Ciclo más corto ___6___ Doering ___7___

NOTAS

Historial de ciclos

Este espacio sirve para mantener un registro de sus ciclos anteriores necesario para calcular la duración de la Fase I en ciclos futuros.

La variación de los ciclos anteriores sirve para registrar su ciclo más largo y más corto basado en el historial de ciclos registrados de la mujer.

Esta información debe ser actualizada cada vez que comienza un nuevo ciclo en su gráfica. Por ejemplo, si su ciclo anterior fue de 26 días de duración y ha tenido un ciclo de 24 días, el ciclo de 24 días será su ciclo más corto y el de 26 el más largo en su siguiente gráfica. Si en un futuro tuviera un ciclo más largo de 26 o más corto de 24, deberá actualizar esta información.

Las líneas siguientes del historial de ciclos son para anotar otra información al momento de aplicar las reglas que discutiremos en la clase 2.

Notas

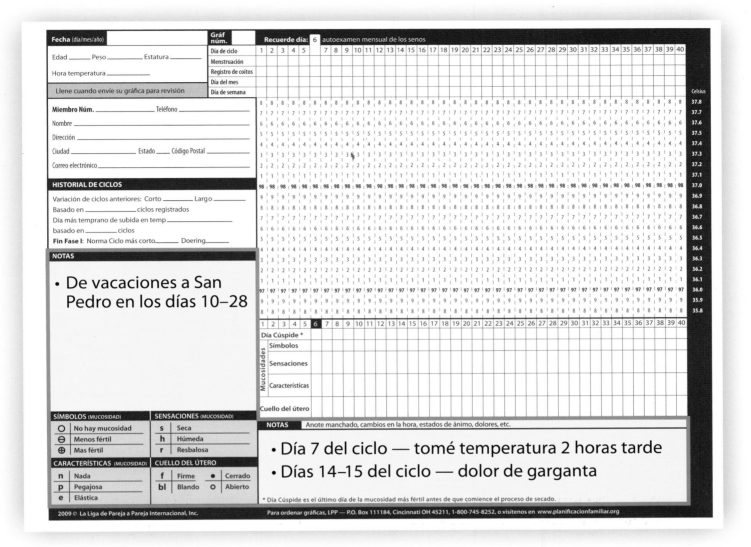

Notas del usuario

Esta sección puede usarse para anotar cualquier cambio significativo en su vida diaria durante ese ciclo en particular. Anote cualquier medicamento que esté tomando, enfermedades, viajes, cambios en su rutina de dormir o situaciones que produzcan tensión adicional. Recuerde incluir el día en que ocurren estos eventos.

Notas

Señales principales

Las secciones siguientes contienen información detallada sobre las principales señales que vamos a observar — mucosidad cervical, temperatura y el cuello del útero; y algunos de menor importancia — aumento en interés sexual, hipersensibilidad en los senos, sensación de hinchazón en el abdomen y dolor en el costado durante la ovulación. Si no está familiarizada con este tipo de síntomas es posible que le parezca algo privado y quizás demasiado gráfico. Sin embargo, Dios nos ha dado estas señales de fertilidad, y es importante que tanto los esposos como los novios se familiaricen con ellas.

La señal de la mucosidad

La **mucosidad cervical** aparece como consecuencia del estrógeno:

- es un fluido natural del cuerpo, igual que las lágrimas o la saliva
- es saludable, limpio y necesario para el funcionamiento adecuado del sistema reproductor femenino
- ayuda a la fertilidad
  - proporciona un medio para que el espermatozoide pueda desplazarse
  - proporciona los nutrientes para el espermatozoide
  - permite que el espermatozoide pueda vivir varios días en el cuello del útero donde se "hospeda" mientras espera la ovulación
- ayuda a filtrar los espermatozoides que tengan algún defecto para que no lleguen a fertilizar el óvulo

Identificar la mucosidad

- Por lo que se siente (sensaciones)
- Por lo que puede ver (características)

Cuando no hay mucosidad, la vida del espermatozoide es muy corta. Debido a que el interior de la vagina tiene una naturaleza ácida, la ausencia de mucosidad la hace hostil y no permite que los espermatozoides vivan más de unas horas.

Una mujer puede aprender a reconocer la presencia de mucosidad cervical con gran facilidad. Esta conciencia tiene dos partes: las **sensaciones**, que tienen que ver con lo que la mujer siente; y las **características**, asociadas a lo que la mujer puede ver y tocar.

Identificar las sensaciones de mucosidad — Lo que se siente

Hay dos formas de identificar las sensaciones de la mucosidad: manténgase atenta a las sensaciones en el área vaginal, a lo largo del día y preste atención a lo que siente cuando visita el baño y pasa el papel.

Una manera de sentir la presencia de la mucosidad es estar atenta a las sensaciones de humedad o sequedad que se tienen durante el día, cuando usted realiza sus labores. Estas sensaciones, en el área vaginal, incluyen, una evidente sequedad, o humedad similar a la que algunas mujeres sienten justo antes de que comience su próxima menstruación. Es una sensación de líquido que fluye como si fuera a salir. A veces la mucosidad puede ser tan fluida como el agua. Esta sensación debe catalogarse como más fértil.

Identificar la mucosidad

- Por lo que se siente (sensaciones)
  - — Conciente durante el día
  - — Conciente cuando pasa el papel

Una pequeña cantidad de mucosidad puede causar un cambio notable en las sensaciones. Estar conciente de este cambio le ayudará con sus observaciones.

La otra manera de detectar las sensaciones es concentrándose en lo que se siente cada vez que pasa el papel higiénico luego de usar al baño (orinar/defecar). Esté atenta, si se siente que raspa, es áspero, o seco, tal vez sienta que resbala, como cuando se aplica crema humectante para las manos. Una vez comienza a poner atención a estos detalles, se sorprenderá de su habilidad para detectar los cambios más leves.

Debe prestar atención a las sensaciones de la mucosidad tan pronto como termine su menstruación y no más tarde del Día 6 del ciclo. (Durante la primera parte de su ciclo, es posible que la sensación de mucosidad, aparezca sólo una vez en el día).

Notas

Registro de las sensaciones de mucosidad

Al momento de anotar las sensaciones, escriba una de las siguientes letras en la fila de "Sensaciones" de su gráfica. Esto debe hacerse al final de cada día.

- Anote la letra "s" para describir la sensación de sequedad durante el día
- Anote la letra "h" para describir la sensación de humedad o mojada durante el día
- Anote la letra "s" cuando tenga la sensación de sequedad al pasar el papel higiénico en cualquier momento que use el baño durante el día
- Anote "r" cuanto tenga la sensación resbalosa al pasar el papel higiénico en cualquier momento que use el baño durante el día

Observe que solamente debe anotar "s" si se ha sentido seca durante todo el día, incluyendo todas las veces que ha usado el baño. Por ejemplo, si se siente seca la mayor parte del día pero en algún momento tuvo la sensación húmeda debe anotar "h" en su gráfica. Es importante que anote la sensación del tipo más fértil que haya tenido durante todo el día. Es por eso que recomendamos anotar al final del día.

Anotar las sensaciones de mucosidad › Ejercicio

	1	2	3	4	5	6	7	8	9	10	11	12	13	14	15	16	17	18	19	20	21	22	23	24	25	26	27	28	29	30
Día Cúspide *																														
Símbolos																														
Sensaciones	S	S	S	R	R	R	R	H H R R	S	S	S	S	→																	
Características																														

Mucosidades

Si participa en uno de los cursos de la LPP tendrá la oportunidad de hacer estos ejercicios durante la clase. En caso de que utilice esta guía como parte de El Curso de Estudio en el Hogar, vaya a la página 175 del Apéndice A, donde encontrará los datos necesarios para completar el ejercicio. Una vez complete el ejercicio, puede cotejar las respuestas en la página 187, Apéndice B.

Identificar las características de la mucosidad

Además de identificar la presencia de la mucosidad, a través de las sensaciones, usted puede examinar las características de la mucosidad e identificar sus cualidades. Si hay

mucosidad, es probable que aparezca cuando pasa el papel higiénico. Si usted encuentra indicios de mucosidad al pasar el papel, intente identificar lo que observa.

Las **características** de la mucosidad puede ser clasificada en las tres categorías siguientes:

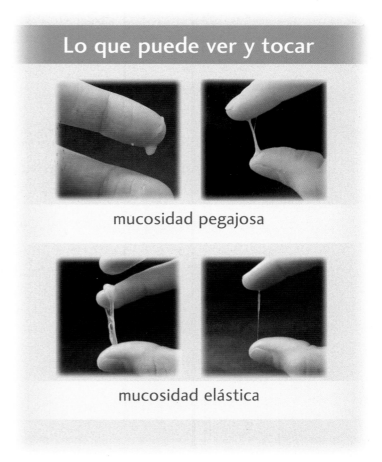

Lo que puede ver y tocar

mucosidad pegajosa

mucosidad elástica

- *Nada:* no observa ninguna mucosidad.

- *Pegajosa:* cuando la mucosidad es espesa y con un poco de elasticidad, pero tiende a romperse cuando se le estira (no estira tanto como lo que llamaremos mucosidad elástica); también puede describirse como el tipo cremoso, pegote, pastoso y espeso.

- *Elástica:* este tipo de mucosidad estira cuando uno la separa; también puede describirse como muy elástica, como clara de huevo.[1]

Es probable que la primera descarga de mucosidad que ocurre al comienzo del ciclo, sea pegajosa, gruesa, que no estira mucho. Al avanzar a la Fase II, la mucosidad comenzará a ser más fluida y elástica.

¿Cómo observar las características de la mucosidad?

Aprender a observar la apariencia de la mucosidad es relativamente fácil.

1. Debe chequear si tiene mucosidad, cada vez que vaya al baño. Asegúrese de que comienza sus observaciones tan pronto como disminuya la menstruación, o no más tarde del Día 6 del ciclo. Es posible que algunas mujeres no tengan mucha mucosidad o que solamente la puedan notar en un momento del día. Por lo tanto, hacer la observación cada vez que use el baño aumenta las probabilidades de que pueda observar algo.

2. Recomendamos que use papel higiénico blanco, sin perfumes.

---

[1] Para fotos adicionales de la mucosidad, vea la *Guía de referencia*, páginas 249–251.

3. Pase el papel de adelante hacia atrás, antes o después de orinar o defecar. (Decimos "antes" ya que algunas mujeres tienen dificultad para observar su mucosidad después de usar el baño. En estos casos, chequear antes le ofrece mayor información). Puede ver la mucosidad ya que ésta se queda encima del papel y la orina es absorbida por el papel.

4. Para determinar la apariencia de la mucosidad debe preguntarse:

   - ¿Es pegajosa o grumosa? *(pegajosa)*

   - ¿Estira un poco y luego se rompe? *(pegajosa)*

   - ¿Puede estirarla repetidamente sin romperse? *(elástica)*

   - ¿Es delgada y forma tiras? *(elástica)*

   - ¿Se parece a la clara del huevo crudo? *(elástica)*

¿Cómo registrar las características de la mucosidad?

Recuerde que la anotación de sus observaciones debe hacerse al final del día. En su libreta de gráficas busque la fila que dice "Características" y haga sus anotaciones utilizando las siguientes categorías:

- Si no observa mucosidad, anote "**n**" para indicar *nada*.

- Si su mucosidad es pegajosa, pastosa, cremosa, grumosa o se rompe tan pronto la estira, anote "**p**" para indicar *pegajosa*.

- Si su mucosidad es elástica, que estira, parecida a la clara del huevo crudo o estira repetidamente sin romperse, anote "**e**" para indicar *elástica*.

Si usted no observa ninguna mucosidad durante el día, debe anotar "n" (nada). Si observa mucosidad pegajosa, aunque sea solamente una vez en el día; y luego no vuelve a observar nada más, debe anotar "p" (pegajosa). Igualmente si observa mucosidad del tipo elástico en algún momento, debe anotar "e" (elástica) en la sección de características. *No olvide siempre debe anotar la mucosidad del tipo más fértil al final del día.*

Notas

Anotar las características de la mucosidad › Ejercicio

Si asiste al curso de la LPP, tendrá la oportunidad de hacer los ejercicios en su clase. En caso de que utilice esta guía como parte de El Curso de Estudio en el Hogar, vaya a la página 176 del Apéndice A, donde encontrará los datos necesarios para completar el ejercicio. Una vez termine, compare sus respuestas con las respuestas de la página 187.

1	2	3	4	5	6	7	8	9	10	11	12	13	14	15	16	17	18	19	20	21	22	23	24	25	26	27	28	29	30
Día Cúspide *																													
Símbolos																													
Sensaciones					s	s	s	r	r	r	r	h r	h r	s	s	s	s	s	s	s	s	s	s	s	s	s			
Características	n	n	p	p	p	e	e	e	n	p	p	n	p	p	n	n	n	p	p	n	n	n								

Mucosidades (etiqueta lateral)

La señal de la temperatura

La temperatura basal es la temperatura del cuerpo en reposo, al momento de despertarse, antes de comer, tomar líquidos o comenzar alguna actividad en el día. La temperatura basal de la mujer aumenta levemente después que ocurre su ovulación a consecuencia de la hormona progesterona. Si una mujer registra su temperatura basal diariamente obtendrá una valiosa información sobre su fertilidad.

Tome su temperatura todos los días a la misma hora (o no más tarde de media hora luego de levantarse). Indique en su gráfica si tiene una variación de más de media hora, sea antes o después de la hora acostumbrada.

Si utiliza un termómetro digital es posible tomar la temperatura en un minuto. Es aconsejable que se quede acostada mientras toma su temperatura, esto contribuye a la exactitud de la lectura. Si siente que el termómetro está frío colóquelo entre sus manos por más o menos treinta segundos para templarlo. Luego colóquelo debajo de la lengua en el lugar indicado. (Vea instrucciones del termómetro para más información). Levantarse por un momento durante la noche no afectará su temperatura basal, siempre y cuando usted haya dormido al menos seis horas y haya descansado por lo menos una hora antes de tomarse la temperatura.

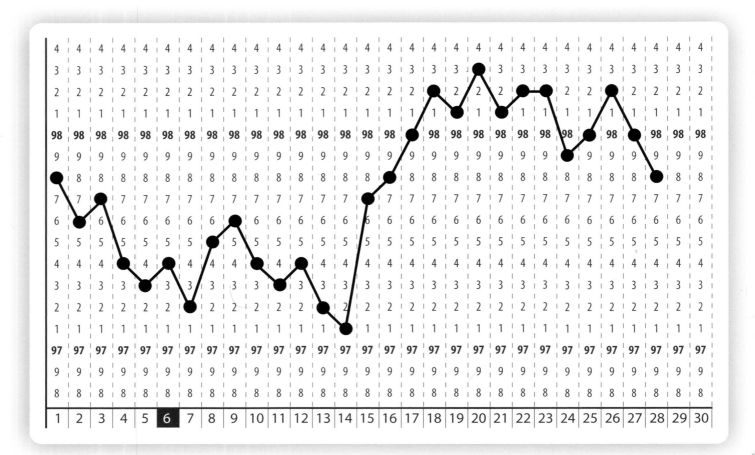

Anotar la temperatura

Una vez tomada la temperatura debe anotarla en su gráfica. Dependiendo del termómetro es posible que no sea necesario anotar la temperatura inmediatamente ya que algunos termómetros digitales guardan la lectura hasta que se vuelvan a activar. Si la lectura del termómetro incluye números que quedan entre los números que aparecen en la gráfica o si su termómetro marca centésimas de grado, redondear a la décima más cercana.[2]

Nota: Al hacer sus anotaciones vea en su gráfica las escalas de temperatura Farenheith (Centígrados a la derecha), estas no pretenden ser equivalentes, sino referencias para que puedan anotar sus lecturas utilizando una u otra medida.

---

[2] Vea la *Guía de referencia*, pág. 267–269, para información sobre cómo tomar la temperatura cuando se trabaja en distintos turnos o se cambia de zonas con distintas horas.

El cuello del útero

La tercera señal importante es el cuello del útero. Este tiene forma de pera y el cuello uterino es comparado con su parte estrecha; cuando se remueve el tallo. La parte estrecha tiene una apertura que llamamos la hoz cervical pero, contrario a la pera, la hoz es suave y blanda como la punta de la nariz.

El cuello del útero responde a los cambios en estrógeno y progesterona, igual que la mucosidad cervical.

Durante la parte inicial del ciclo el cuello se cierra y se pone firme hasta el comienzo del tiempo fértil.

Cambios en el cuello del útero como respuesta al estrógeno y la progesterona

- Cerrado y firme hasta el comienzo de la Fase II

- Abierto y blando en presencia de estrógeno

- Cerrado y firme durante la Fase III en presencia de progesterona

Cuando se acerca la ovulación, pasa por una serie de cambios:

- se abre levemente
- la punta se vuelve blanda como los labios de la boca

Estos cambios ocurren gradualmente, usualmente durante un periodo de una semana o más.

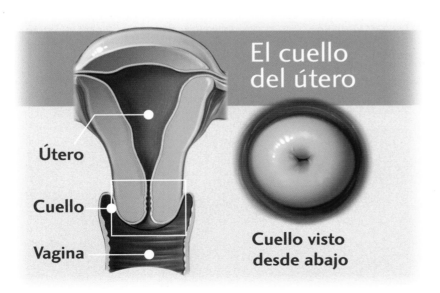

El cuello del útero

Útero

Cuello

Vagina

Cuello visto desde abajo

Luego de la ovulación, a consecuencia de la progesterona, el cuello del útero nuevamente se cierra y se pone firme. Durante este tiempo, se siente como la punta de la nariz. Una vez que se cierra el útero completamente, la mucosidad se espesa a lo largo del canal cervical. Esto disminuye la habilidad de los espermatozoides para transportarse y eventualmente evita que cualquier organismo pueda entrar al útero. Todos estos cambios posovulatorios ocurren con mayor rapidez que los que ocurren antes de la ovulación y usualmente coinciden con el aumento de la temperatura basal.

Palpación del cuello del útero

Ya que el útero es un órgano interno, los cambios que ocurren en el cuello pueden percibirse mediante la palpación o examen del cuello. Esto lo hace introduciendo su dedo en el canal vaginal y tocando, delicadamente, la punta del cuello uterino.

En su Guía de referencia (páginas 224–225) encontrará ayudas para hacer este examen. Decida cuál de estas usted prefiere y sea consistente usando esta técnica a lo largo de su ciclo, cada vez que haga la palpación.

Tenga especial cuidado al hacer la palpación ya que el cuello del útero es una parte delicada del cuerpo. Mantenga las uñas cortas de manera que no vaya a lastimarse. Asegúrese de lavar sus manos con agua y jabón, preferiblemente un jabón sin desodorante. Algunos de esos químicos desodorantes pueden causar irritación vaginal.

Comience sus observaciones del cuello del útero cuando disminuya su menstruación o no más tarde del Día 6 del ciclo. Examine una o dos veces al día cuando use el baño, pero sólo en las tardes o noches. La palpación del útero no debe hacerse en la mañana ya que los músculos abdominales tienden a contraerse mientras duerme y es posible que se le dificulte hacer el examen. Una vez que se levante y continúe sus tareas del día, será más fácil hacer la palpación.

También le advertimos que no haga la palpación inmediatamente después de defecar, ya que esto puede hacer que el cuello se abra un poco y/o cambie de posición.

Aún cuando la palpación del cuello del útero es opcional para la práctica del Método Sintotérmico puede ser de gran ayuda para:

- presentar un cuadro más completo de la fertilidad de la mujer
- ayudar a reducir el número de días de abstinencia
- las etapas de transición como después del parto (luego de las primeras ocho semanas) o durante la premenopausia

Anotar las señales del cuello del útero

En la fila del cuello del útero:

- Anote "•" para indicar que el cuello se encuentra cerrado
- Anote "O" para indicar que el cuello está abierto
- Anote "f" para indicar que el cuello está firme
- Anote "bl" para indicar que el cuello está blando

Usted puede variar el diámetro del círculo para indicar variaciones en la apertura del cuello.

Anotar las observaciones del cuello del útero › Ejercicio

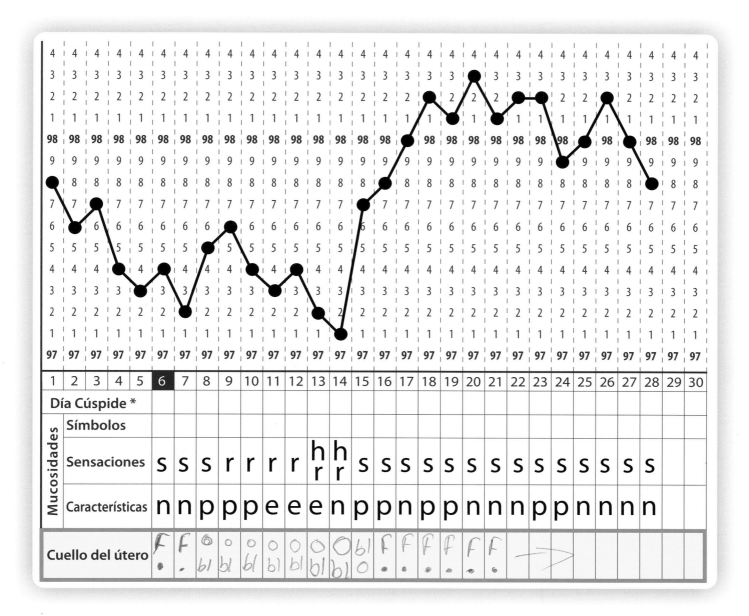

Si asiste al curso de la LPP, tendrá la oportunidad de hacer los ejercicios en su clase. En caso de que utilice esta guía como parte de El Curso de Estudio en el Hogar, vaya a la página 177 del Apéndice A, donde encontrará los datos necesarios para completar el ejercicio. Una vez termine, compare sus respuestas con las respuestas del Apéndice B en la página 188.

Señales secundarias

En adición, a las tres señales principales de la fertilidad, hay muchas mujeres que experimentan una o más de estas señales secundarias o menos comunes. Algunas pueden notar un cambio adicional en el cuello del útero; pueden palpar que el cuello sube durante el tiempo de la ovulación. Inclusive, mientras palpan la apertura, tienen la posibilidad de observar si tienen mucosidad en la entrada del cuello, la hoz cervical.[3]

Existen otras señales que pueden experimentarse durante la Fase II. Entre ellas se encuentran: aumento en el deseo sexual (libido), sensibilidad en los senos, inflamación abdominal y dolor de ovulación. Si usted experimenta alguno de estos síntomas secundarios asegúrese de anotarlos en su gráfica. Aún cuando no todo el mundo puede identificar estas señales secundarias, es de gran valor estar atenta a la manera en que su cuerpo "se comunica" con usted.

Conclusión

El Método Sintotérmico de la PNF brinda, tanto al esposo como a la esposa, la oportunidad de comunicarse a un nivel más íntimo. Ambos participan y tienen la oportunidad de aprender a leer el "lenguaje" del cuerpo. Por ejemplo, el esposo le recuerda a la esposa que se tome la temperatura durante la mañana. La esposa hace sus observaciones de la mucosidad y el cuello del útero durante el día y el esposo anota las observaciones en la gráfica al final del día. Este diálogo les abre las puertas a una comunicación más profunda entre ambos. Juntos admiran la belleza de la creación y de su naturaleza como hombre y mujer. Aprenden a amarse tal y como son en cualquier momento de su vida, y permite que su intimidad sexual se vuelve profunda, sagrada y buena.

En la siguiente lección vamos a discutir las normas para interpretar las señales principales de la fertilidad.

---

[3] Para mayor información sobre la mucosidad interna, vea la *Guía de referencia* págs. 252–253.

Interpretación de las señales de fertilidad 5

Lección 5

Ya hemos discutido los cambios en las señales de fertilidad según cambian sus niveles de hormonas. Por ejemplo, mencionamos que a medida que la ovulación se acerca y pasa, la mucosidad aparece y desaparece; las temperaturas diarias suben de un nivel bajo a un nivel alto, el cuello del útero cambia de forma apreciable y nos permite confirmar la información que nos brindan las otras dos señales. También hemos hablado sobre cómo observar los cambios y anotarlos en su gráfica.

Ahora vamos a hablar de cómo interpretar estas observaciones para poder determinar los tiempos de fertilidad e infertilidad. Una combinación de estudios científicos y décadas de experiencia de miles de matrimonios usuarios de la PNF, son la base para establecer estas guías para identificar las fases del ciclo. Conocer las normas y poder aplicarlas a la información contenida en la gráfica, es lo que conocemos como "el arte" de la Planificación Natural de la Familia .

Interpretar la señal de la mucosidad

- La **ausencia** de sensaciones y características de mucosidad, usualmente indica **infertilidad**

- La **presencia** de sensaciones y características de mucosidad, usualmente indica **fertilidad**

- Dos tipos: **menos fértil** y **más fértil**

Interpretar la señal de la mucosidad

La ausencia de mucosidad cervical usualmente es una señal de infertilidad. De la misma manera que la presencia de mucosidad usualmente se asocia con la fertilidad.

Como hemos discutido anteriormente, la cadena de eventos que van desde la menstruación a la ovulación surgen como respuesta a las hormonas. A medida que los niveles de estrógeno aumentan el cuello del útero comienza a producir mucosidad. La mucosidad cubre las paredes vaginales y se vuelve más acuosa al punto que parte de la misma sale fuera del cuerpo de la mujer.

Mientras más líquida sea la mucosidad, más podrá ayudar al espermatozoide a alcanzar el óvulo para fecundarlo. Después de la ovulación, un aumento en la progesterona, hace que la mucosidad se vuelva espesa hasta el punto de secarse. Aún cuando hay muchas categorías para describir los distintos cambios que ocurren en la calidad de la mucosidad, básicamente podemos decir que pueden agruparse en dos tipos: menos fértil y más fértil.[1]

Mucosidad menos fértil — Características

Vea la ilustración de las características de la mucosidad del tipo menos fértil.

Cuando los niveles de estrógeno aumentan, la mucosidad que se produce es "pegajosa" y no estira fácilmente. Más bien tiende a romperse cuando la estira o la separa. Algunas mujeres la describen como pegajosa, gruesa, pastosa, cremosa, grumosa o

Caracteristicas de la mucosidad menos fértil:

- Se rompe fácilmente
- Es pegajosa y estira muy poco

que estira un poco, pero es más espesa que la del tipo más fértil. Existen muchas maneras de describirla; cada mujer encontrará la descripción que más se ajuste a sus observaciones.

---

[1] La LPP no ha designado una sensación del tipo menos fértil. Por lo tanto, el próximo título es *Mucosidad del tipo menos fértil — Características.*

Vean que no decimos que esta mucosidad es del tipo "no fértil" o "infértil". La presencia de mucosidad es una señal de la presencia del estrógeno (particularmente antes de que ocurra la ovulación), y puede ocurrir un embarazo si se tienen relaciones matrimoniales en presencia de este tipo de mucosidad en un ciclo normal.

Mucosidad del tipo más fértil — Sensaciones

Tan pronto el estrógeno alcanza ciertos niveles, la sensación de mucosidad es más perceptible. Los altos niveles de estrógeno, presentes durante el tiempo de la ovulación, dan a la mucosidad una consistencia líquida (fluida), al punto que literalmente se escurre por la vagina. Es por eso que las mujeres experimentan una sensación húmeda y/o resbalosa cuando pasan el papel higiénico. En algunos casos, ellas no pueden ver la mucosidad en el papel, pero sí sentir claramente que hay humedad. Por eso estas sensaciones son muy importantes.

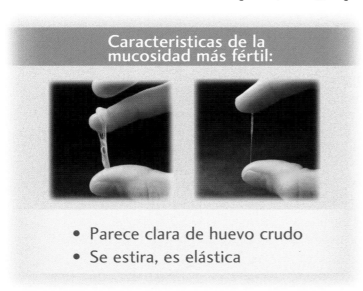

Características de la mucosidad más fértil:

- Parece clara de huevo crudo
- Se estira, es elástica

Mucosidad del tipo más fértil — Características

La mucosidad se vuelve más líquida a medida que los niveles de estrógeno aumentan. Esta se vuelve elástica, estira más o se parece a la clara de huevo crudo. Vean las cualidades de este tipo de mucosidad en las fotos. La mucosidad del tipo más fértil desarrolla cierta elasticidad, es decir, cuando la mujer la estira repetidas veces no se rompe.

Notas

Esta elasticidad es una característica de alta fertilidad, que normalmente viene acompañada por una sensación húmeda fuera de la vagina o resbalosa al pasar el papel. Si por alguna razón, usted piensa que estas señales no coinciden en su ciclo, le animamos a que se comunique con su pareja instructora o con la oficina Central de la LPP.

Símbolos para describir la mucosidad

La meta, en cuanto a sus observaciones de la mucosidad, es que usted pueda identificar cómo se siente o cómo se ve la mucosidad del tipo más fértil durante el día y que pueda anotarlo en su gráfica utilizando un símbolo. Al final del día debe considerar tanto las sensaciones como las características que ha observado durante el día. Esto le permitirá clasificarlas dentro de las categorías de: "no hay mucosidad", "menos fértil" o "más fértil".

Al anotar la señal de la mucosidad

Símbolos para la mucosidad

◯	No hay mucosidad	s, n
⊖	Menos fértil	p
⊕	Más fértil	h, r, e

Observen que una mujer puede identificar varios tipos de mucosidad en un mismo día. Por ejemplo, ella puede ver mucosidad menos fértil en la mañana y sentir mucosidad más fértil en la tarde. Otra mujer puede estar seca y no ver ni sentir mucosidad alguna, y luego encontrar mucosidad menos fértil al final del día. Al momento de decidir qué símbolo va a utilizar, escoja aquel que represente el tipo más fértil que haya sentido u observado durante el día.

- Si ha transcurrido todo el día y no ha visto ningún tipo de mucosidad; además de no haber tenido ninguna sensación de mucosidad; anote "◯" .

- Si el único tipo de mucosidad que ha observado es del tipo menos fértil, anote "⊖".

- Si la mucosidad observada o las sensaciones, incluyen mucosidad del tipo más fértil, anote "⊕".

Estos símbolos son de gran importancia para identificar los cambios cuando se acerca el tiempo de infertilidad después de la ovulación, la Fase III.

Notas

Anotar los símbolos de la mucosidad › Ejercicio

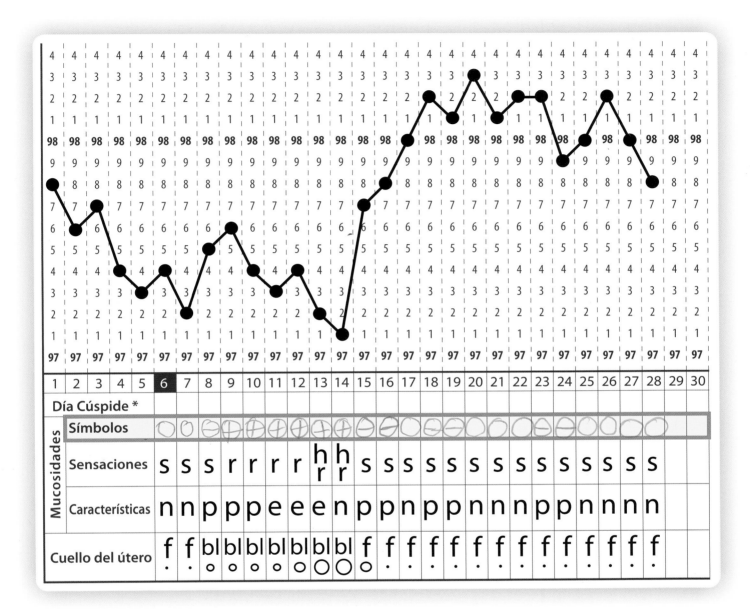

Si participa en uno de los cursos de la LPP, tendrá la oportunidad de hacer estos ejercicios durante la clase. Si tiene El Curso de Estudio en el Hogar, ponga el símbolo en cada día del ciclo y una vez complete el ejercicio, puede cotejar las respuestas en la página 189, Apéndice B.

Patrón del desarrollo de la mucosidad

Ya saben como interpretar las señales de la mucosidad cada día; ahora necesitan aprender a interpretar el patrón de la mucosidad en el ciclo.

Es típico que una mujer perciba las sensaciones de mucosidad mientras realiza sus tareas diarias. En otros momentos será cuando pase el papel higiénico antes o después de usar el baño. Esto puede ocurrir tan temprano como una semana antes de la ovulación. Esta sensación de humedad puede distinguirse de la sequedad que puede tener al final de su menstruación. La humedad se mantiene presente a medida que el estrógeno aumenta y alcanza su punto máximo alrededor de la ovulación.

La sensación de lubricidad puede no ser evidente hasta varios días después de sentirse húmeda, ya que los cambios de la mucosidad continúan mientras aumenta la cantidad de estrógeno en el cuerpo. Observen que las sensaciones "húmeda" y "resbalosa" son muy claras al tiempo de la ovulación.

La mucosidad de aspecto pegajoso y que no estira, puede observarse durante los primeros días, antes que pueda ver la mucosidad más elástica. Una vez más le recordamos que las características de la mucosidad cambian día a día, a medida que los niveles de estrógeno aumentan. Cerca de la ovulación, la mucosidad tiene un aspecto más fértil, es elástica, transparente (translúcida), se estira sin romperse, como la clara de huevo crudo.

El Día Cúspide

Durante la ovulación, los niveles de progesterona aumentan y la mucosidad cambia de una sensación húmeda y resbalosa a una mucosidad más gruesa, al punto que hasta puede desaparecer del todo. De hecho, este proceso ocurre con suma rapidez. En una visita al baño puede observar una mucosidad elástica o una sensación de humedad y en la próxima visita ve que esta mucosidad ya no está tan elástica como antes. Usted podrá ver un GRAN cambio. Muchas mujeres podrán decirse: "El cambio es tan claro que puedo notar la diferencia".

A medida que la mucosidad sigue cambiando, la mujer ya puede establecer el Día Cúspide de la mucosidad. Día Cúspide se refiere al día de mucosidad más fértil antes de que comience el proceso de secado. Con frecuencia ocurre el día de la ovulación. Varios estudios demuestran que la ovulación casi siempre ocurre más o menos tres días antes o después del Día Cúspide.[2]

---

[2] Thomas W. Hilgers, Guy E. Abraham and Denis Cavanaugh, "Natural Family Planning: I. The peak symptom and estimated time of ovulation." (Planificación Natural de la Familia , I. El síntoma cúspide y el tiempo estimado de ovulación) Revista *Obstetrics and Gynecology* 52:5 (noviembre 1978) 575 – 582; Tabla 3, 579.

Una manera sencilla de identificar el Día Cúspide es buscar el último día con el símbolo de mucosidad más fértil (⊕) antes de que comiencen los símbolos de mucosidad menos fértil (⊖) y/o los días sin mucosidad alguna (○). Una vez identifique el Día Cúspide, debe anotar una "C" en la fila (renglón) del Día Cúspide.

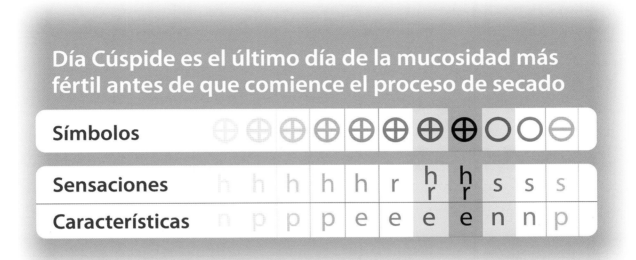

Es importante recordar que el Día Cúspide se identifica de forma retrospectiva. Es decir, identificamos el Día Cúspide después de que ha ocurrido, ya que es necesario que la mujer pueda primeramente ver el comienzo del proceso de secado, para saber cuando fue el Día Cúspide.

Notas

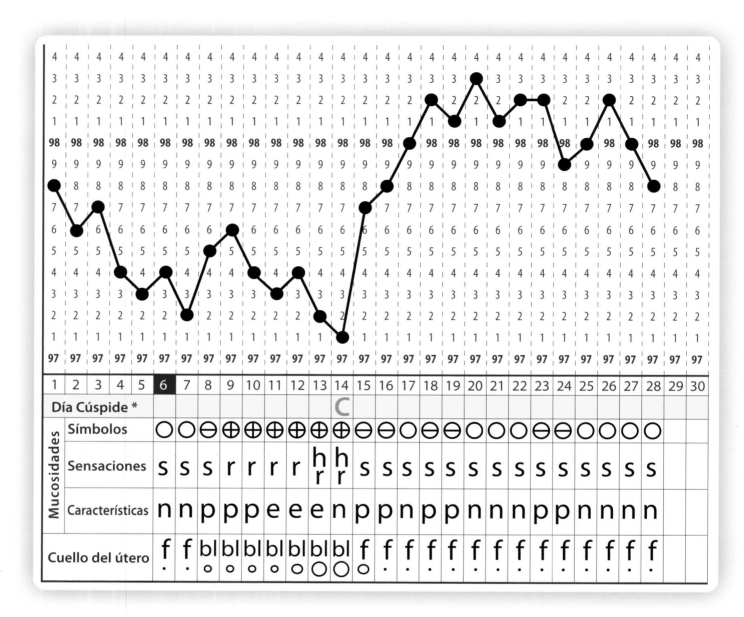

En la gráfica, puede ver que el Día Cúspide se ha identificado con la letra "C" en el Día 14 del ciclo. Este es el día de mucosidad del tipo más fértil si mira la secuencia en la fila de los símbolos. En este caso, el Día 14 del ciclo es el último día de mucosidad más fértil, seguido por un cambio a mucosidad menos fértil o secado. Por lo tanto, el Día Cúspide es el Día 14 del ciclo.

Notas

Identificar el Día Cúspide › Ejercicios 1, 2 y 3

⌄ Ejercicio 1

	8	8	8	8	8	8	8	8	8	8	8	8	8	8	8	8	8	8	8	8	8	8	8	8	8	8	8	8	8	8	8	8	8
	1	2	3	4	5	**6**	7	8	9	10	11	12	13	14	15	16	17	18	19	20	21	22	23	24	25	26	27	28	29	30	31	32	33
Día Cúspide *														C																			
Símbolos	○	○	○	○	⊕	⊕	⊕	⊕	⊕	⊖	⊖	⊖	⊖	⊖	⊖	⊖	⊖	⊖	⊖	⊖	⊖	⊖	⊖	⊖									
Sensaciones	s	s	s	s	h	h	r	r	r	r	s	s	s	s	s	s	s	s	s	s	s	s	s	s									
Características	n	n	n	n	p	p	p	e	e	p	p	p	p	p	p	p	p	p	p	p	p	p	p										
Cuello del útero																																	

(Mucosidades)

⌄ Ejercicio 2

	8	8	8	8	8	8	8	8	8	8	8	8	8	8	8	8	8	8	8	8	8	8	8	8	8	8	8	8	8	8	8	8	8
	1	2	3	4	5	**6**	7	8	9	10	11	12	13	14	15	16	17	18	19	20	21	22	23	24	25	26	27	28	29	30	31	32	33
Día Cúspide *														C																			
Símbolos	○	○	○	⊕	⊖	⊕	⊕	⊕	⊕	⊕	⊕	⊕	⊕	○	○	○	○	○	⊖	○	○	○	⊖	○	○	○	○	⊖	⊖				
Sensaciones	s	s	s	h	s	h	r	r	r	r	r	h	h	s	s	s	s	s	s	s	s	s	s	s	s	s	s	s	s				
Características	n	n	n	n	p	p	p	e	e	e	e	n	n	n	n	n	n	n	p	n	n	p	n	n	n	p	p	p					
Cuello del útero																																	

(Mucosidades)

⌄ Ejercicio 3

	8	8	8	8	8	8	8	8	8	8	8	8	8	8	8	8	8	8	8	8	8	8	8	8	8	8	8	8	8	8	8	8	8
	1	2	3	4	5	**6**	7	8	9	10	11	12	13	14	15	16	17	18	19	20	21	22	23	24	25	26	27	28	29	30	31	32	33
Día Cúspide *															C																		
Símbolos	○	○	○	○	○	⊕	⊖	⊕	⊕	⊕	⊕	⊕	⊕	○	○	○	○	○	○	○	○												
Sensaciones	s	s	s	s	r	s	r	r	h	r	r	r	s	s	s	s	s	s	s														
Características	n	n	n	n	p	p	p	e	e	e	e	e	n	n	n	n	n	n	n														
Cuello del útero																																	

(Mucosidades)

Si participa en uno de los cursos de la LPP, tendrá la oportunidad de hacer estos ejercicios durante la clase. Si tiene El Curso de Estudio en el Hogar, identifique el Día Cúspide en las tres gráficas de arriba. En la fila de "Día Cúspide" anote una "C" en el espacio que corresponda. Una vez complete el ejercicio, puede cotejar las respuestas en la página 189, Apéndice B.

¿Cómo interpretar la señal de la temperatura?

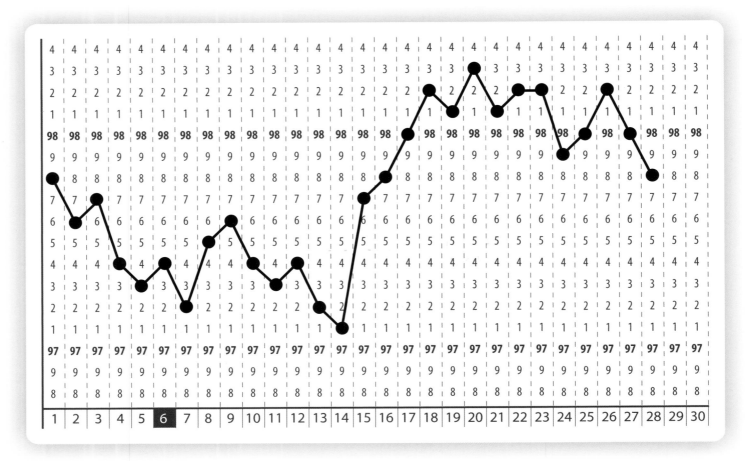

Al interpretar la señal de la temperatura

- El ciclo presenta un cambio térmico después de la ovulación, a causa de la progesterona

- El ciclo típico tiene dos niveles de temperaturas — uno más bajo antes de la ovulación; uno más alto después de la ovulación

- Un cambio térmico indica que la ovulación ya ocurrió

- Los estudios se han realizado desde 1930

Recuerden que la progesterona es secretada por el cuerpo lúteo, el saco vacío que queda luego de que el óvulo es liberado durante la ovulación. Uno de los efectos del aumento de progesterona es un cambio en el metabolismo de la mujer, de manera que la temperatura basal aumenta levemente. En la gráfica, el aumento de progesterona puede observarse porque, a medida que se anotan todas las temperaturas, es posible identificar dos niveles distintos — uno bajo, antes de que ocurra la ovulación

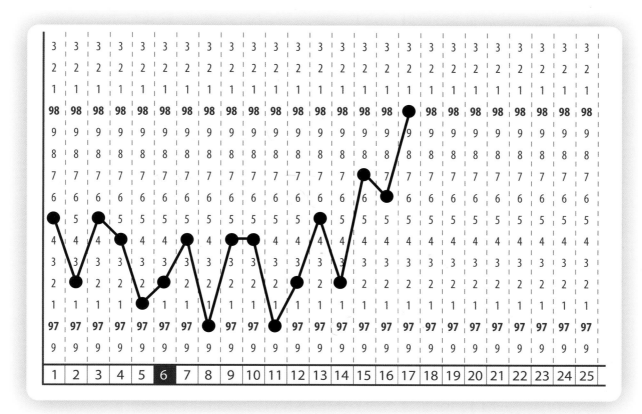

y uno alto después de la misma. La diferencia entre estos dos niveles es usualmente 0.4° Fahrenheit (0.2° Centígrados).

La presencia de este cambio de temperatura o cambio térmico indica que la ovulación ya ocurrió. Este es un dato científico sustentado por numerosos estudios y documentado por primera vez durante el siglo XIX. Durante la década del 1930, el sacerdote alemán Wilhelm Hillebrand documentó ese descubrimiento asociado al ciclo de la mujer. En ese momento se estableció que los tres días de temperatura elevada sostenida, sobre un nivel bajo indicaban que la ovulación había ocurrido y que la mujer ya no era fértil.

En la gráfica superior, se puede apreciar con claridad cómo la temperatura del Día 17 del ciclo inicia un patrón característico de cambio térmico. Ahora vamos a discutir la manera de interpretar estos patrones de temperatura. Poder encontrar el nivel bajo de temperaturas es la clave para determinar que el cambio térmico ha ocurrido.

Primero debe buscar tres temperaturas que se encuentren por encima de las seis temperaturas normales anteriores. (Temperaturas alteradas — como las asociadas con fiebre — serán discutidas más adelante).

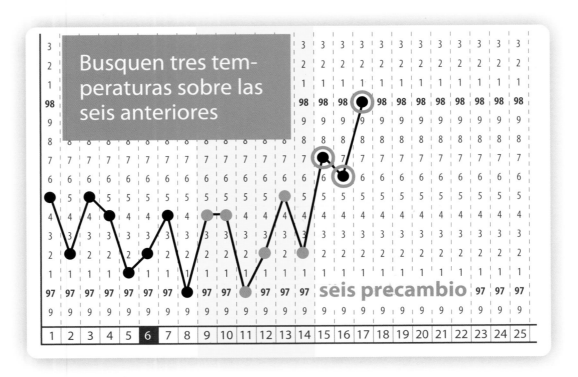

En esta gráfica, las temperaturas de los Días 15, 16 y 17 se encuentran sobre las temperaturas de los Días 9 al 14. Estas seis temperaturas bajas se utilizan para determinar lo que se consedera el nivel bajo y llevan el nombre de las **seis precambio**.

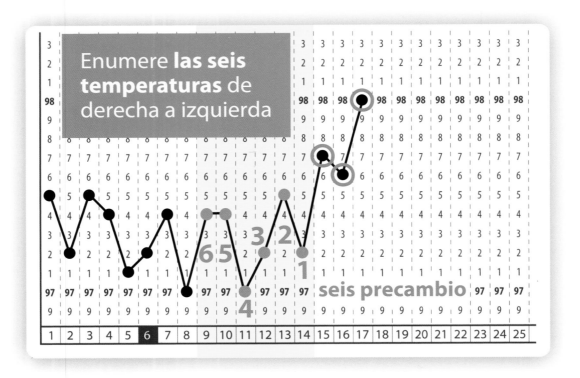

Una vez identificadas las **seis precambio**, enumérelas de derecha a izquierda.

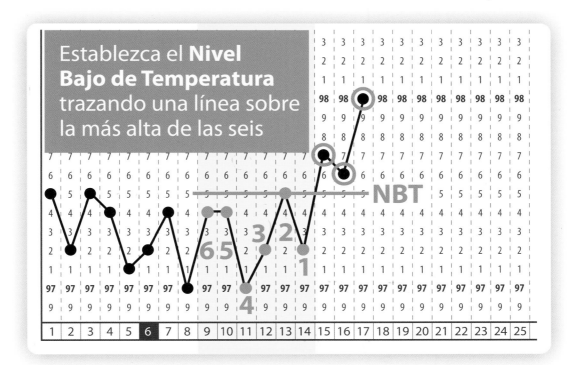

Luego encuentre la más alta de las seis y trace una línea horizontal que la cruce. Esta línea es lo que llamamos el **Nivel Bajo de Temperatura (NBT)** — se encuentra en la más alta de las seis precambio. Es a partir de aquí que se puede medir con gran precisión el cambio térmico.

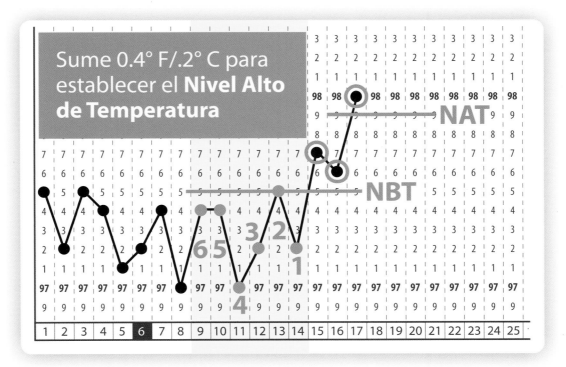

Trace una línea horizontal a 0.4° F (0.2° C) sobre el NBT. Esta línea se conoce como el **Nivel Alto de Temperatura (NAT)**.

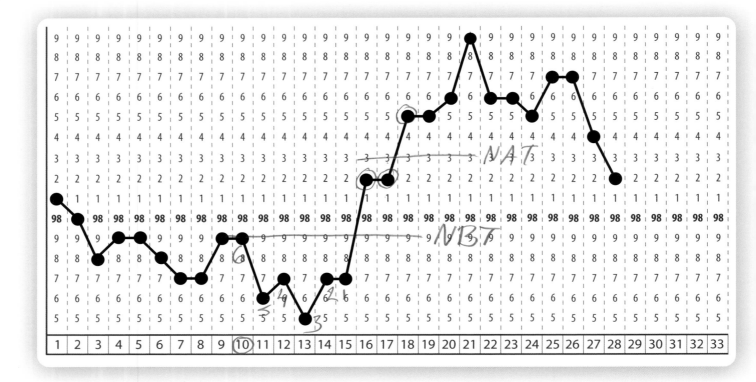

Si participa en uno de los cursos de la LPP, tendrá la oportunidad de hacer estos ejercicios durante la clase. Si tiene El Curso de Estudio en el Hogar, siga los pasos mencionados abajo. Una vez que complete el ejercicio, puede cotejar las respuestas en la página 189, Apéndice B.

Pasos a seguir al momento de interpretar la señal de la temperatura:

- Identifique el cambio térmico buscando tres temperaturas que se encuentren sobre las seis anteriores — las seis precambio.

- Enumere las seis precambio de derecha a izquierda.

- Trace una línea horizontal en la más alta de las seis precambio. Este es el Nivel Bajo de Temperatura (NBT).

- Añada 0.4° F (0.2° C) al NBT y trace otra línea horizontal. Este es el Nivel Alto de Temperatura (NAT).

Al momento de identificar el cambio térmico, busquen aquellas temperaturas que se encuentren más cerca del Día Cúspide. Eso les dará mayor certeza de que las tres temperaturas elevadas se relacionan a la ovulación.

¿Cómo interpretar la señal del cuello del útero?

La interpretación de los cambios del cuello del útero es un poco más simple que la de la temperatura. Ya mencionamos que el cuello del útero experimenta cambios durante el ciclo. Al igual que después de que ocurre la ovulación, al inicio del ciclo, el cuello del útero se encuentra cerrado y firme. Por lo tanto, cerrado y firme es un signo de infertilidad.

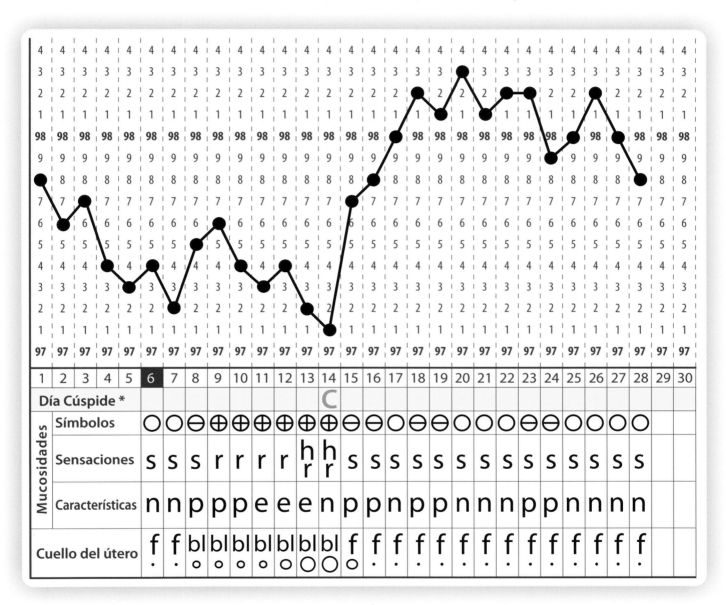

A medida que se acerca la ovulación los altos niveles de estrógeno hacen que el cuello del útero se abra y se ablande. Estas características son una señal clara de fertilidad. La gráfica ilustra el cuello del útero cerrado y firme al comienzo del ciclo (Días 6–7) — esto es una señal de infertilidad. En el Día 8 comienza a abrirse, continúa abriéndose más en los Días 12 al 14, otra señal de fertilidad. Cuando llega el Día 16, el cuello del útero está otra vez cerrado y firme; y permanecerá así por el resto del ciclo — esto es una señal de infertilidad.

Vean en la fila "cuello del útero" en su gráfica que el cuello se presenta abierto o cerrado, firme o blando. Estas son observaciones necesarias si se quiere utilizar esta señal para determinar el inicio de la Fase III.

La Norma Sintotérmica

Ya estamos listos para consolidar toda la información y determinar el tiempo de infertilidad posovulatoria al que llamamos Fase III.

Ya cuentan con todas las herramientas necesarias para anotar e interpretar sus señales. Esto le permitirá identificar el periodo infértil después de la ovulación con gran precisión. La norma que vamos a discutir a continuación es conocida como la Norma Sintotérmica y es, al menos, 99% efectiva para determinar el inicio de la Fase III, tiempo de infertilidad posovulatoria.[3]

Norma Síntotérmica

La Fase III comienza en la noche del:

1. Tercer día de secado después del Día Cúspide combinado con:

2. Tres temperaturas normales poscúpide en un patrón ascendente sobre el NBT

Y   la tercera temperatura en o sobre el NAT

O   el cuello del útero cerrado y firme por tres días

Si estas condiciones no se cumplen, la Fase III comenzará el siguiente día de temperatura elevada poscúspide, sobre el NBT.

Un "patrón ascendente" quiere decir que "cada temperatura — considerada de forma individual — es más alta que cada una de las seis temperaturas bajas"[4].

También es necesario aclarar que si la señal del cuello del útero se considera para establecer

---

[3] Josef Roetzer, *Natuerliche Empfaengnisregelung* (Regulación natural de la concepción) Freiburg: Herder, 2006, 87–88, 100.

[4] Roetzer, 30.

la Fase III, el cuello debe estar *cerrado y firme* durante tres días. En contraste con "un proceso de cerrarse" cerrado implica que ya se encuentra cerrado.

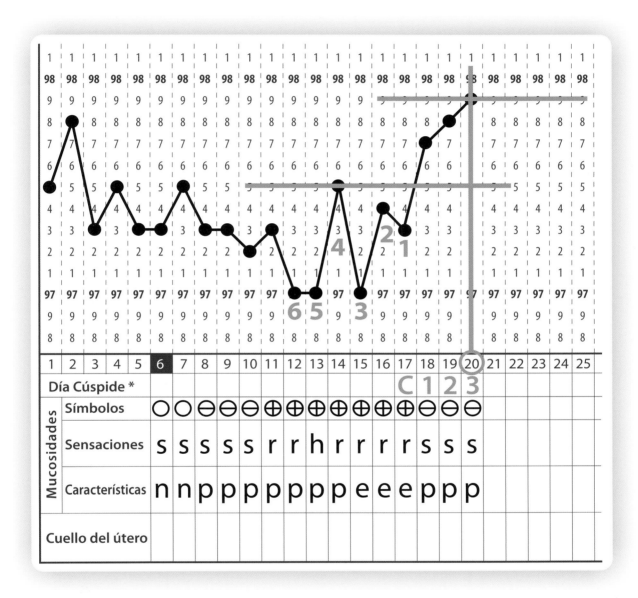

Esta gráfica ilustra una aplicación típica de la Norma Sintotérmica.

Notas

Para aplicar la Norma Sintotérmica siga estos pasos:

1. Identifique el Día Cúspide y enumere los tres días de secado de izquierda a derecha.

2. Identifique tres temperaturas que se encuentren sobre las seis temperaturas anteriores. (Recuerde, tres temperaturas en un patrón ascendente cercanas al Día Cúspide).

3. Enumere las seis temperaturas precambio de derecha a izquierda.

4. Trace el Nivel Bajo de Temperatura (NBT) en la más alta de las seis temperaturas precambio.

5. Trace el Nivel Alto de Temperatura (NAT) a 0.4° F / 0.2° C sobre el NBT.

6. Busque la tercera temperatura normal poscúspide (es decir, tercera temperatura normal que ocurre después del Día Cúspide). Si esta temperatura se encuentra en o sobre el NAT, la Fase III comienza la noche de ese día.

7. Revise las anotaciones del cuello del útero, si las ha registrado. Si tiene tres días de "cerrado y firme" entonces no es necesario que la tercera temperatura llegue al NAT. La Fase III comenzará la noche de ese día.

8. Si no se cumplen los pasos 6 ó 7, espere un día más de temperaturas normales poscúspide sobre el NBT; la Fase III comenzará la noche de ese día.

9. Una vez aplique la Norma Sintotérmica y determine el comienzo de la Fase III, trace una línea vertical a lo largo de la columna de temperatura que corresponda al primer día de la Fase III.

En la gráfica de la página anterior, la Fase III comienza la noche del Día 20 del ciclo, según lo indican los "pasos" 1 al 6. La gráfica siguiente ilustra la aplicación de la señal del cuello del útero (paso 7).

Notas

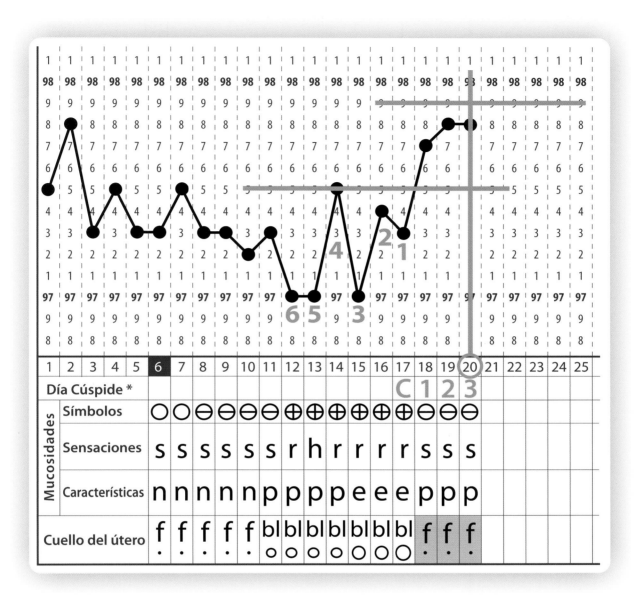

En este ejemplo, aún cuando la temperatura del Día 20 no alcanza el NAT, ya cuenta con tres días que el cuello del útero está "cerrado y firme". Por lo tanto, la Fase III comienza la noche del Día 20 del ciclo.

Notas

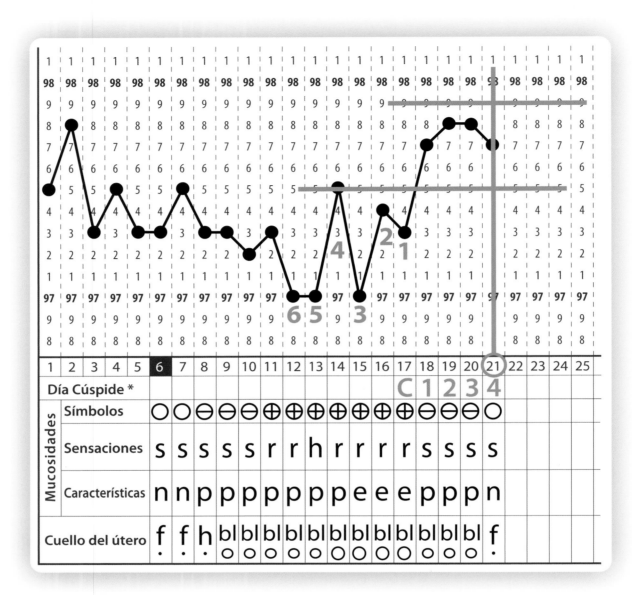

Cuando no coinciden las señales

A veces la señal de la temperatura o de la mucosidad no coinciden o simplemente no pueden establecerse con claridad. En estos casos es todavía posible establecer el comienzo de la Fase III, pero no durante el tercer día poscúspide. Situaciones como ésta requieren **esperar un día más de temperaturas poscúspide sobre el NBT** (ninguna de ellas tiene que estar necesariamente en o sobre el NAT).

En el ejemplo de arriba, la Fase III comienza en la noche del Día 21 del ciclo, según lo indican los pasos 1 al 8 en la página 54.

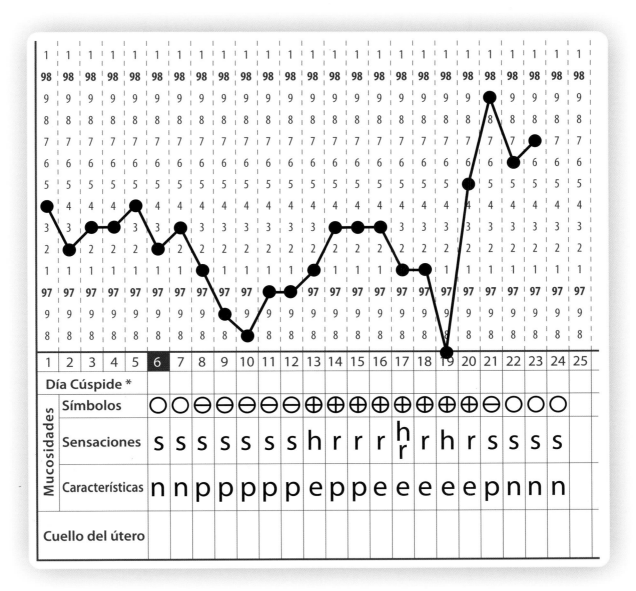

Si participa en uno de los cursos de la LPP tendrá la oportunidad de hacer estos ejercicios durante la clase. Si tiene El Curso de Estudio en el Hogar, aplique la Norma Sintotérmica en las tres Gráficas de práctica, siguiendo los pasos mencionados en la página 54 y determine el inicio de la Fase III. Una vez complete el ejercicio, puede cotejar las respuestas en la páginas 190–192, Apéndice B.

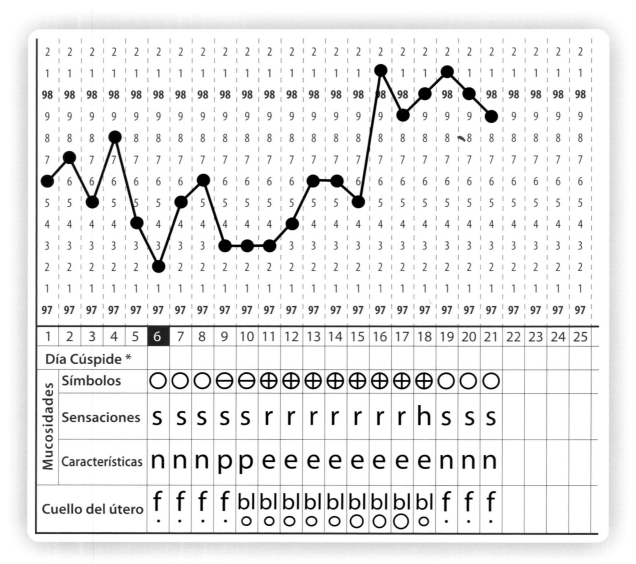

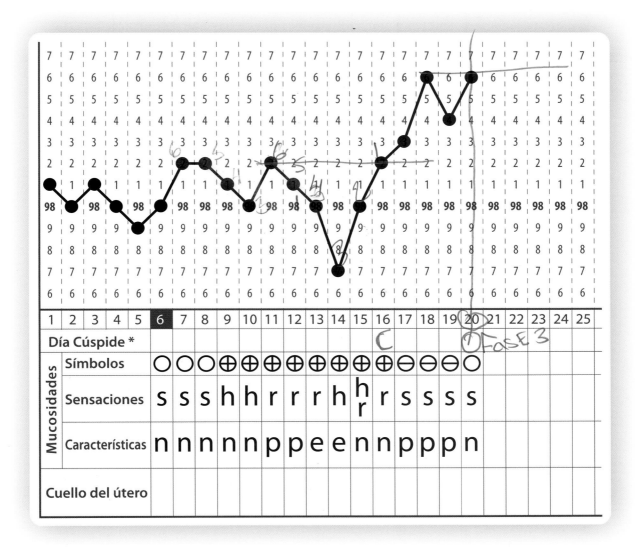

La Norma Sintotérmica: Situaciones especiales

Es importante saber que existen algunas situaciones donde hay que modificar la forma en que se aplica la Norma Sintotérmica.

Primer ciclo para los principiantes

- Para determinar el inicio de la Fase III aplique la Norma Sintotérmica y añada un día

- Abstenerse hasta la Fase III durante un ciclo

Primer ciclo para principiantes:

Los principiantes deben aplicar la Norma Sintotérmica según se establece para determinar el comienzo de la Fase III y luego deben añadir un día adicional.

Deben abstenerse de relaciones matrimoniales hasta la Fase III durante su primer ciclo, ya que las normas para establecer el fin de la Fase I todavía no se han discutido. Parejas que no se han casado, deben evitar cualquier tipo de intimidad sexual hasta el matrimonio, de manera que puedan convertirse en verdaderos amantes — en lugar de usarse — el uno al otro.

Anticonceptivos hormonales

Los anticonceptivos hormonales interfieren con la interacción natural de las hormonas durante el ciclo. Es por eso que las mujeres que usan anticonceptivos hormonales tienen dificultad para registrar con precisión sus señales de fertilidad en una gráfica. Una vez que la mujer deja de usarlas, es posible aplicar una variante de la Norma Sintotérmica durante un corto tiempo.

Los anticonceptivos hormonales incluyen todas las formas de control de la natalidad que introducen hormonas en el cuerpo de la mujer. Entre ellos se incluye la Píldora, que se traga; el parche, que se pega al cuerpo y otros más.

Anticonceptivos hormonales

- Para la Fase III, espere al cuarto día de temperaturas poscúspide, sobre el NBT

- Abstenerse hasta la Fase III durante tres ciclos

- Vea la Guía de referencia

Anticonceptivos hormonales inyectables

- Consulte a su pareja instructora

- Vea la Guía de referencia

Aquellas mujeres que se encuentran en este grupo necesitan aplicar la siguiente norma:

Norma Poshormonal

Durante los primeros tres ciclos después dejar de usar anticonceptivos la Fase III comienza:

- la noche del cuarto día de secado después del Día Cúspide, junto con
- cuatro temperaturas normales poscúspide en un patrón ascendente sobre el NBT

La cuarta temperatura no tiene que alcanzar el NAT, pero debe haber evidente elevación a lo largo de los cuatro días. Además de esta norma, durante los primeros tres ciclos es importante que las mujeres que dejan los anticonceptivos hormonales se abstengan de relaciones matrimoniales desde que comienza su menstruació hasta el comienzo de la Fase III. Es decir, deben abstenerse de relaciones matrimoniales durante las Fases I y II.

Anticonceptivos hormonales inyectables

Es más difícil predecir lo que ocurrirá con los anticonceptivos hormonales inyectables. (Los que se inyectan de forma líquida utilizando una aguja hipodérmica.) Algunos de los más conocidos son *Depo-Provera* y *Lunelle*. El regreso de la fertilidad, cuando se usan estos productos, es más complicado y va más allá del nivel de complejidad de esta lección. Aquellas mujeres que se encuentran en esta categoría y comienzan a practicar la PNF deben contactar a una Pareja Instructora o a la oficina Central de la LPP para una consulta. También, deben leer cuidadosamente la sección sobre este tema en la Guía de referencia, páginas 266–267.

Temperaturas alteradas/sin anotar

Es necesario reconocer la importancia de tomar las temperaturas y de anotarlas cuando comienza a practicar la PNF. Es más importante aún durante la Fase II y el comienzo de la Fase III. En esta clase discutiremos solamente aquellas situaciones donde todas las temperaturas que estaban antes, durante e inmediatamente después del cambio térmico, fueron anotadas. En la Clase 2, explicaremos la forma de manejar los días en que una o dos temperaturas aparentan estar fuera del patrón normal (alteradas) y/o cuando se quedan sin anotar (omitidas).

Si encuentra que hay una o dos temperaturas, entre las seis precambio, que se encuentran fuera del patrón normal del resto de las temperaturas o si ha dejado temperaturas sin anotar, le pedimos que revise el contenido de la Clase 2 para aprender cómo proceder.

A partir de mañana

Luego de cubrir todo este material ustedes tienen suficiente información para comenzar a observar, anotar e interpretar sus señales de fertilidad e infertilidad. Asegúrense de llenar toda la información de su primera gráfica. Cada mujer debe comenzar a tomar su temperatura a la misma hora cada día. También debe hacer sus observaciones de la mucosidad para detectar las sensaciones, características; y los cambios en el cuello del útero. Cuando llegue el momento, aplique la Norma Sintotérmica para el comienzo de la infertilidad posovulatoria (Fase III). Una vez comience la menstruación, debe iniciar sus anotaciones en una nueva gráfica, marcando el primer día de su menstruación como el primer día del nuevo ciclo.

Clases Suplementarias

Si se encuentra embarazada o ha dado a luz recientemente, debe saber que hay clases especiales para saber cómo utilizar la PNF después del parto. Quizás, no esté embarazada, pero si tiene interés en saber más sobre cómo practicar el método durante la premenopausia. Le alegrará saber que existe una clase para usted. Sólo tiene que comunicarse con su Pareja Instructora para más información, o puede visitarnos a **www.planificacionfamiliar.org** o llamarnos a la Oficina Central Internacional para mayor información.

Observe
y anote
sus
señales
de
fertilidad

Amor e intimidad

La Liga de Pareja a Pareja entiende que el material compartido durante esta clase discute temas muy personales. Esperamos que ustedes puedan concluir que esto es más que "biología". La PNF pretende exaltar la dignidad propia de cada ser humano e inspirarnos a una comprensión más profunda de lo que es amarse el uno al otro como lo hacen los esposos — dándose por el bien del otro, sin usarlo para beneficio propio.

Ya sea porque asisten a una clase o si usan *El Curso de Estudio en el Hogar* deben interpretar las Gráficas de práctica 1–4, que se encuentran en el Apéndice A en las páginas 178–180. Aplique la Norma Sintotérmica a cada una de las cuatro gráficas y determine el comienzo de la Fase III. Al inicio de la Clase 2 tomaremos un tiempo para revisar estas gráficas.

Clase 2

1 Introducción

Esta clase de divide en siete lecciones: *Introducción, Repaso, La Norma Sintotérmica: Temperaturas alteradas/sin anotar, La transición de la Fase I a la Fase II, El amor auténtico y la paternidad responsable, Usar la PNF para lograr un embarazo* y *Amor e intimidad*.

Esta introducción resume las lecciones de la Clase 2.

Resumen: Lecciones de la Clase 2

El *Repaso* de la Lección 2, utiliza un ejercicio práctico para repasar los conceptos aprendidos en la Clase 1. Entre ellos se encuentran: la observación, registro/anotación e interpretación de las señales de fertilidad y la Norma Sintotérmica. Además tendrán la oportunidad de revisar las cuatro gráficas asignadas durante la clase anterior. (Es necesario que ustedes completen esas gráficas antes de asistir a la Clase 2).

En la clase anterior, la Norma Sintotérmica se aplicó usando las temperaturas normales que formaban parte de las *seis precambio* y las del cambio térmico. Hay momentos en que una o dos de esas temperaturas se encuentran, claramente, fuera de la región donde se encuentra el resto de las temperaturas. Ya sea porque se ha tomado antes o después de la hora establecida, o simplemente porque no fue tomada o se olvidó de registrarla en su gráfica. La Lección 3, *La Norma Sintotérmica: Temperaturas alteradas/sin anotar*, ofrece una guía sobre cómo aplicar la norma en estos casos.

El objetivo principal de la Clase 1 fue identificar la transición de la Fase II a la Fase III. La Fase I es el nombre que damos al tiempo de infertilidad que comienza con la menstruación y termina con el inicio de la Fase II. Los dos elementos más importantes de la Lección 4, *La transición de la Fase I a la Fase II,* tienen el objetivo de ayudarles a transferir información de una a otra gráfica y adquirir la destreza de saber identificar los días infértiles de la Fase I. Su gráfica contiene información muy importante que le ayudará en esta tarea. El último día del ciclo es el día anterior al comienzo de la próxima menstruación. Es de suma importancia saber cómo analizar la información de su ciclo y transferirla correctamente a la siguiente gráfica. La información contenida en su gráfica es necesaria para poder aplicar las normas que les ayudarán a determinar si tienen días infértiles durante la Fase I. En esta lección, se incluyen varios ejercicios que le ayudarán a comprender estos conceptos.

La Lección 5, habla sobre *El amor auténtico y la paternidad responsable,* continúa la discusión de uno de los elementos claves en la manera en que la LPP trata el tema de la PNF: la integración de las enseñanzas de la Iglesia Católica como parte de la presentación. La Teología del Cuerpo, se basa en la idea central de que el cuerpo humano es la expresión de la persona humana. El cuerpo habla un lenguaje que podemos leer e interpretar. Las señales de fertilidad son parte de ese lenguaje y una vez aprendemos a leerlas, es posible decidir si deseamos traer hijos al mundo o posponer un embarazo, esto de manera virtuosa o conforme a la moral. Al momento de decidir cuál es la mejor manera de obrar, tenemos la posibilidad de mirar a Cristo, el Hijo de Dios. Amar es la acción principal de Dios. El amor de los esposos debe seguir el modelo de las cinco características del amor divino. Esto a su vez, les da la oportunidad a los esposos de ser generosos y responsables en su paternidad.

Notas

La Lección 6, *Usar la PNF para lograr un embarazo;* enseña el uso de la PNF como una ayuda al momento que se desea concebir un hijo. La lección comienza con una discusión más profunda sobre otros aspectos de la anatomía y fisiología. Podrá observar el momento de la ovulación, la concepción y las etapas de crecimiento y desarrollo del bebé en el útero. Luego, utilizando los conceptos aprendidos en la Clase 1, tendrán la oportunidad de interpretar las señales de fertilidad que indican el mejor momento para intentar concebir. Además discutiremos el uso de los *monitores de fertilidad* como una ayuda adicional. Al final de la lección, aprenderán a estimar la fecha de nacimiento de su bebé, utilizando la PNF.

La Lección 7, *Amor e intimidad,* considera brevemente, el tema de la abstinencia como una expresión de amor auténtico que contribuye a la intimidad del matrimonio.

Estas lecciones van intercaladas con ejercicios prácticos que ayudan a reforzar la información discutida. La práctica que estos ejercicios proveen, le ayudará a leer, anotar e interpretar las señales observables de forma adecuada. Esta información es de gran utilidad cuando llega el momento en que quieren concebir un hijo o posponer un embarazo.

Si participa en uno de los cursos de la LPP tendrá la oportunidad de hacer algunos ejercicios durante la clase. Si tiene El Curso de Estudio en el Hogar utilice los datos e instrucciones provistas en el Apéndice para completar los ejercicios. Una vez complete los ejercicios, podrá cotejar las respuestas en el mismo Apéndice.

Las Parejas Instructoras generalmente se encuentran disponibles para revisar sus gráficas, contestar preguntas o discutir cualquier duda, antes y después de la clase. Si usted utiliza *El Curso de Estudio en el Hogar* un consultor de la oficina Central de la LPP le ayudará con sus preguntas. Puede contactarles directamente por teléfono, por correo electrónico y visitando nuestra página, ***www.planificacionfamiliar.org.***

Notas

Repaso 2

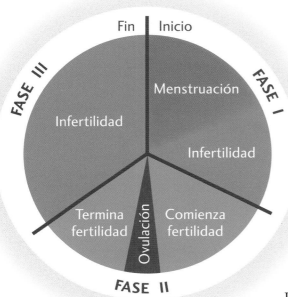

Lección 2

En esta lección se revisarán algunos de los conceptos más importantes discutidos hasta el momento. El ciclo reproductivo femenino puede dividirse en tres fases. La infertilidad de la Fase I comienza el primer día del sangrado menstrual y usualmente termina cuando las observaciones de la mujer le confirman la aparición de las señales de fertilidad. La Fase II es el tiempo fértil. Es durante este tiempo cuando la mujer tiene su ovulación. La Fase III corresponde a la infertilidad que ocurre varios días después de la ovulación y continúa hasta la próxima menstruación.

¿Cómo observar y anotar las señales de fertilidad?

Las señales observables asociadas a la fertilidad son la mucosidad cervical, la temperatura y el cuello del útero.

La mucosidad cervical

La mucosidad cervical es una señal importante para determinar la fertilidad. La ausencia de mucosidad usualmente indica infertilidad, al tiempo que su presencia indica fertilidad. La mucosidad cervical ayuda a la fertilidad ya que sirve como medio de transporte, al tiempo que provee los nutrientes necesarios para prolongar la vida del espermatozoide. También sirve como filtro que evita que espermatozoides con defectos puedan llegar hasta el óvulo.

La observación de la mucosidad consiste en detectar:

1) *sensaciones,* basadas en lo que usted siente

2) *características,* basadas en lo que ve y toca

Usted puede detectar las sensaciones de sequedad o humedad a lo largo del día, mientras realiza las tareas diarias. Estas sensaciones ocurren en la parte externa de la vagina, que varían de sequedad notable a humedad similar a los días antes del comienzo de la menstruación.

Además, usted puede detectarlas si presta atención a las sensaciones cuando pasa el papel higiénico, cada vez que usa el baño. Es necesario anotar estas sensaciones en la sección de *sensaciones* de su gráfica, al final del día. Anote "s" si se siente seca o cuando se siente seca al pasar el papel, cada vez que va al baño. Anote "h" si siente alguna sensación de humedad en cualquier momento del día. Anote "r" si en algún momento siente que el papel "resbala" cuando lo pasa.

Las *características* se identifican visualmente, revisando el papel higiénico luego de pasarlo, cada vez que usa el baño. Comience las observaciones tan pronto como disminuya su menstruación, o el Día 6 del ciclo; lo primero que ocurra. Anote "n" si no puede observar ningún rastro de la mucosidad. Anote "p" si la mucosidad es pegajosa — pegote, pastosa, cremosa o grumosa. Anote "e" si la mucosidad es elástica — que estira, transparente, que hace tiras largas o se parece a la clara de huevo crudo.

La temperatura

La segunda señal de fertilidad que usted puede observar es su temperatura. Recuerde cuando mencionamos que la temperatura basal del cuerpo, es la temperatura en reposo o al momento de levantarse, antes de comer, tomar líquidos o realizar cualquier actividad. Durante el transcurso de un ciclo de fertilidad típico, la temperatura normalmente tiende a estar baja antes de la ovulación y aumenta aproximadamente 0.4° F/0.2° C después de la ovulación. Las temperaturas continuarán elevadas hasta la próxima menstruación o si la mujer ha logrado concebir continuarán elevadas durante gran parte de su embarazo.

Usted toma su temperatura todos los días a la misma hora.[1] Si utiliza un termómetro digital, es posible obtener una lectura en un minuto. En un esfuerzo por mantener la precisión de la lectura, es aconsejable quedarse en la cama mientras se toma la temperatura. Asegúrese de anotarla en su gráfica.

---

[1] Las temperaturas anotadas con variaciones de más de 30 minutos (antes o después) de la hora establecida en la mañana pueden estar alteradas. El tema de las temperaturas alteradas será discutido en la siguiente lección.

El cuello del útero

La tercera señal a observar es el cuello del útero. Al igual que la mucosidad cervical, el cuello responde a los niveles de estrógeno y progesterona. Durante la Fase I del ciclo el cuello del útero está cerrado y firme. Al comienzo de la Fase II el cuello comienza a abrirse y a ponerse blando para finalmente volver a cerrarse y a ponerse firme durante la Fase III. Estos cambios posovulatorios coinciden con un cambio drástico en la mucosidad, junto al aumento de la temperatura basal.

Haga el examen del cuello del útero una o dos veces al día cuando use el baño, pero solamente debe hacerse en la tarde o en la noche. El examen o palpación del cuello no debe hacerse en la mañana, ya que los músculos que sostienen el útero se contraen durante la noche. Esto puede dificultar o hasta confundir la observación. A medida que usted se levanta y camina durante el día los músculos se relajan y el útero tiende a bajar, lo que facilita la palpación.

Descripciones y Símbolos

Símbolos (fertilidad de la mucosidad)

◯	No hay mucosidad
⊖	Menos fértil
⊕	Más fértil

Sensaciones (mucosidad)

s	Seca
h	Húmeda
r	Resbalosa

Características (mucosidad)

n	Nada
p	Pegajosa
e	Elástica

El cuello del útero

f	Firme	•	Cerrado
bl	Blando	◯	Abierto

Debe anotar sus observaciones del útero utilizando las siguientes letras y señales: "f" (firme) o "bl" (blando) y "•" (cerrado) o "◯" (abierto). Tanto estas anotaciones, como las que se usan para la mucosidad las puede encontrar en el lado izquierdo de su gráfica.

¿Cómo interpretar las señales de fertilidad?

La señal de la mucosidad

Durante la Fase II del ciclo menstrual de la mujer la mucosidad cervical se vuelve más fértil, debido al aumento del estrógeno. Una mujer saludable puede notar las sensaciones de la mucosidad, tan temprano como una semana antes de su ovulación. Esta sensación de humedad es distinta a la de "sequedad" que sigue al final de la menstruación. La humedad llega a su punto más alto (cúspide) a medida que se aproxima la ovulación. También pueden identificarse cambios en las características de la mucosidad cervical, de pegajosa a elástica. El Día Cúspide es el último día de mucosidad del tipo más fértil antes de que comience el proceso de secado y solamente puede identificarse de forma retrospectiva. Quiere decir que no será posible establecer el Día Cúspide hasta comenzar el proceso de secado.

Además, el Día Cúspide indica un cambio evidente/distintivo en la sensación y/o las características de la mucosidad, que indica un cambio en los niveles hormonales de la mujer. El Día Cúspide es fácil de identificar en su gráfica. Este corresponde al último día que tenga la señal de más fértil (⊕) antes de que comiencen las señales de menos fértil o no mucosidad (nada). Recuerden que las señales se anotan al final del día. Busque el Día Cúspide en el siguiente ejemplo:

Identificar el Día Cúspide › Ejercicio

		1	2	3	4	5	6	7	8	9	10	11	12	13	14	15	16	17	18	19	20	21	22	23	24	25	26	27	28	29	30	31	32	33
	Día Cúspide *															C																		
Mucosidades	Símbolos	O	O	O	⊖	⊕	⊕	⊕	⊕	⊕	⊖	O	O	O	O	O	O	O	O	O	O	O	O	O	O	O								
	Sensaciones	s	s	s	s	h	h	h	h	h	r	s	s	s	s	s	s	s	s	s	s	s	s	s	s	s								
	Características	n	n	n	p	p	e	p	p	e	p	p	n	n	n	n	n	n	n	n	n	n	n	n	n	n								
	Cuello del útero																																	

Si participa en uno de los cursos de la LPP tendrá la oportunidad de hacer estos ejercicios durante la clase. Si tiene El Curso de Estudio en el Hogar, identifique el Día Cúspide en la gráfica de arriba. En la fila de "Día Cúspide" anote una "C" en el espacio que corresponda. Una vez complete el ejercicio, puede cotejar la respuesta en la página 193, Apéndice B.

La temperatura

Un aumento sostenido en la temperatura basal, luego de la ovulación, ocurre a consecuencia de un aumento en progesterona. Si se interpreta correctamente, este aumento confirma que la ovulación ya ocurrió. Un verdadero cambio en la temperatura o cambio térmico, consiste en tres temperaturas[2] sobre las seis anteriores, que se encuentran cercanas al Día Cúspide.

Estas seis temperaturas antes del cambio térmico se llaman las seis precambio. Usted debe enumerarlas de derecha a izquierda. Busque la más alta de las seis y trace una línea horizontal sobre ésta. Esta línea se llama Nivel Bajo de Temperatura (NBT). Usando el NBT como una base, podemos medir la magnitud del cambio térmico. Trace luego una línea a 0.4° F/0.2° C sobre el NBT. Esta línea se llama Nivel Alto de Temperatura (NAT).

La Norma Sintotérmica

Una vez que se tiene el secado de la mucosidad y el cambio térmico (y la observación opcional de un cuello del útero esta cerrado y firme) usted tiene suficiente información para poder determinar la Fase III, infertilidad posovulatoria. A la regla que sigue la llamamos La Norma Sintotérmica.

Norma Síntotérmica

La Fase III comienza en la noche del:

1. Tercer día de secado después del Día Cúspide combinado con:

2. Tres temperaturas normales poscúpide en un patrón ascendente sobre el NBT

Y   la tercera temperatura en o sobre el NAT

O   el cuello del útero cerrado y firme por tres días

Si estas condiciones no se cumplen, la Fase III comenzará el siguiente día de temperatura elevada poscúspide, sobre el NBT.

---

[2] Estas deben ser temperaturas **normales**. Las temperaturas alteradas o cuando faltan anotaciones, tanto en las seis precambio como en el cambio térmico, serán discutidas en la siguiente lección.

Repaso › Gráfica de práctica

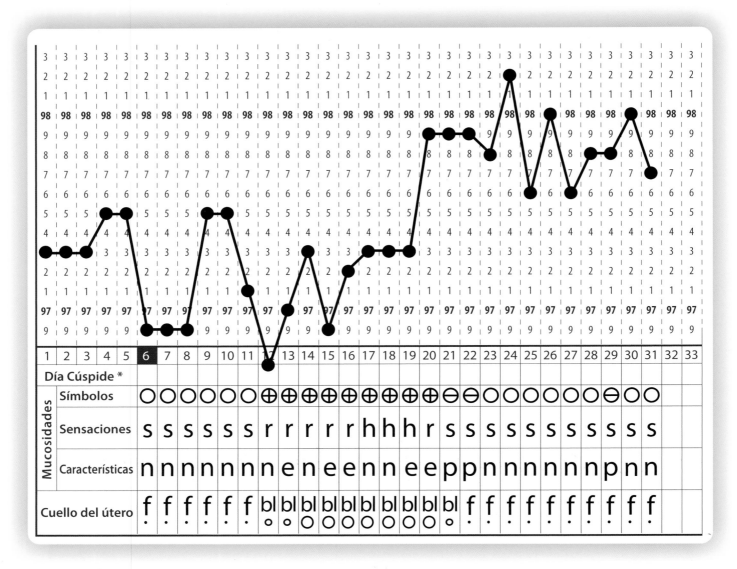

Si participa en uno de los cursos de la LPP tendrá la oportunidad de hacer estos ejercicios durante la clase. Si tiene El Curso de Estudio en el Hogar, aplique la Norma Sintotérmica siguiendo los pasos mencionados en la página 54 y determine el inicio de la Fase III. Una vez complete el ejercicio, puede cotejar las respuestas en la página 193, Apéndice B.

Clase 1 Tarea

Aplicación de la Norma Sintotérmica › Gráficas 1–4

Si participa en uno de los cursos de la LPP tendrá la oportunidad de revisar estas gráficas durante la clase. Si tiene El Curso de Estudio en el Hogar, puede cotejar las respuestas en la páginas 194–197, Apéndice B.

La Norma Sintotérmica: Temperaturas alteradas/ sin anotar

3

Lección 3

En la lección anterior repasamos la manera de aplicar la Norma Sintotérmica cuando todas las temperaturas se encuentran en sus regiones correspondientes (unas bajas y otras altas) y todas han sido anotadas en la gráfica. Sin embargo, es posible que haya momentos en que una temperatura quede, claramente, fuera de la región donde se encuentran las otras temperaturas. Esto puede ocurrir cuando la temperatura se toma antes o después de la hora establecida, cuando se olvida de anotarla o simplemente si no la tomó ese día. Esta lección les ayudará a manejar estas situaciones de manera que puedan aplicar la Norma Sintotérmica.

Recuerde la Clase 1, cuando decíamos que la temperatura basal es la temperatura del cuerpo en reposo antes de que la persona coma, tome líquidos o realice cualquier actividad. Debe tomar su temperatura todos los días a la misma hora (o al menos media hora alrededor de su hora de levantarse).[1] Si usted no se toma la temperatura dentro del tiempo establecido (cada día a la misma hora) no puede asegurarse que ésta refleje su temperatura basal ese día. Además, existen otras situaciones tales como: una enfermedad, falta de descanso adecuado, viajes o cualquier situación que produzca estrés al punto de que su temperatura suba o baje más allá de lo que se espera en esa parte del ciclo. En otras ocasiones, las temperaturas se toman a la hora correcta, pero al momento de anotarlas, se encuentran

---

[1] Vea la Guía de referencia para más información sobre la toma de temperaturas y los turnos de trabajo (págs. 267–268) o cuando viaja a lugares donde hay cambios de hora (págs. 268–269).

más altas o más bajas que el resto. Cuando una temperatura se sale de la región donde se encuentran el resto de las temperaturas, decimos que es una **temperatura alterada**. Si olvida tomar la temperatura o anotarla en su gráfica, estas **temperaturas sin anotar** deben tratarse como si fueran temperaturas alteradas (vea explicación abajo).

Es recomendable que identifique aquellos días de temperaturas alteradas y/o sin anotar, particularmente cuando se encuentran dentro de las seis precambio o de las temperaturas del cambio térmico. Aquellas que ocurran en otros días, en realidad, no son necesarias para determinar la infertilidad posovulatoria, Fase III.

¿Qué hacer con las temperaturas alteradas y sin anotar?

Anote estas temperaturas como lo haría con cualquier otra temperatura normal. Si sabe la razón, por ejemplo, que la tomó más tarde o tuvo fiebre, debe explicarlo en la sección de "notas" de su gráfica. Asegúrese de incluir tanto el día del ciclo, como la explicación.

Cuando falta una temperatura en su gráfica, debe tratarla como si fuera alterada. Marque una "X" en el lugar que se encuentra en blanco (donde debiera estar la temperatura) y haga una anotación correspondiente en la sección de notas.

¿Cómo establecer el NBT cuando se tienen temperaturas alteradas o sin anotar?

Entre los principios que forman parte de la Norma Sintotérmica hay dos que se relacionan directamente con el tema de las temperaturas alteradas y sin anotar:

1. El NBT consiste de seis temperaturas normales antes del cambio térmico.
2. Para determinar el comienzo de la Fase III, se requieren tres temperaturas normales poscúspide, donde la tercera se encuentra en o sobre el NAT.

Cuando encuentre una o dos temperaturas alteradas o sin anotar, entre las seis precambio, usted debe tomarlas en cuenta en el conteo, pero ignorarlas al momento de establecer el NBT. Este se determina usando las temperaturas restantes entre las seis precambio.

Notas

Norma Sintotérmica cuando se tienen temperaturas alteradas o sin anotar

En presencia de una o dos temperaturas alteradas o sin anotar, entre **las seis precambio**, la Fase III comienza la noche del cuarto día de temperaturas elevadas poscúspide sobre el NBT, siempre y cuando mantenga un patrón ascendente.[2]

En el caso de que existan una o dos temperaturas alteradas o sin anotar como parte de **las tres temperaturas del cambio térmico**, las seis precambio no podrán establecerse hasta que tenga tres temperaturas elevadas normales poscúspide sobre el NBT, en un patrón ascendente. Aplique la Norma Sintotérmica usando esas temperaturas.[3]

En caso de que existan más de dos temperaturas alteradas o sin anotar entre las seis precambio, no hay suficientes datos para determinar el NBT con precisión. Por lo tanto, la Norma Sintotérmica no puede aplicarse. Para evitar esta situación, es necesario ser diligente en la toma de sus temperaturas, especialmente durante la Fase II y los días que siguen al Día Cúspide.

¿Cómo aplicar la Norma Sintotérmica: Temperaturas alteradas/sin anotar? › Gráficas de práctica 1 y 2

Si participa en uno de los cursos de la LPP tendrá la oportunidad de hacer estos ejercicios durante la clase. Si tiene El Curso de Estudio en el Hogar, aplique la Norma Sintotérmica en las Gráficas. Asegúrese de seguir las instrucciones mencionadas arriba antes de aplicar la Norma Sintotérmica. Una vez complete el ejercicio, puede cotejar las respuestas en las páginas 198–199, Apéndice B.

[2] La cuarta temperatura no tiene que estar en o sobre el NAT.

[3] En el caso donde hayan temperaturas alteradas o sin anotar, la Norma Sintotérmica requiere que la tercera temperatura normal, esté en o sobre el NAT. Si la tercera temperatura no alcanza el NAT, entonces es necesario esperar por una temperatura adicional que se encuentre sobre el NBT.

Notas

~ Gráfica de práctica 1

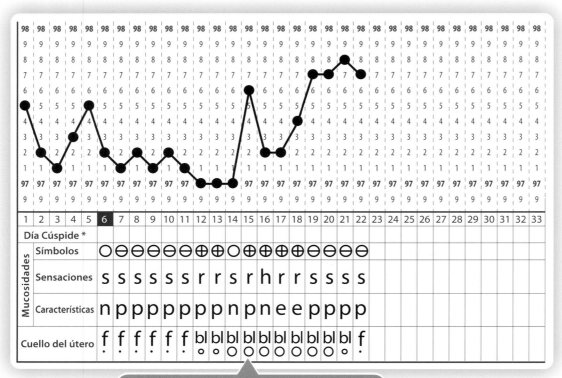

Tomé temperatura 2 horas tarde

~ Gráfica de práctica 2

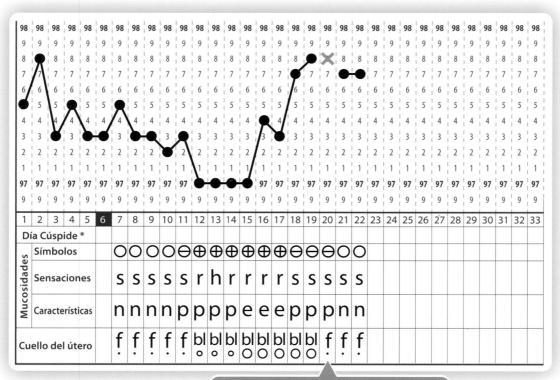

Olvidé tomar la temperatura

La transición de la Fase I a la Fase II

4

Lección 4

En la Clase 1, se mencionó que el ciclo reproductivo de la mujer se divide en tres fases. La Fase I comienza el primer día de sangrado menstrual y se considera un tiempo de infertilidad. Las Fase II comienza tan pronto aparecen las primeras señales de fertilidad y continúa unos días después de la ovulación, este es el tiempo fértil del ciclo. La Fase III comienza unos días después de la ovulación y continúa hasta la próxima menstruación. Ya conocen la Norma Sintotérmica y cómo aplicarla para establecer la infertilidad posovulatoria o la Fase III. El objetivo de esta lección es que usted aprenda a determinar su fertilidad durante los días que van desde su menstruación (primer día del ciclo) hasta la aparición de las primeras señales de fertilidad (Fase II).

La importancia de tener un buen registro

Durante la Clase 1 aprendieron que cuando el cuerpo lúteo (folículo vacío) deja de funcionar produce una caída en el nivel de progesterona lo que produce la menstruación. Este primer día de flujo menstrual es el primer día de su nuevo ciclo y se anota como el Día 1 de ciclo en su gráfica. Cada vez que comienza un nuevo ciclo es importante compararlo con el ciclo anterior. Debe observar en su historial de ciclos, el más largo y el más corto de los 12 más recientes. Si hay algún cambio en la duración del ciclo debe actualizar su historial en la nueva gráfica.[1,2] Además, debe revisar su cambio térmico y ver si hubo una variación en su "primer día de temperatura elevada". Esta información también debe actualizarse en la nueva gráfica, junto al número de ciclos en los que se basa su registro. En esta lección aprenderá a utilizar los datos de ciclos anteriores para identificar la infertilidad de los primeros días.

Fase I

La Fase I del ciclo se distingue por el sangrado menstrual, la ausencia de sensaciones y características asociadas a la presencia de mucosidad cervical y un descenso notable (más o menos a los mismos niveles preovulatorios de ciclos anteriores) en la temperatura basal. Durante la Fase I los ovarios se encuentran inactivos, esto resulta en un tiempo de infertilidad. A medida que progresa la Fase I, la glándula pituitaria segrega la Hormona Estimuladora del Folículo (HEF), lo que inicia una cadena de eventos que concluirán con la ovulación (durante la Fase II). La HEF estimula el desarrollo de algunos óvulos inmaduros que se encuentran en los folículos del ovario hasta que maduren. (Usualmente, sólo uno de los óvulos madura completamente y es liberado). A medida que estos folículos crecen (según crecen los óvulos) aumenta el estrógeno que produce: más mucosidad cervical, que el cuello del útero se abra y se ablande, el engrosamiento del endometrio y el aumento de secreción de la Hormona Luteneizante. Una mujer puede reconocer estos cambios hormonales debido a las sensaciones de mucosidad que experimenta durante el día y a la apariencia del mismo en sus visitas al baño, cuando pasa el papel. *La presencia de mucosidad cervical es el elemento fundamental que define el inicio de la Fase II, tiempo de fertilidad del ciclo.* Es por eso que es esencial poder identificar la presencia de mucosidad para determinar el inicio de la Fase II.

Comúnmente, las mujeres no tienen problemas para observar y anotar sus señales de fertilidad durante las fases II y III, ya que las hormonas producen cambios evidentes o inconfundibles, en la mucosidad, la temperatura y el cuello del útero. Usualmente, las mujeres tienen algunos días secos al terminar su sangrado menstrual. Sin embargo, los días en que hay flujo abundante en la Fase I, no es fácil la identificación de la mucosidad, al punto que puede ser imposible establecer si ese día es fértil o infértil.

Aún así, en días de poco flujo menstrual, la práctica le permitirá desarrollar la experiencia suficiente para distinguir si hay mucosidad presente. Por eso, usted debe comenzar sus anotaciones y registros, tan pronto como disminuya el flujo o el Día 6 del ciclo a más tardar.

---

[1] Al establecer el largo del ciclo, no se debe incluir el día en que comienza la menstruación del siguiente ciclo. Por ejemplo, si la siguiente menstruación comienza el Día 29 del ciclo, quiere decir que el ciclo que acaba de concluir es de 28 días de duración. El Día 29 del ciclo que termina, en realidad es el Día 1 del siguiente ciclo.

[2] La primera vez que llene su gráfica, usted puede utilizar datos que haya guardado sobre sus ciclos anteriores en el espacio que dice: "Variación de ciclos anteriores" en la sección de "Historial de ciclos" en su gráfica.

Dr. Josef Roetzer M.D. — los primeros seis días del ciclo

¿Cuál es la importancia del Día 6 del ciclo? Generalmente, los Días 1 al 6 del ciclo son infértiles para aquellas mujeres cuyo ciclo previo más corto ha sido de 26 días o más. En su libro: *Regulación Natural de la Concepción (Natuerliche Empfaengnisregelung),* el profesor Josef Roetzer, M.D., informa que de aquellas personas que utilizaron los días 1 al 6, hubo solamente un embarazo en 6000 ciclos registrados. Este resultado establece un nivel de efectividad de más de 99.8%.[3] Pero es posible que ocurran embarazos durante este tiempo, si la mujer tiene un ciclos cortos donde hayan señales de fertilidad los Días 6, 5 o inclusive el 4.[4] Si aceptamos que es común que el periodo menstrual dure de cinco a seis días, una mujer con un historial de ciclos de menos de 26 días, podría tener mucosidad cervical durante su menstruación. En estos casos, la mujer podría sangrar durante toda su Fase I e inclusive los primeros días de la Fase II. Sin embargo, el Dr. Roetzer descubrió que aquellas mujeres que han tenido, al menos un ciclo de menos de 26 días durante sus últimos 12 ciclos, pueden predecir sus días infértiles restándole 20 a su ciclo más corto. (*Por ejemplo:* si su ciclo más corto es de 25 días, (25 – 20 = 5) quiere decir que los Días 1 al 5 del ciclo se consideran infértiles para esta mujer.

Dr. G. K. Doering M.D. — primer día de temperatura elevada

Junto a estos hallazgos, el Dr. G. K. Doering, M.D. descubrió otra técnica para ayudar a las mujeres a determinar sus días de infertilidad antes de la Fase II, utilizando la información sobre la temperatura de los ciclos anteriores. Según lo que vimos en la Clase 1, luego de la ovulación, la progesterona causa un aumento de la temperatura (cambio térmico). El primer día de aumento sostenido en la temperatura está íntimamente ligado al día de la ovulación. Si se resta 7 al día más temprano en que subió la temperatura (El 7 se basa en los días de vida del óvulo y el espermatozoide), una pareja puede determinar cuáles son los días probablemente infértiles antes de la ovulación en ciclos futuros.[5] (*Por ejemplo:* si el día más temprano de temperatura elevada de sus ciclos pasados fue el Día 15 del ciclo, podemos decir que los Días 1 al 8 del ciclo, probablemente serán infértiles, ya que decimos 15 – 7 = 8. La mujer debe tener, al menos, seis ciclos de experiencia registrando su primer día de subida en temperatura para poder usar esta regla).

---

[3] Roetzer, 36. Esto se basa en un grupo de mujeres que está familiarizada con el historial de sus últimos 12 ciclos. En la Clase 3 hablaremos más sobre la eficacia del método.

[4] *Ídem.*

[5] Roetzer, 37.

Tanto el Dr. Roetzer como el Dr. Doering han demostrado la importancia de mantener un buen registro de sus ciclos menstruales. Sus procedimientos para establecer los días de infertilidad antes de la ovulación han probado ser muy efectivos, especialmente cuando las señales de la fertilidad no se pueden distinguir muy bien en esta etapa. Sin embargo, tenga en cuenta que los principios de Roetzer y Doering solamente pueden usarse *en ausencia de mucosidad cervical,* porque ya hemos establecido que la presencia de mucosidad claramente indica el comienzo de la Fase II. Tanto Roetzer como Doering, requieren el conocimiento de su historial de ciclos anteriores. En cuanto al historial, debe asegurarse que utiliza la información de sus 12 ciclos más recientes, tanto para su ciclo más corto como para el primer día de temperatura elevada.

El sangrado menstrual es una de las razones por las que algunas mujeres tienen dificultad para detectar las sensaciones y cambios en las características durante la transición de Fase I a Fase II. Sin duda que existen otros factores; ya hemos discutido la importancia de la observación periódica y el registro de los datos al final del día. Esta disciplina permite que usted tenga la información que necesita para poder evaluar si usted es infértil, en la noche de cualquier día en particular durante su ciclo. En la Fase I, una vez que la menstruación disminuye, limite sus relaciones matrimoniales a los días en que no hay mucosidad y por la noche solamente. Esto le permitirá detectar el inicio de la fertilidad de la Fase II con mayor confianza. (Puede tomar hasta seis ciclos de observaciones y registro para que una mujer se sienta con suficiente experiencia y confianza para discernir los días infértiles entre su menstruación y la Fase II).

Más aún, para reducir la posibilidad de confundir el residuo seminal con la mucosidad, como mencionamos antes, cuando disminuye la menstruación, la LPP recomienda que se abstenga de relaciones matrimoniales en días alternos (un día sí y un día no). Esta recomendación puede variar, una vez que la mujer desarrolle suficiente experiencia como para identificar la diferencia entre mucosidad y residuos seminales detectando así la aparición de las primeras señales de fertilidad.

Además de estas dos situaciones — días de menstruación y días posteriores a relaciones matrimoniales — es posible que haya momentos durante sus años fértiles donde no tenga la certeza de encontrarse en Fase I o Fase II. En estos casos su historial puede ser de gran ayuda. Es por eso que su gráfica incluye secciones donde usted registra cierta información y la transcribe a la gráfica siguiente.

Los principios que vamos a discutir ahora, le ayudarán a desarrollar las destrezas y la confianza necesarias al momento de determinar la infertilidad de la Fase I, al igual que la transición de la Fase I a la Fase II. Los dos primeros, son guías generales para eliminar la confusión de las señales de la mucosidad. Los tres siguientes, son normas para determinar los límites de la Fase I.

Guías para el uso de la Fase I

Estos principios asociados al fin de la Fase I pueden ayudarle a determinar si todavía se encuentra en la infertilidad de la Fase I o en el inicio de la fertilidad de la Fase II. Notará que recomendamos la abstinencia en ciertas condiciones — específicamente en momentos en que las señales de fertilidad son confusas. Si necesita posponer un embarazo, es necesario que observe las recomendaciones sobre la abstinencia. Por otro lado, si desea tener un hijo y/o no le preocupa si se encuentra en Fase I o Fase II, entonces no hay necesidad de abstenerse.

Guía general (Noches solamente):

Podemos decir que un día es "infértil" solamente cuando hemos hecho las observaciones a los largo de todo el día. Es por eso que la LPP recomienda que una vez disminuya la menstruación, las relaciones matrimoniales ocurran en las noches, durante la Fase I. (Es posible que usted no vea señales de mucosidad a lo largo del día, pero sí en la noche. Cuando esto ocurre, usted debe considerarse en la Fase II, debido a la presencia de mucosidad cervical.).

Guía general (No en días consecutivos):

Las relaciones matrimoniales usualmente dejan residuo seminal en el área vaginal. Cuando usted lo detecta en alguna de sus observaciones diarias, este residuo puede ocultar o "enmascarar" la presencia de mucosidad. No debe suponer que es infértil hasta que no pueda decir con certeza que no tiene mucosidad. Por esta razón, la LPP recomienda que tan pronto disminuya la menstruación, debe abstenerse al día siguiente de relaciones matrimoniales, durante la Fase I. Esto puede variar una vez usted que tenga suficiente experiencia como para detectar la presencia o ausencia de mucosidad. Ver la Guía de referencia en la página 269 para más información en como difereciar el residuo seminal de la mucosidad.

Norma del Último día seco

La indicación más clara de que la infertilidad de la Fase I ha terminado, es la presencia de mucosidad cervical. Tan pronto usted identifique sensaciones y/o las características aparentes que sugieren la presencia de mucosidad cervical, usted ha entrado al tiempo fértil de la Fase II. Por lo tanto, la Fase I termina el último día en que no se detecta mucosidad.

Norma del Último día seco: El fin de la Fase I es el último día sin sensaciones o características identificables de mucosidad.

NORMA

Usted debe comenzar la observación de la mucosidad tan pronto como disminuya el flujo menstrual, o no más tarde del Día 6 del ciclo, lo que ocurra primero. Por ejemplo, si el sangrado comienza a disminuir el Día 4 del ciclo, usted ya puede comenzar sus observaciones de mucosidad ese día.[6]

La LPP recomienda seis ciclos registrados para ganar suficiente experiencia identificando la transición de la Fase I a la Fase II, tanto observando las sensaciones como las características.

Dias infértiles en la Fase I › Ejercicio

Complete el siguiente ejercicio que le ayudará a determinar los días de infertilidad durante la Fase I. Si participa en uno de los cursos de la LPP, tendrá la oportunidad de hacer estos ejercicios durante la clase. Si tiene El Curso de Estudio en el Hogar, vea la página 200 en el Apéndice B.

V | F   Los primeros días del ciclo son generalmente infértiles.

V | F   Los primeros seis días del ciclo son infértiles sin importar si se observa la presencia de mucosidad.

V | F   La Norma del Último día seco dice que el último día en que no hay mucosidad (sensaciones o características) es el último día de la Fase I.

V | F   Una mucosidad pegajosa (antes de la ovulación) es una señal de fertilidad.

---

[6] En el caso de que el sangrado continúe más allá del Día 6 del ciclo, le sugerimos que se comunique con su Pareja Instructora, es posible que ellos le puedan ayudar.

Notas

Norma del Último día seco › Ejercicios

⌄ Ejercicio 1

8	8	8	8	8	8	8	8	8	8	8	8	8	8	8	8	8	8	8	8	8	8	8	8	8	8	8	8	8	8	8	8	8
1	2	3	4	5	**6**	7	8	9	10	11	12	13	14	15	16	17	18	19	20	21	22	23	24	25	26	27	28	29	30	31	32	33

Día Cúspide *

Mucosidades

Símbolos	◯	◯																															
Sensaciones	s	s	s	h	r	r	r	r	h r	h r																							
Características	n	n	n	p	p	p	e	e	n																								

Cuello del útero

⌄ Ejercicio 2

8	8	8	8	8	8	8	8	8	8	8	8	8	8	8	8	8	8	8	8	8	8	8	8	8	8	8	8	8	8	8	8	8
1	2	3	4	5	**6**	7	8	9	10	11	12	13	14	15	16	17	18	19	20	21	22	23	24	25	26	27	28	29	30	31	32	33

Día Cúspide *

Mucosidades

Símbolos	◯	◯	◯	◯	◯																												
Sensaciones	s	s	s	s	s	h	r	r	r																								
Características	n	n	n	n	n	n	e	n																									

Cuello del útero

⌄ Ejercicio 3

8	8	8	8	8	8	8	8	8	8	8	8	8	8	8	8	8	8	8	8	8	8	8	8	8	8	8	8	8	8	8	8	8
1	2	3	4	5	**6**	7	8	9	10	11	12	13	14	15	16	17	18	19	20	21	22	23	24	25	26	27	28	29	30	31	32	33

Día Cúspide *

Mucosidades

Símbolos	◯	◯	◯	◯																													
Sensaciones	s	s	s	s	s	h	h	r																									
Características	n	n	n	n	p	p	p	p	e																								

Cuello del útero

Si participa en uno de los cursos de la LPP, tendrá la oportunidad de hacer estos ejercicios durante la clase. Si tiene El Curso de Estudio en el Hogar, anote los símbolos en los días que tienen anotaciones de mucosidad. Tan pronto como usted determine el último día de infertilidad (el último día de la Fase I), dibuje una línea vertical entre la Fase I y la Fase II. Una vez complete el ejercicio, puede cotejar las respuestas en la página 200, Apéndice B.

La Norma del Ciclo más corto

Usted puede determinar los días infértiles al inicio del ciclo antes de tener seis ciclos de experiencia si observa y anota las señales de fertilidad e infertilidad. Al principio de esta lección, discutíamos sobre el trabajo realizado por el Dr. Roetzer. Él descubrió que la mujer que mantiene un registro de la duración de sus ciclos menstruales, puede utilizar esta información para determinar los días infértiles de la Fase I con gran eficacia. Además concluyó que durante los primeros días del ciclo, se puede suponer infertilidad si sigue la siguiente norma. Esta se basa en el conocimiento de su ciclo más corto durante los 12 ciclos más recientes. Para esto es necesario haber registrado, al menos un ciclo completo, es decir, luego de observar una ovulación seguida por una menstruación. Un sangrado sin que ocurra una ovulación que lo preceda no es una menstruación verdadera, le llamamos un **sangrado intermenstrual** (vea Clase 3).

Norma del Ciclo más corto:

NORMA

Si la mujer tiene ciclos de 26 días o más en sus 12 ciclos más recientes:
- Suponga infertilidad los Días 1 al 6 del ciclo.

Si la mujer tiene ciclos de menos de 26 días en sus 12 ciclos más recientes:
- Suponga infertilidad desde el día 1 hasta el día que resulte de la resta de su ciclo más corto menos 20.

Si la mujer no tiene experiencia previa con su historial de ciclos:
- Suponga infertilidad durante los Días 1 al 5 hasta que tenga 12 ciclos de experiencia.[7]
- Si más adelante experimenta ciclos de menos de 26 días, suponga infertilidad desde el primer día del ciclo hasta el resultado de su ciclo más corto menos 20.

Si la mujer acaba de dejar de usar un anticonceptivo hormonal:
- Suponga infertilidad en los Días 1 al 5 del ciclo, hasta que tenga 12 ciclos de experiencia.
- Espere tres ciclos menstruales completos antes de usar esta norma.
- Para más información al descontinuar los anticonceptivos hormonales **inyectables** ver páginas 234–235 de la Guía de referencia.
Todas estas guías asumen la ausencia de mucosidad cervical.

---

[7] P. Frank-Hermann, et al. [La eficacia de un método de conciencia de la fertilidad para evitar los embarazos en relación a la conducta sexual de la pareja durante el tiempo fértil: estudio longitudinal]. The effectiveness of a fertility awareness based method to avoid pregnancy in relation to a couple's sexual behavior during the fertile time: a prospective longitudinal study. *Human Reproduction*, páginas 1–10, 2007.

Pasos para aplicar la Norma del Ciclo más corto:

1. Anote la información de su ciclo más corto en la gráfica.

   a. Si ya tiene experiencia anotando sus señales en una gráfica de la LPP compare la información ya anotada en la sección del "ciclo más corto" con el largo de su último ciclo. Anote el número más pequeño de ambos en la sección del "ciclo más corto" en su nueva gráfica.

   b. Si usted es un estudiante nuevo que va a utilizar la Norma del Ciclo más corto, anote la información según corresponda en su gráfica.[8]

2. Una vez que determine cuál es el último día en que se puede suponer la infertilidad de la Fase I utilizando le Norma del ciclo más corto haga un círculo alrededor de ese día al pie de la gráfica.

3. Si usted llega a observar mucosidad antes del día calculado no puede usar esta norma.

Norma del Ciclo más corto › Ejercicio

Si participa en uno de los cursos de la LPP tendrá la oportunidad de hacer estos ejercicios durante la clase. Si tiene El Curso de Estudio en el Hogar siga las instrucciones a continuación y luego puede cotejar las respuestas en la página 200, Apéndice B.

Ciclo más corto	Días infértiles
26 días	
24 días	
28 días	

Utilice la información provista en la tabla y complete los ejercicios aplicando la Norma del Ciclo más corto para determinar los días infértiles (antes de la ovulación) utilizando el historial de ciclo más corto y suponiendo que la mujer tiene más de 12 ciclos de experiencia.

---

[8] Cuando utilice la Norma del Ciclo más corto, tome en cuenta **solamente** sus 12 ciclos más recientes. Si acaba de iniciar este curso, es posible que no tenga esta información. Pero al menos recuerde que haya tenido un ciclo, "cada cuatro semanas", prosiga al paso número dos.

La Norma de Doering

Como mencionamos anteriormente, si mantiene un registro del primer día de temperatura elevada (cambio térmico) en cada ciclo, el matrimonio podrá suponer cuales serán los días de infertilidad antes de la ovulación en ciclos futuros.

El Dr. Doering utilizó esta información para proponer una norma que determine el fin de la Fase I en los años 50. Esta norma fue luego modificada por el Dr. Roetzer. La llamaremos la Norma de Doering y ofrece 99% de efectividad en determinar los días infértiles de la Fase I cuando se usa con 12 ciclos de experiencia.[9] El Dr. Doering se basa en la relación que existe entre el cambio térmico en el ciclo y el día de la ovulación. Esta relación puede ser útil para algunas mujeres.

La Norma de Doering:

NORMA Reste 7 al primer día de temperatura elevada de sus 12 ciclos más recientes. Marque ese día como el último día de infertilidad de la Fase I.

Esta norma asume la ausencia de mucosidad.

Esta norma requiere seis ciclos registrados en su historial de temperaturas.

Pasos para aplicar la Norma de Doering:

1. Tenga al menos seis ciclos registrados.

2. Determine el primer día de temperatura elevada durante el tiempo de la ovulación. Anote esta información en cada gráfica en la sección que dice: "Día más temprano de subida en temperatura".

3. Al final de cada ciclo asegúrese de actualizar la información, según sea necesario, de manera que su gráfica siempre tenga los datos más recientes.

4. Reste siete al primer día de temperatura elevada. Marque este día como el último día en que se puede suponer la infertilidad de la Fase I. (Por ejemplo, si su primer día de temperatura elevada es el Día 14 del ciclo, reste 7: el Día 7 del ciclo es el último día de la infertilidad de Fase I). Si usted observa mucosidad antes del día calculado no use esta norma.

---

[9] Roetzer, 37.

Pasos para determinar el fin de la Fase I

En la práctica siga estos pasos:

1. La presencia de sensaciones y/o características de mucosidad luego del Día 1 del ciclo indica el fin de la Fase I y el comienzo de la Fase II. Es a este principio al que llamamos la Norma del Último día seco. Este se impone a cualquier otra norma — la sensación y/o característica que indique la presencia de mucosidad debe considerarse como el comienzo de la fertilidad de la Fase II.

2. Durante su primer ciclo suponga que es fértil hasta que pueda confirmar el inicio de la infertilidad de la Fase III.[10]

3. Durante sus ciclos 2 al 6 puede usar la Norma del Ciclo más corto.

4. Cuando tenga seis ciclos registrados puede usar la normas del Último día seco, Ciclo más corto o la Norma de Doering.

---

[10] Si usted acaba de descontinuar un anticonceptivo hormonal, (la Píldora, el Parche), debe considerar el último sangrado que ocurriera una vez que descontinuó las hormonas. Debe esperar **tres ciclos** menstruales **antes** de comenzar a aplicar la Norma del Ciclo más corto.

Notas

Fecha (día/mes/año) enero–febrero 2007	Gráf núm.	15

Edad **32** Peso **122** Estatura **5'4"**

Hora temperatura **6:30 AM**

Llene cuando envíe su gráfica para revisión

Miembro Núm. _____ Teléfono _____

Nombre **Sandra López**

Dirección _____

Ciudad _____ Estado ____ Código Postal _____

Correo electrónico _____

HISTORIAL DE CICLOS

Variación de ciclos anteriores: Corto **26** Largo **35**
Basado en **12** ciclos registrados
Día más temprano de subida en temp **14**
basado en **12** ciclos
Fin Fase I: Norma Ciclo más corto **6** Doering **7**

NOTAS

¿Cuántos días hay en este ciclo? __31__

Día de ciclo	1	2	3	4	27	28	29	30	31	32	33	34	35	36	37	38	39	40	Celsius
Menstruación	X	X	X	X						X									
Registro de coitos																			
Día del mes																			
Día de semana																			

(Temperatura gráfica, rango 37.8 – 35.8 °C)

1	2	3	4	27	28	29	30	31	32	33	34	35	36	37	38	39	40

Día Cúspide *

Si participa en uno de los cursos de la LPP, tendrá la oportunidad de hacer estos ejercicios durante la clase. Si tiene El Curso de Estudio en el Hogar, siga las instrucciones a continuación y luego puede cotejar las respuestas en la páginas 201–203, Apéndice B.

Estos ejercicios le ayudarán a transferir la información de un gráfica completa a la siguiente. Además, aprenderá la manera de actualizar la siguiente gráfica para determinar los días infértiles según las Normas del Ciclo más corto y Doering.

Utilice este procedimiento para completar el ejercicio:

1. Determine el largo del ciclo que acaba de completar y conteste la pregunta: ¿Cuántos días hay en este ciclo? Anote la información en el espacio denominado "Notas".

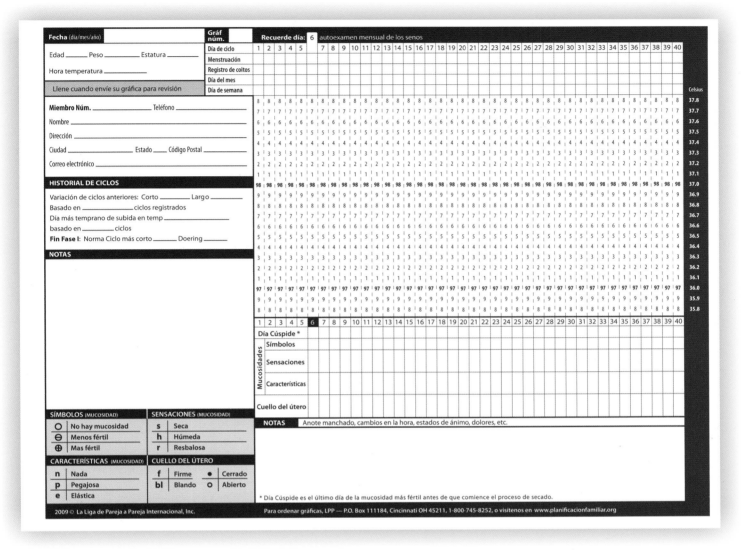

Fecha (día/mes/año)

Edad _____ Peso _____ Estatura _____

Hora temperatura _____

Llene cuando envíe su gráfica para revisión

Gráf. núm.

Recuerde día: **6** autoexamen mensual de los senos

Día de ciclo | Menstruación | Registro de coitos | Día del mes | Día de semana

Miembro Núm. _____ Teléfono _____

Nombre _____

Dirección _____

Ciudad _____ Estado _____ Código Postal _____

Correo electrónico _____

HISTORIAL DE CICLOS

Variación de ciclos anteriores: Corto _____ Largo _____
Basado en _____ ciclos registrados
Día más temprano de subida en temp _____
basado en _____ ciclos
Fin Fase I: Norma Ciclo más corto _____ Doering _____

NOTAS

Día Cúspide *

Mucosidades: Símbolos | Sensaciones | Características

Cuello del útero

NOTAS — Anote manchado, cambios en la hora, estados de ánimo, dolores, etc.

SÍMBOLOS (MUCOSIDAD)

O	No hay mucosidad
⊖	Menos fértil
⊕	Mas fértil

SENSACIONES (MUCOSIDAD)

s	Seca
h	Húmeda
r	Resbalosa

CARACTERÍSTICAS (MUCOSIDAD)

n	Nada
p	Pegajosa
e	Elástica

CUELLO DEL ÚTERO

| f | Firme | ● | Cerrado |
| bl | Blando | O | Abierto |

* Día Cúspide es el último día de la mucosidad más fértil antes de que comience el proceso de secado.

2009 © La Liga de Pareja a Pareja Internacional, Inc.

Para ordenar gráficas, LPP — P.O. Box 111184, Cincinnati OH 45211, 1-800-745-8252, o visítenos en www.planificacionfamiliar.org

2. Comience a transferir los datos a la gráfica siguiente:
- Fecha, edad, peso, estatura, hora en que se toma la temperatura
- Número de su gráfica, día del mes, día de la semana
- Datos que corresponden al Día 1 del nuevo ciclo

3. Determine su historial de ciclos:
- Variación de ciclos anteriores
- "Día más temprano de subida en temperatura"
- Fin de la Fase I: Norma del Ciclo más corto y Norma de Doering

4. Circule los días correspondientes a las Normas del Ciclo más corto y de Doering.

Fecha (día/mes/año) octubre–noviembre 2007	Gráf núm. 1	Recuerde día:

		1	2	3	4	5		15	16	17	18	19	20	21	22	23	24	25	26	27	28	29	30	31	32
Día de ciclo		1	2	3	4	5		15	16	17	18	19	20	21	22	23	24	25	26	27	28	29	30	31	32
Menstruación		✗	✗	╱																					✗
Registro de coitos																									
Día del mes																									
Día de semana																									

Edad **29** Peso **136** Estatura **5'6"**

Hora temperatura **6:00 AM**

Llene cuando envíe su gráfica para revisión

Miembro Núm. _____ Teléfono _____

Nombre ___ **María Hidalgo** ___

Dirección _____

Ciudad _____ Estado ___ Código Postal _____

Correo electrónico _____

HISTORIAL DE CICLOS

Variación de ciclos anteriores: Corto _____ Largo _____

Basado en ___ **0** ___ ciclos registrados

Día más temprano de subida en temp _____

basado en ___ **0** ___ ciclos

Fin Fase I: Norma Ciclo más corto **N/A** Doering **N/A**

NOTAS

¿Cuántos días hay en este ciclo? ___ 31 ___

		1	2	3	4	5	14	15	16	17	18	19	20	21	22	23	24	25	26	27	28	29	30	31	32
Día Cúspide *														C 1 2 3											
Símbolos		⊕	⊕	⊕	⊕	⊕	⊕	⊖	⊖	○	○	○	○	○	○	○	○	⊖	○	○					

1. Determine el largo del ciclo que acaba de completar y conteste la pregunta:
   ¿Cuántos días duró este ciclo? Anote la información en el espacio denominado "Notas".

2. Comience a transferir los datos a la gráfica siguiente:
   - Fecha, edad, peso, estatura, hora en que se toma la temperatura
   - Número de su gráfica, día del mes, día de la semana
   - Datos que corresponden al Día 1 del nuevo ciclo

3. Determine su historial de ciclos:
   - Variación de ciclos anteriores
   - "Día más temprano de subida en temperatura"
   - Fin de la Fase I: Norma del Ciclo más corto y Norma de Doering

4. Circule los días correspondientes a las normas del Ciclo más corto y de Doering.

Fecha (día/mes/año) _____

Edad _____ Peso _____ Estatura _____

Hora temperatura _____

| Llene cuando envíe su gráfica para revisión |

Gráf núm. _____

Día de ciclo	
Menstruación	
Registro de coitos	
Día del mes	
Día de semana	

Recuerde día: 6 autoexamen mensual de los senos

| 1 | 2 | 3 | 4 | 5 | | 7 | 8 | 9 | 10 | 11 | 12 | 13 | 14 | 15 | 16 | 17 | 18 | 19 | 20 | 21 | 22 | 23 | 24 | 25 | 26 | 27 | 28 | 29 | 30 | 31 | 32 | 33 | 34 | 35 | 36 | 37 | 38 | 39 | 40 |

Miembro Núm. _____ Teléfono _____

Nombre _____

Dirección _____

Ciudad _____ Estado ____ Código Postal _____

Correo electrónico _____

HISTORIAL DE CICLOS

Variación de ciclos anteriores: Corto _____ Largo _____

Basado en _____ ciclos registrados

Día más temprano de subida en temp _____

basado en _____ ciclos

Fin Fase I: Norma Ciclo más corto _____ Doering _____

NOTAS

Celsius: 37.8, 37.7, 37.6, 37.5, 37.4, 37.3, 37.2, 37.1, 37.0, 36.9, 36.8, 36.7, 36.6, 36.5, 36.4, 36.3, 36.2, 36.1, 36.0, 35.9, 35.8

| 1 | 2 | 3 | 4 | 5 | 6 | 7 | 8 | 9 | 10 | 11 | 12 | 13 | 14 | 15 | 16 | 17 | 18 | 19 | 20 | 21 | 22 | 23 | 24 | 25 | 26 | 27 | 28 | 29 | 30 | 31 | 32 | 33 | 34 | 35 | 36 | 37 | 38 | 39 | 40 |

Día Cúspide *

Mucosidades
- Símbolos
- Sensaciones
- Características

Cuello del útero

SÍMBOLOS (MUCOSIDAD)

O	No hay mucosidad
⊖	Menos fértil
⊕	Mas fértil

SENSACIONES (MUCOSIDAD)

s	Seca
h	Húmeda
r	Resbalosa

CARACTERÍSTICAS (MUCOSIDAD)

n	Nada
p	Pegajosa
e	Elástica

CUELLO DEL ÚTERO

f	Firme	●	Cerrado
bl	Blando	O	Abierto

NOTAS Anote manchado, cambios en la hora, estados de ánimo, dolores, etc.

* Día Cúspide es el último día de la mucosidad más fértil antes de que comience el proceso de secado.

2009 © La Liga de Pareja a Pareja Internacional, Inc.

Para ordenar gráficas, LPP — P.O. Box 111184, Cincinnati OH 45211, 1-800-745-8252, o visítenos en www.planificacionfamiliar.org

Notas

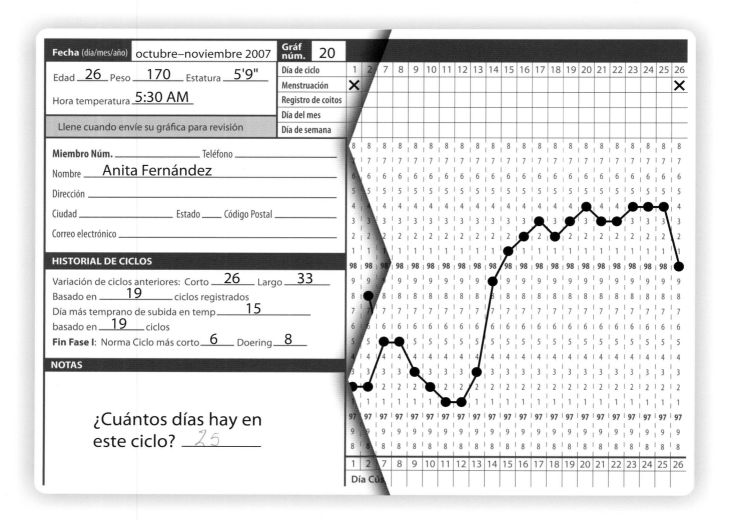

1. Determine el largo del ciclo que acaba de completar y conteste la pregunta:
   ¿Cuántos días hay en este ciclo? Anote la información en el espacio denominado "Notas".

2. Comience a transferir los datos a la gráfica siguiente:
   - Fecha, edad, peso, estatura, hora en que se toma la temperatura
   - Número de su gráfica, día del mes, día de la semana
   - Datos que corresponden al Día 1 del nuevo ciclo

3. Determine su historial de ciclos:
   - Variación de ciclos anteriores
   - "Día más temprano de subida en temperatura"
   - Fin de la Fase I: Norma del Ciclo más corto y Norma de Doering

4. Circule los días correspondientes a las normas del Ciclo más corto y de Doering.

Fecha (día/mes/año) _____

Gráf núm. _____

Recuerde día: 6 — autoexamen mensual de los senos

Edad _____ Peso _____ Estatura _____

Hora temperatura _____

Llene cuando envíe su gráfica para revisión

Miembro Núm. _____ Teléfono _____

Nombre _____

Dirección _____

Ciudad _____ Estado _____ Código Postal _____

Correo electrónico _____

HISTORIAL DE CICLOS

Variación de ciclos anteriores: Corto _____ Largo _____

Basado en _____ ciclos registrados

Día más temprano de subida en temp _____

basado en _____ ciclos

Fin Fase I: Norma Ciclo más corto _____ Doering _____

NOTAS

Día de ciclo	1	2	3	4	5		7	8	9	10	11	12	13	14	15	16	17	18	19	20	21	22	23	24	25	26	27	28	29	30	31	32	33	34	35	36	37	38	39	40
Menstruación																																								
Registro de coitos																																								
Día del mes																																								
Día de semana																																								

Celsius column: 37.8, 37.7, 37.6, 37.5, 37.4, 37.3, 37.2, 37.1, 37.0, 36.9, 36.8, 36.7, 36.6, 36.5, 36.4, 36.3, 36.2, 36.1, 36.0, 35.9, 35.8

	1	2	3	4	5	6	7	8	9	10	11	12	13	14	15	16	17	18	19	20	21	22	23	24	25	26	27	28	29	30	31	32	33	34	35	36	37	38	39	40
Día Cúspide *																																								
Símbolos																																								
Sensaciones																																								
Características																																								
Cuello del útero																																								

(left margin label: Mucosidades)

NOTAS

Anote manchado, cambios en la hora, estados de ánimo, dolores, etc.

SÍMBOLOS (MUCOSIDAD)

O	No hay mucosidad
⊖	Menos fértil
⊕	Mas fértil

SENSACIONES (MUCOSIDAD)

s	Seca
h	Húmeda
r	Resbalosa

CARACTERÍSTICAS (MUCOSIDAD)

n	Nada
p	Pegajosa
e	Elástica

CUELLO DEL ÚTERO

f	Firme	●	Cerrado
bl	Blando	O	Abierto

* Día Cúspide es el último día de la mucosidad más fértil antes de que comience el proceso de secado.

2009 © La Liga de Pareja a Pareja Internacional, Inc.

Para ordenar gráficas, LPP — P.O. Box 111184, Cincinnati OH 45211, 1-800-745-8252, o visítenos en www.planificacionfamiliar.org

Notas

Normas de la Fase I › Ejercicios 1 y 2

Ha llegado el momento de aplicar toda la información que hemos discutido para determinar los días de infertilidad de la Fase I y la transición a la fertilidad de la Fase II. Las tres normas son:

- Norma del Último día seco
- Norma del Ciclo más corto
- Norma de Doering

Si participa en uno de los cursos de la LPP tendrá la oportunidad de hacer estos ejercicios durante la clase. Si tiene El Curso de Estudio en el Hogar siga las instrucciones a continuación y luego puede cotejar las respuestas en la páginas 204–205, Apéndice B.

Utilizando la información de cada gráfica determine en cada uno de los días del ciclo si es fértil, infértil o indeterminado. (Indeterminado es un día donde no se puede determinar la fertilidad debido a la menstruación, presencia de residuo seminal o inexperiencia). Determine si el día del ciclo se encuentra en la Fase I o la Fase II. Dibuje una línea divisoria entre el último día posible de la Fase I y el primer día de la Fase II.

Ejercicio 1 ⌄

Ciclo No. 8	Normas: Ciclo más corto = 4 | Doering = 4								
Día del ciclo	1	2	3	④	5	6	7	8	9
Menstruación	✕	✕	✕	✕	╱	╱			
Símbolo							○	○	⊖
Fértil									
Infértil									
Indeterminado									
Fase									

Ciclo No. 3

Normas: Ciclo más corto = 6 | Doering = N/A | Último día seco = N/A

Día del ciclo	1	2	3	4	5	⑥	7	8	9
Menstruación	✕	✕	✕	✕	✕	╱			
Símbolo							○	⊕	⊕
Fértil									
Infértil									
Indeterminado									
Fase									

Notas

Gráf núm. 10	Recuerde día: 6	autoexamen mensual de los senos

Día de ciclo	1	2	3	4	5		7	8	9	10	11	12	13	14	15	16	17	18	19	20	21	22	23	24	25	26	27	28	29	30	31	32	33
Menstruación																																	
Registro de coitos																																	
Día del mes																																	
Día de semana																																	

HISTORIAL DE CICLOS

Variación de ciclos anteriores: Corto __26__ Largo __30__

Basado en __16__ ciclos registrados

Día más temprano de subida en temp __16__

basado en __6__ ciclos

Fin Fase I: Norma Ciclo más corto _____ Doering _____

	1	2	3	4	5	6	7	8	9	10	11	12	13	14	15	16	17	18	19	20	21	22	23	24	25	26	27	28	29	30	31	32	33
Día Cúspide *																																	
Mucosidades — Símbolos																																	
Mucosidades — Sensaciones																																	
Mucosidades — Características																																	
Cuello del útero																																	

Si participa en uno de los cursos de la LPP tendrá la oportunidad de hacer estos ejercicios durante la clase. Si tiene El Curso de Estudio en el Hogar siga las instrucciones en la página 181, Apéndice A. Determine el fin de la Fase I según cada una de las normas discutidas. Una vez termine el ejercicio, coteje sus respuestas en la página 206 del Apéndice B.

Notas

Intimidad matrimonial durante la Fase II

La intimidad envuelve lo más profundo, privado y personal de cada individuo. Es algo más que lo relacionado con nuestro cuerpo. Ella incluye nuestras relaciones e intercambios con nuestros esposos/esposas, tanto verbales como no-verbales, físicos y espirituales. Por lo tanto, la **intimidad matrimonial** va más allá del abrazo matrimonial (acto sexual). En ocasiones incluye orar juntos, ya sea en silencio o abiertamente. Otras veces es simplemente estar unidos en la presencia del otro cuando las palabras no pueden expresar adecuadamente lo que se siente. Ya que la intimidad matrimonial se expresa y se nutre tanto de palabras como de expresiones corporales, el acto sexual implica más que una expresión física. Saber que se es fértil durante ciertos días del mes puede tener un profundo impacto en la intimidad de los esposos. Cuando se sabe que ella es fértil, la decisión de unirse implica la conciencia de que también podemos convertirnos en *co-creadores* de otra persona, única e irrepetible. Esto ayuda a alcanzar una intimidad más profunda, tanto en el plano físico y psicológico como espiritual.

Como ustedes saben, la habilidad para concebir viene y va. La belleza del cuerpo se manifiesta con mayor claridad cuando trasciende de una fase a la siguiente; concluyendo un ciclo y anticipando la fertilidad y la posibilidad de nueva vida en el próximo. Una vez que se logra tener conciencia de la fertilidad, la Fase I puede convertirse en un tiempo de espera a la llegada de la Fase II. También puede ser una oportunidad de reafirmar la decisión de posponer un embarazo en ese momento de sus vidas. Si desean un embarazo, cualquier decisión sobre acercamiento o intimidad sexual debe tener como base el bien del otro. Si desean evitar o posponer un embarazo, la abstinencia durante los días de posible fertilidad se convierte en la posibilidad de ganar un bien mayor que va más allá de ustedes. Ambas situaciones invitan a apreciar la sexualidad humana y el don de una nueva vida. Estas nos brindan la oportunidad de dar y recibir un amor auténtico y la experiencia de una intimidad matrimonial en su más profunda expresión.

Notas

5 El amor auténtico y la paternidad responsable

Lección 5

En la clase anterior dijimos que la PNF, es fundamentalmente el conocimiento de los ritmos naturales de la fertilidad. Los que practicamos la PNF aprendemos a leer el lenguaje de la sexualidad al tiempo que llegamos a conocernos mejor. Esto implica que podamos entender quiénes somos y cuál es la manera en que nos expresamos. Somos personas humanas. Como personas, tenemos una mente, una voluntad y un cuerpo. Como personas, somos capaces de amar como Dios ama.

También discutimos la forma de calcular qué días forman parte de la infertilidad de la Fase I y cómo discernir la transición a la fertilidad de la Fase II. Durante estas fases, ustedes tendrán que tomar decisiones importantes sobre su intimidad sexual. Al buscar un embarazo, en más de una ocasión tendrán que juntos orar y confiar en la voluntad de Dios al momento en que tengan relaciones matrimoniales durante el tiempo fértil. En otros momentos, tendrán que orar sobre la decisión, por lo menos en ese momento, de posponer un embarazo, y de abstenerse de relaciones matrimoniales luego de la Fase I hasta que termine la Fase II.

En su ensayo, *El Cuerpo humano: un signo de dignidad y un regalo,*[1] el padre Richard M. Hogan explica lo especial y único que es el amor entre un esposo y su esposa. También, nos habla cómo la conciencia sobre su fertilidad puede llevarles a vivir la **paternidad**

---

[1] Rev. Richard M. Hogan, *El Cuerpo humano: un signo de dignidad y un regalo* (Cincinnati: The Couple to Couple League, 2005).

responsable (que se define como la decisión virtuosa de buscar o posponer una concepción). Decimos "virtuosa" porque se toma conforme a la moralidad y en armonía con la voluntad de Dios. Su explicación incluye cinco características asociadas al amor divino, por ser crucial para los esposos imitar estas características lo mejor posible.

Amar es decidir convertirse en un don para el bien del otro. Cada cónyuge escoge *libremente* ser *don* de sí para el amado, con *total conciencia* del valor y la dignidad de ambos y de las consecuencias de esta entrega. Este regalo no está condicionado al momento en que viven, sino que se entrega con un compromiso de *fidelidad permanente,* es decir para toda la vida. Más aún, Dios ha creado al hombre y a la mujer de manera que al ofrecerse mutuamente el don de su intimidad corporal sea *fecundo,* un amor que da vida. Lejos de ser un instinto para reproducirse, el amor auténtico es un acto libre de la voluntad. Dios nos ha dado la posibilidad de participar en el poder de la creación, lo que se vuelve un inmenso regalo para los esposos. Solamente los seres humanos pueden dar vida a personas únicas y con la misma dignidad que ellos tienen. Cada niño es otra expresión de Dios que viene al mundo y que vivirá por toda la eternidad.

Sin embargo, como ya ustedes saben, no fue la voluntad de Dios que cada acto matrimonial tuviera como resultado la creación de un nuevo ser humano. Es solamente durante algunos días del ciclo cuando la mujer puede quedar embarazada. Más aún, Dios nos ha dado la inteligencia y la voluntad para que podamos decidir en cuanto a la posibilidad de crear una nueva persona (es decir, **procrear**). La decisión de posponer un embarazo mediante la abstinencia de relaciones matrimoniales en el tiempo fértil es distinta a la de alterar el cuerpo del esposo o la esposa (sea con químicos, artefactos o cirugías) para lograr el mismo objetivo. El padre Hogan explica las razones detrás de esta importante distinción, nos dice que mucha gente piensa que la decisión de coordinar el tiempo en que se tienen relaciones con los tiempos de fertilidad (PNF) y evitar los embarazos usando un anticonceptivo es la misma cosa. Esto es consecuencia de una confusión entre los medios y el fin. Es probable que ambos compartan el fin de posponer un embarazo, pero los medios son muy distintos. Los esposos que posponen un embarazo mediante la PNF, aún cuando se entregan en un abrazo matrimonial durante los tiempos infértiles, lo hacen de forma total y completa, tal y como ellos son en ese momento. Los esposos que usan anticonceptivos, excluyen su fertilidad de la entrega. Esto convierte al acto matrimonial en uno estéril, lejos de una entrega libre y total de sí. Recuerden que hemos dicho que el amor auténtico implica una entrega total del don de sí mismos… Inclusive podemos decir que aquellos que alteran sus cuerpos, sea uno o ambos, violan la integridad de sus propios cuerpos, que fueron creados por Dios de esta manera.[2]

El matrimonio que decide posponer un embarazo, haciendo uso de los tiempos infértiles, se mantiene abierto a la posibilidad de una nueva vida y aceptaría un embarazo como un regalo valioso de Dios, si este llegara. La Iglesia mantiene que el aspecto procreativo nunca debe excluirse del encuentro físico o de la intención de los esposos pero también los exhorta a vivir una paternidad responsable y a espaciar los hijos usando métodos que promuevan la conciencia de la fertilidad (PNF).

¿Cómo pueden los esposos decidir si deben espaciar los nacimientos? ¿Recuerdan las características del amor divino y el amor auténtico? Decíamos que ambos implican: ser un *don* dado *libremente* y en *fidelidad permanente*, basado en una *conciencia total* de lo que esto implica y que este don debe estar *abierto a la vida (fecundo)*. Esforzarse por amar como Dios ama, enriquece y profundiza el amor entre la familia y los esposos; al tiempo que promueve la generosidad y la acogida a nuevos miembros de la familia. Además, puede promover la vida de oración y la comunicación entre los esposos, particularmente en lo relacionado al tamaño de la familia y eventualmente a la paternidad responsable. Es por eso que la PNF, cuando se practica de forma adecuada, puede llevar a los esposos a la virtud, y a una mayor generosidad y estimación del uno por el otro.

¿Cuántos hijos se deben tener? Cada matrimonio debe hacerse esa pregunta y buscar la respuesta adecuada para ellos. La Iglesia solamente ofrece guías generales sobre lo que constituyen graves motivos que requieran el posponer un embarazo de forma responsable. Estos motivos se mencionan en la encíclica *Humanae Vitae*. Estos motivos incluyen "las condiciones físicas, económicas, psicológicas y sociales del matrimonio".[3] Vean que la Iglesia no define cuáles son estas condiciones. Los hijos son el don supremo del matrimonio, pero corresponde a los esposos discernir, en oración, si las condiciones de su matrimonio son adecuadas para tener o posponer un embarazo en ese momento. La Liga de Pareja a Pareja no tiene la función de cuestionar las razones que otros matrimonios tienen, ni mucho menos juzgar las razones por las que ellos deciden espaciar los nacimientos. Tampoco quiere especular sobre cuántos hijos debe tener cada familia y quiénes deben o no tenerlos. Esta es una decisión muy personal y corresponde a cada matrimonio discernirla en oración. Nosotros queremos apoyar al Cuerpo de Cristo, respetando la autonomía de los esposos en este tema.

---

[2] Hogan, 9.

[3] Papa Pablo VI, *Humane Vitae*, núm. 10.

Usar la PNF para lograr un embarazo

6

Lección 6

Luego de aprender sobre cómo leer el lenguaje del cuerpo en lo relacionado a la fertilidad, usted tiene la posibilidad de usar este conocimiento para tomar decisiones virtuosas en cuanto a la paternidad responsable. En otras palabras, usted cuenta con suficiente información para planificar o posponer un embarazo al tiempo que mantiene una actitud de respeto por su cónyuge y es generoso frente a la vida. Los esposos que usan la PNF llegan a apreciar el hecho de que la decisión de buscar o posponer un nacimiento sea reversible. Quizás hay unos meses donde sea necesario sacrificar el deseo de tener un hijo, por el bien de la familia, mientras que el mes entrante concebir no presente mayor dificultad.

Uno de los grandes regalos que los esposos pueden darse el uno al otro es el don de un hijo. De hecho, *lo normal* es que un matrimonio quiera tener hijos. Lo que *no es normal* es que quieran ser estériles. En esta lección aprenderán cómo usar la PNF para lograr un embarazo, cómo la nutrición afecta la concepción y aprender a establecer la Fecha Estimada de Parto (FEP) usando los datos de su gráfica.

Fertilidad masculina

En la Clase 1 han aprendido cómo al momento de la eyaculación aproximadamente 200 a 500 millones de espermatozoides entran en la vagina de la mujer. La vida de éstos depende, no sólo de su propia viabilidad, sino también de la presencia de mucosidad cervical. La mayoría de los espermatozoides morirá un rato después de la eyaculación. En ausencia de mucosidad, no viven más de unas pocas horas. En cambio, cuando hay mucosidad cervical presente los espermas pueden vivir hasta cinco días. Es la presencia de la mucosidad la que permite que vivan por periodos prolongados de tiempo. Además, la mucosidad contribuye a la capacitación de los espermatozoides — el proceso que permite que sean capaces de fecundar el óvulo — un elemento crítico para lograr un embarazo.

Fertilidad femenina

A medida que se acerca la ovulación los niveles de estrógeno de la mujer aumentan, lo que indica al cerebro que es tiempo de producir altas dosis de la hormona luteneizante (HL). Este aumento de HL alrededor de la mitad del ciclo, provoca la liberación del óvulo del folículo del ovario. El folículo se transforma luego en el cuerpo lúteo y comienza a liberar progesterona. El óvulo entra en la trompa de Falopio y tiene la posibilidad de ser fertilizado durante las próximas 24 horas. (Hay ocasiones en que se produce una segunda ovulación, esto sucede en un periodo de 24 horas de ocurrida la primera).

La ilustración de abajo resume este punto. Ella describe cómo el tiempo que tiene un espermatozoid cada mes para fecundar un óvulo es muy limitado, y refleja su habilidad para vivir un máximo de cinco días, en presencia de mucosidad. También tiene en cuenta la posibilidad de que un segundo óvulo pudiera ser liberado y vivir un máximo de 24 horas.

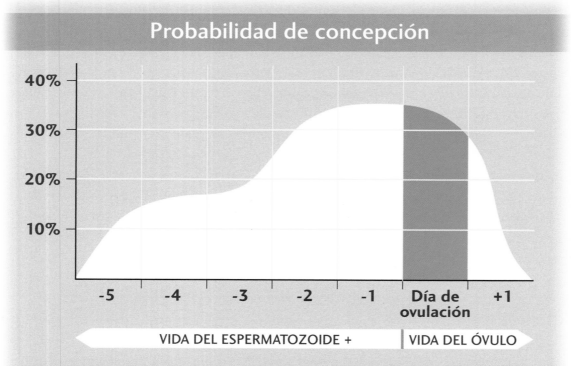

Allen J. Wilcox, M.D., Clarice R. Weinberg, Ph.D., and Donna D. Baird, Ph.D., [Programando los coitos en relación a la ovulación] "Timing of Sexual Intercourse in Relation to Ovulation," Publicado en la revista *New England Journal of Medicine* 333:23 (7 de diciembre de 1995): 1517–1521.

Otro aspecto del arte de la planificación natural de la familia es que maximiza la oportunidad y las posibilidades de que un espermatozoide viable pueda llegar a fertilizar el óvulo.

Concepción

La concepción o fertilización ocurre cuando el espermatozoide penetra el óvulo — esto provee una colección completa de material genético (una mitad corresponde a la madre y la otra al padre) a la vida recién concebida. A la nueva vida la llamamos **blastocisto** que comienza a dividirse y a crecer. Durante esta etapa temprana del proceso, el blastocisto desciende a través de la trompa de Falopio, por un periodo de aproximadamente seis a nueve días. Este desarrolla una superficie rugosa que le permite adherirse a la pared del útero. Este proceso de adherirse al útero se llama **implantación**, luego la nueva vida entrará en la etapa de desarrollo embrionario por ocho semanas. Una vez transcurridas las ocho semanas, el **embrión** entra en una nueva etapa que le llamamos **feto**. Recuerden que la vida comienza al momento de la concepción. Los términos *blastocisto*, *embrión* y *feto* describen las etapas de desarrollo antes del nacimiento, al igual que *bebé*, *infante* y *adolescente* describen sus etapas de desarrollo luego del nacimiento.

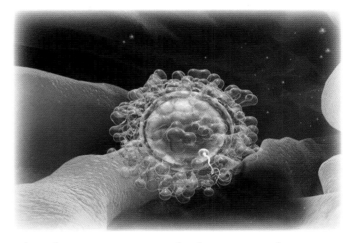

Durante las ocho semanas que siguen a la concepción, la placenta recién formada produce la **hormona gonadotropina coriónica humana (HGC)**. Esta hormona estimula el cuerpo lúteo que continúa produciendo progesterona durante las primeras diez a doce semanas del embarazo. Luego la placenta asume la responsabilidad de producir la progesterona a medida que el cuerpo lúteo se degenera.[1]

El desarrollo del bebé

Al momento de la concepción el sexo de la persona queda determinado. Poco después comienza el desarrollo de los vasos capilares y los pulmones. A las tres semanas el corazón comienza a latir. Durante el segundo mes su esqueleto pasa de ser un tejido cartilaginoso a hueso. Los dedos, pies y los músculos faciales comienzan a desarrollarse. También veremos los primeros indicios de sus pestañas y los órganos internos ya están presentes al tiempo que los músculos ya comienzan a ejercitarse. A las ocho semanas todos los sistemas del cuerpo se encuentran presentes, los dientes formados, las orejas, nariz, labios y la lengua pueden identificarse; incluso es posible registrar sus ondas cerebrales. Esta personita ya puede tocar, bostezar y tener hipo. A las

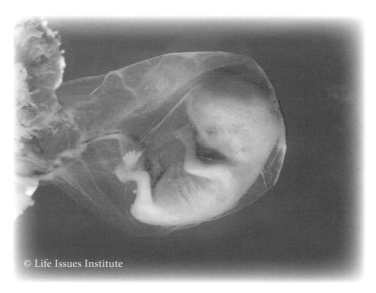

© Life Issues Institute

© Life Issues Institute

© Life Issues Institute

doce semanas, el bebé tiene sus uñas formadas y también sus huellas digitales. Ya sus ojos pueden girar y mirar a su entorno, tragar, mover su lengua, dormir, despertar e inclusive responde al tacto. Cuando la persona llega a los cuatro meses, comienzan a crecer finos cabellos, las cejas y las pestañas son más evidentes; y comienza a tener expresiones faciales similares a las de sus padres. Es durante este tiempo cuando sabemos que puede soñar ya que ha sido registrada la presencia de los movimientos rápidos de su ojo (REM). Los cinco meses vienen llenos de actividad, el bebé puede estirarse, patear y su madre siente sus movimientos con mayor certeza. A los seis meses, duerme, se despierta y responde a los

---

[1] Thomas W. Hilgers, M.D., [Anatomía Reproductiva y Fisiología, segunda edición] *Reproductive Anatomy and Physiology, Second Edition* (Omaha: Pope Paul VI Institute Press, 2002), 38–39.

sonidos. Un bebé de seis meses tiene una buena probabilidad de sobrevivir si tuviera que "nacer". A los siete meses, los párpados se abren y cierran, el bebé puede mirar a su alrededor, gustar, reconocer la voz de su madre y tener un fuerte agarre en su mano. Ya para los ocho meses los pulmones se han formado y se encuentran listos para respirar.[2] De aquí en adelante sólo un poco más de tiempo, nutrición y protección ayudarán a que este bebé esté listo para nacer.

Señales más importantes al buscar un embarazo

Mucosidad

Como dijéramos en la primera clase, la mucosidad del tipo más fértil esta presente en los días cercanos a la ovulación, que usualmente es el Día Cúspide. La mucosidad provee la nutrición y el transporte que el espermatozoide necesita. Su presencia permite que los espermas vivan en el útero hasta cinco días después de la eyaculación y facilita que suban periódicamente por las trompas de Falopio en busca de un óvulo. La mucosidad se seca luego de la ovulación debido a la presencia de la progesterona.

La temperatura y la fase lútea

La temperatura basal del cuerpo sube aproximadamente 0.4° F/0.2° C después de la ovulación. Si la concepción no ocurre la temperatura se mantiene elevada aproximadamente dos semanas y luego llega la siguiente menstruación. Para cada mujer el tiempo entre su primer día de temperatura elevada y su siguiente menstruación es generalmente constante en cuanto al número de días. A este tiempo le llamamos la **fase lútea** porque corresponde con la vida del cuerpo lúteo (algo que ya discutimos en esta lección). El largo de la fase lútea es importante porque puede indicar la fecha probable de su próxima menstruación, un posible embarazo y su potencial de implantación. Una vez que la mujer puede identifi-

---

[2] Las etapas del desarrollo del bebé fueron tomadas de la colección "Milestones of Early Life," Life Issues Institute, (2006 Heritage House '76, Inc.) y [Lo que no te han dicho sobre "las cosas de la vida".] "What They Never Told You About the Facts of Life," Human Development Resource Council, Inc., (Revisado 2005).

Notas

car el primer de día de la fase lútea en el ciclo puede predecir (con uno o dos días de diferencia) cuándo comenzará su siguiente menstruación. Existen muchas ventajas cuando se puede anticipar el próximo sangrado menstrual. Aquellas mujeres que tienen dificultades físicas o emocionales, asociadas con los cambios hormonales, tienen la oportunidad de prepararse de antemano y en muchos casos minimizar estos síntomas.[3]

Hemos mencionado que toma a la nueva vida, en la etapa de blastocisto, de seis a nueve días en descender por las trompas de Falopio e implantarse en el útero. Por lo tanto, una fase lútea de menos de 10 días puede que no sea suficientemente larga para permitir la implantación. La progesterona va a bajar, el revestimiento del útero se desprenderá y la menstruación se iniciará. Una fase lútea corta podría ser una causa de infertilidad en parejas que, de otra manera, no tendrían ninguna dificultad en llevar un embarazo a término. Cuando un matrimonio identifica que su fase lútea no es adecuada, pueden mejorar su nutrición y su estilo de vida para tratar de normalizarla. También pueden consultar a un médico que tenga experiencia con la PNF. (Vea la Guía de referencia para más información).

Un aspecto positivo de conocer el largo de la fase lútea es que le permite a la mujer saber si está embarazada. Si ha ocurrido la concepción, la temperatura se mantendrá elevada durante la mayor parte del embarazo. Una señal de un posible embarazo, es la temperatura elevada y sostenida más allá de la fase lútea. Por ejemplo, si una mujer tiene una fase lútea de once a trece días y sus temperaturas permanecen elevadas por veintiún días, esas temperaturas ofrecen una indicación de la probabilidad de un embarazo.

Cuello del útero

Los cambios en el cuello del útero son relevantes en la medida en que sabemos que una vez comienza a abrirse y ablandarse la ovulación se aproxima. Esta apertura permite a los espermas entrar al útero y subir por las trompas de Falopio lo que incrementa las posibilidades de concebir. Luego de la ovulación el cuello del útero se cierra y se pone firme, lo que protege la vida recién concebida del mundo exterior.

¿Cómo interpretar las señales de fertilidad para lograr un embarazo?

Si usted observa y anota las tres señales — la mucosidad, la temperatura y el cuello del útero — es probable que tenga suficiente información para saber en qué momento se encuentra en la Fase II de su ciclo. De esta manera la PNF la puede ayudar en su deseo de lograr un embarazo. La aparición de la mucosidad cervical indica que la ovulación se

---

[3] Marilyn M. Shannon, [Fertilidad, ciclos y nutrición] *Fertility, Cycles & Nutrition* (Cincinnati: The Couple to Couple League, 2001) 47–56.

acerca. La mucosidad más fértil normalmente esta presente en los días cercanos a la ovulación. Después hay un cambio en las características de la mucosidad a menos fértil y/o se seca después de la ovulación. El cuello del útero está abierto y blando antes de la ovulación y cerrado y firme una vez que pasa la ovulación. Cuando usa el Método Sintotérmico de PNF es la señal de la temperatura la que puede confirmar la ovulación. El cambio térmico es un indicador positivo de que la ovulación *ya ocurrió*, y un periodo extendido de temperaturas elevadas podría interpretarse como una señal temprana de embarazo.

Un estudio realizado en el año 2003 reveló que el 88% de un grupo de parejas "con probada fertilidad" pudo lograr un embarazo durante los primeros seis meses utilizando su conciencia de la fertilidad. Al término de doce meses el 98% de estas parejas pudo lograr un embarazo teniendo relaciones en los días de mayor fertilidad de la mujer.[4] Para aquellos matrimonios que desean maximizar sus posibilidades de lograr un embarazo el uso de la información presentada en este curso puede ayudarles a lograrlo. Programar sus actos matrimoniales para los momentos de mayor fertilidad aumenta las probabilidades de concebir.

Ayudas prácticas para lograr un embarazo

1. Atención especial a las señales de fertilidad

a. Mucosidad — Recuerden que el término "cúspide" se refiere al Día Cúspide de la mucosidad cervical, lo que implica que es el día de mayor fertilidad. Según los estudios este es el día más probable para que ocurra la ovulación. Los días de mayor probabilidad de concebir son el Día Cúspide y el día siguiente.[5] Como hemos dicho antes, el Día Cúspide sólo puede identificarse de forma retrospectiva. Sin embargo, también señalamos que el Día Cúspide y los días anteriores a este son días de sensaciones húmeda y resbalosa, (que se siente mojada) o de presencia de mucosidad elástica (que se estira). Estas señales le pueden dar una pista.

b. Temperatura — La temperatura basal del cuerpo puede ser de ayuda cuando trata de concebir. Sabemos que el primer día de temperatura elevada (cambio térmico) está estrechamente ligado al día de la ovulación. Usualmente los niveles de estrógeno alcanzan su punto más alto antes de la ovulación mientras que la temperatura basal puede bajar un poco. Es posible apreciar este fenómeno si notamos que hay una "caída" en la temperatura antes del cambio térmico.

---

4 Gnoth, C., Dodehardt, D. et al., [El tiempo del embarazo: resultados de un estudio prospectivo y su impacto en el manejo de la infertilidad.] "Time to pregnancy: results of the German prospective study and impact on the management of infertility," Revista *Human Reproduction* 18:9 (septiembre 2003): 1959–1966.

5 5 Colombo B., Mion A., Passarin K., and Scarpa B. [El síntoma de la mucosidad cervical y la fecundidad diaria: resultados iniciales de un nuevo estudio] "Cervical mucus symptom and daily fecundability: first results from a new database," Revista *Statistical Methods in Medical Research* 15 (2006): 161–180.

Cuando esto ocurre los esposos pueden identificar que la temperatura baja antes de los días de mayor fertilidad.

2. Maximizar la cantidad de espermatozoides

Durante el acto conyugal un varón saludable eyacula entre doscientos y quinientos millones de espermatozoides. Aún cuando solamente se necesita uno para lograr un embarazo la probabilidad de concebir aumenta mientras más se produzcan. Por tanto, si uno se abstiene uno o más días antes de los días de máxima fertilidad — que ya hemos mencionado — la probabilidad de un embarazo aumentará.

3. Buena alimentación y mejorar su estilo de vida[6]

Quizás uno de los aspectos más inmediatos e importantes que tanto los esposos como las esposas deben considerar es tener un estilo de vida saludable. Buenos hábitos alimenticios, ejercicio moderado, descanso adecuado, actividades que ayudan al espíritu, son elementos que forman parte de una vida balanceada. Estas son sólo algunas de las estrategias que pueden ayudar, tanto a hombres como a mujeres, a mejorar su fertilidad:[7]

a. Mantenga una dieta balanceada, considere tomar multivitaminas/suplemento mineral. Las vitaminas y los minerales pueden influenciar la producción y los efectos de las hormonas reproductivas. (Una mujer que desea lograr un embarazo debe hablar con su doctor sobre la importancia de tomar ácido fólico para disminuir el riesgo de ciertos defectos en el desarrollo del bebé).

b. Reducir la cafeína y los productos que contengan aditivos.

c. Eliminar el alcohol.

d. No fumar. La nicotina afecta el impulso sexual en los hombres y las mujeres que fuman se estima que reducen su fertilidad cuando se comparan con las no fumadoras.

e. Las mujeres deben tratar de mantener un peso moderado. El bajo peso o con muy poca grasa en el cuerpo puede causar ciclos menstruales largos, **ciclos anovulatorios** (ciclos sin ovulación), infertilidad y a menudo tienen poca secreción de mucosidad. Estar con sobrepeso puede causar irregularidad en el ciclo e infertilidad, sea que tenga o no ciclos regulares.[8]

---

6 "Ayudas prácticas para lograr un embarzo" (Cincinnati: The Couple to Couple League, 2005).

7 La Liga de Pareja a Pareja sugiere que hable con su médico cuando considere hacer cambios en su dieta o al inicial nuevos suplementos de vitaminas y minerales.

8 Shannon, 63, 66.

Asegúrese de mantener un buen registro mensual de sus ciclos. Cuando sus hormonas de fertilidad no están funcionando bien usted puede experimentar una fase lútea corta, manchado premenstrual, manchas color café al final de la menstruación, cambio térmico débil, secreciones de mucosidad prolongadas, mucosidad escasa, **amenorrea** (ausencia de menstruaciones) e infertilidad que no se puede explicar.[9] (Vean la Clase 3 para mayor información).

Monitores de fertilidad

Además de las ayudas presentadas en la sección anterior, una mujer puede beneficiarse del uso de un **monitor de fertilidad**. Los monitores de fertilidad miden los niveles de hormonas, como el estrógeno o la hormona luteinizante (HL), porque estas se encuentra inmediatamente antes de la ovulación.[10] Algunos también pueden detectar los **electrolitos** (que son substancias formadas por iones en una solución y que son capaces de conducir electricidad) en la saliva, la orina o la mucosidad cervical. Todos los monitores que se utilizan en los EE.UU. requieren la aprobación de la Administración de Drogas y Alimentos (FDA). Al momento de la publicación de este libro estos monitores solamente se promueven como monitores para lograr un embarazo. Aún cuando algunas mujeres los combinan con algún método de conciencia de la fertilidad para determinar los tiempos de fertilidad e infertilidad, ninguno de estos equipos ha sido aprobado como un instrumento para confirmar los tiempos de infertilidad en el ciclo.

Probablemente uno de los monitores de mayor calidad y de precio accesible en los EE.UU. es el "Clearblue Easy Fertility Monitor". La mayor parte de estos monitores mide un

---

[9] Shannon, 59.

[10] Existe una gran cantidad de monitores de fertilidad disponibles en el mercado. Este párrafo tiene el propósito de servir como introducción general a los distintos tipos, las distintas funciones y posibles ayudas que estos monitores puedan ofrecer para detectar el tiempo fértil de una mujer. Si busca en el Internet, encontrará que hay un sinnúmero de modelos y de precios. Además verá algunos modelos que requieren la compra continua de tiras para medir las hormonas. Este no pretende presentar una discusión extensa sobre el tema.

Notes

aumento en la hormona HL que ocurre luego de la ovulación sin embargo el "Clearblue Easy Fertility Monitor" también incluye días adicionales de fertilidad debido a que detecta el aumento en el estrógeno. Por lo tanto este monitor le ofrece la posibilidad de uno a cinco días de fertilidad adicionales antes del "cúspide" de su fertilidad o el aumento de HL. Este tipo de monitor puede ser de gran utilidad para identificar "la ventana de fertilidad" de una mujer cuando se desea lograr un embarazo.

¿Cómo calcular la fecha de parto? › La Norma de Naegele

Hoy en día cuando la tecnología permite obtener imágenes del vientre que ayudan a estimar el tamaño y características del bebé todavía la "fecha de parto" sigue siento un factor determinante para saber si el bebé está listo para nacer. Errores de cálculo, en ocasiones, llevan a cesáreas antes de tiempo y bebés prematuros ya que esas decisiones se basan en dicha fecha de parto. La Norma de Naegele es la de uso más común para determinar la fecha de parto. Ésta depende de la determinación precisa de la última menstruación y supone que la mujer no sabe cuándo ha ovulado.

Norma de Naegele:

La Fecha Estimada de Parto (FEP) se calcula sumando 7 días al primer día de la última menstruación y luego se suman 9 meses.

Primer día del último periodo menstrual

+ 7 días

+ 9 meses

Es igual a la Fecha Estimada de Parto

Con frecuencia, una mujer ovula alrededor del Día 14 del ciclo cuando tiene ciclos de 28 días, en esos casos la Norma de Naegele es muy precisa. Lamentablemente esto no es así cuando los ciclos son de más de 28 días o de menos de 28 días.

Notas

¿Cómo calcular la fecha de parto? › Norma de Prem

El Dr. Konald Prem M.D., antiguo director del Departamento de Obstetricia y Ginecología de la Universidad de Minnesota, EE. UU., modificó el cálculo de forma que esté basado en la fecha de la ovulación. Para esto utilizó el primer día de temperatura elevada como base — usualmente se encuentra más cerca de la fecha de ovulación.

Norma de Prem:

La Fecha Estimada del Parto (FEP) se calcula restando 7 días del primer día de cambio térmico y luego sume 9 meses.

Primer día de cambio térmico
− 7 días
+ 9 meses
_____
Es igual a la Fecha Estimada de Parto

Calcular la Fecha Estimada de Parto › Ejercicio

Si participa en uno de los cursos de la LPP tendrá la oportunidad de hacer estos ejercicios durante la clase. Si tiene El Curso de Estudio en el Hogar calcule las fechas de las siguientes situaciones y una vez complete el ejercicio, puede cotejar las respuestas en la página 207, Apéndice B.

Primer día de menstruación	Primer día del cambio térmico	FEP usando la Norma de Naegele	FEP usando la Norma de Prem
3 febrero	12 febrero		
3 febrero	17 febrero		
3 febrero	24 febrero		

Use las normas de Naegele y Prem para calcular las fechas de parto en la tabla. Observen que las fechas de parto varían cuando la mujer tiene ciclos en donde no hay ovulación en el Día 14 del ciclo. La Norma Prem refleja las fechas de parto más cercanas a la fecha de la ovulación y por tanto, con mayor precisión que la Norma de Naegele. Esto se debe a que Naegele se basa en la menstruación en lugar de la ovulación.

Lograr un embarazo › Gráfica de práctica

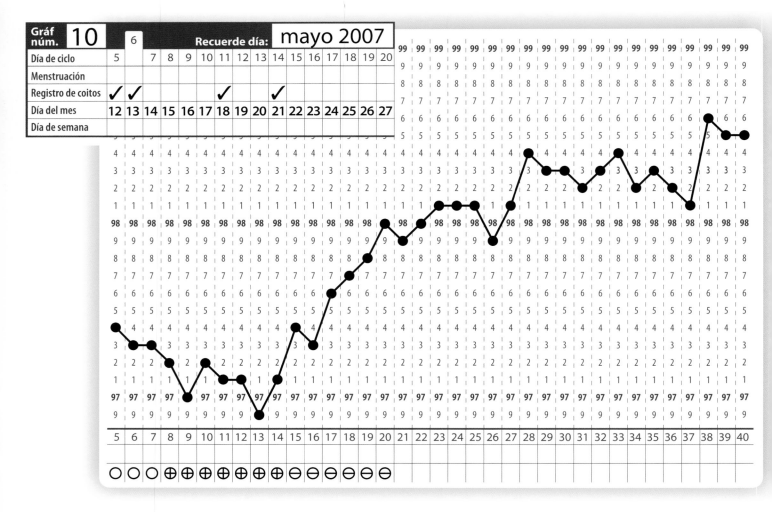

Si participa en uno de los cursos de la LPP, tendrá la oportunidad de hacer estos ejercicios durante la clase. Si tiene El Curso de Estudio en el Hogar interprete la gráfica de la siguiente manera:

1. Determine el fin de la Fase I utilizando la Norma del Último día seco y trazando una linea vertical entre el último día de la Fase I y el primer día de la Fase II.

2. Determine el comienzo de la Fase III utilizando la Norma Sintotérmica y trazando una línea vertical sobre el Día del ciclo y la temperatura correspondiente en la gráfica.

3. Calcule la Fecha Estimada del Parto (FEP) usando la Norma Prem en la página 111.

Una vez complete el ejercicio, puede cotejar las respuestas en la página 208, Apéndice B.

Amor e intimidad

7

Lección 7

El acto matrimonial es profundo, sagrado y bueno. Cuando se logra integrar esta dimensión espiritual a la conciencia de la fertilidad uno se abre a una nueva experiencia de mayor profundidad. Este conocimiento de la fertilidad le llevará a profundizar en lo que significa participar en un acto creador. Al mismo tiempo, que en otros momentos implicará abstenerse de relaciones matrimoniales porque resulta necesario posponer un embarazo.

La belleza de lograr esta conciencia de la fertilidad radica en que tanto usted como su cónyuge, se dan el uno al otro sin barreras. Juntos aprenden a leer las señales de su fertilidad y a decidir cuándo pueden esperar un embarazo y cuándo posponerlo. Los periodos de abstinencia brindan la oportunidad de vivir un romance y expresar su afecto, con mayor profundidad de maneras que no sean genitales.

La abstinencia durante el tiempo fértil ayuda a los esposos a apreciarse más y a estar más concientes de las necesidades del otro, más que de las propias. Este don del dominio de sí requiere sacrificio. Al mismo tiempo, es una muestra de amar como Dios ama en lugar de vivir de manera egoísta. Existen muchos momentos en que no es apropiado para el matrimonio tener relaciones sexuales. Las parejas tienden a aceptar la abstinencia en situaciones de enfermedad o cuando uno de ellos está de viaje. Durante este tiempo no falta el amor, simplemente se expresa de formas que no sean genitales — una taza de sopa en su cama cuando el esposo tiene fiebre puede literalmente *dar vida* al ser amado. Una llamada telefónica antes de irse a la cama cuando están lejos — sea por viaje de negocios o visitando a su familia — se vuelve una oportunidad para expresar el amor de forma verbal. Estas separaciones ofrecen otra ocasión de decir: ¡Te amo! sin tener el contacto sexual. Cada día de abstinencia contribuye a la celebración que se avecina.

Esto es más fácil de entender cuando se trata de una enfermedad o cuando se está lejos del otro. Pero, ¿qué pasa cuando se decide posponer un embarazo? El mismo proceso se aplica. Sea cual fuere la razón cuando los esposos se reúnen a orar y disciernen que lo adecuado es abstenerse para posponer un embarazo, el poder del amor les asiste ya que la decisión se ha tomado por *el amor que todo lo soporta*.

No importa si asisten a la clase o si tienen *El Curso de Estudio en el Hogar* deben interpretar las Gráficas 5 a la 7 que se encuentran en el Apéndice A, páginas 182–185. Usen la Norma Sintotérmica en las cuatro gráficas y determinen el comienzo de la Fase III. Para la siguiente clase tendremos la oportunidad de revisar sus respuestas.

Notas

Clase 3

1 Introducción

La Clase 3 se divide en 10 lecciones: *Introducción, Repaso, Otros métodos de PNF, ¿Cómo usar la PNF en situaciones especiales?, Comportamientos que van en contra de la dignidad humana y el amor conyugal, Anticonceptivos, Eficacia de la PNF, Los beneficios de la lactancia y sus efectos en la fertilidad, PNF durante la premenopausia y Los beneficios de la PNF.*

Esta introducción es un resumen de las lecciones cubiertas en la Clase 3.

Resumen: Lecciones de la Clase 3

Lección 2: Repaso, esta lección utiliza un ejercicio para repasar los conceptos discutidos en la Clase 2, entre ellos:

- ¿Cómo utilizar la información de las temperaturas alteradas?
- ¿Cómo identificar la transición de la Fase I a la Fase II?
- ¿Cómo calcular la Fecha Estimada del Parto (FEP)?

Además, revisaremos las tres gráficas que les pedimos que trabajaran en su casa. (Es su tarea completar estas gráficas antes de la Clase 3).

La Lección 3, *Otros métodos de PNF,* tiene un doble propósito: a modo de introducción para que se familiaricen con varios de los métodos de PNF que existen, y demostrarles la procedencia de las normas de Mucosidades Solamente y Temperatura Solamente, que ustedes podrán usar en aquellos casos donde alguna de sus señales de fertilidad no sea suficientemente clara, para aplicar la Norma Sintotérmica. Aquí también vamos a discutir el método del Ritmo Calendario, para contrastar las diferencias entre este y la PNF que ustedes van aprendiendo. Esta lección no pretende enseñarles cómo se usan estos sistemas, es sencillamente una introducción.

En la Lección 4, *¿Cómo usar la PNF en situaciones especiales?*, tendrán la oportunidad de ver secuencias de señales de fertilidad menos comunes, entre ellos: series de mucosidad inusuales, sangrado íntermenstrual, efectos del estrés, enfermedades y el efecto de algunos medicamentos en su ciclo. Al final de la lección ustedes sabrán cómo identificar estas situaciones y la mejor manera de interpretar sus señales de fertilidad durante estos eventos.

Luego cubrimos dos temas: *Comportamientos que van en contra de la dignidad humana y el amor conyugal,* y *Anticonceptivos*. Aquí tendremos la oportunidad de establecer la conexión entre las enseñanzas del Papa Juan Pablo II (sobre la persona humana) y las razones por las que promueve el uso de la PNF en lugar de los anticonceptivos. La Lección 5, *Comportamientos que van en contra de la dignidad humana y el amor conyugal*, explica cómo las características del amor verdadero son violadas por cada uno de los anticonceptivos discutidos. La Lección 6, *Los Anticonceptivos*, demuestra el funcionamiento de varios métodos anticonceptivos y algunos de sus efectos secundarios.

La Lección 7, *Eficacia de la PNF*, tiene el propósito de establecer la credibilidad del método que ustedes van aprendiendo. Esta lección, demuestra que la eficacia del Método Sintotérmico es igual, y en algunos casos mayor, que los métodos anticonceptivos. De paso podremos ver de cerca la eficacia de los otros métodos.

Las dos lecciones siguientes discuten *Los beneficios de la lactancia y sus efectos en la fertilidad,* y *PNF durante la premenopausia*. Estos temas, serán discutidos de forma general ya que muchos de ustedes no se encuentran en situaciones donde esta información tenga valor práctico. Sin embargo, el hecho de que podamos hablar sobre estos temas les será de gran ayuda una vez llegue el momento adecuado. La Lección 8, *Los beneficios de la lactancia y sus efectos en la fertilidad*, se apoya en una serie de estudios realizados por diversas organizaciones de la salud en los que se habla de los beneficios que ofrece la lactancia que van más allá de la madre y el bebé. Además, hablaremos sobre algunos beneficios de la lactancia y su efecto en la fertilidad. La Lección 9, *PNF durante la premenopausia*, ofrece un cuadro general de cómo saber que está llegando y qué puede esperar una mujer cuando entra en el tiempo de la premenopausia y eventualmente a la menopausia. La Liga de Pareja a Pareja ofrece cursos suplementarios donde se discuten, de manera más detallada, estos temas.

La clase concluye con la Lección 10, *Beneficios de la PNF*, donde se presentan tanto los beneficios para el cuerpo como los beneficios espirituales que ustedes pueden tener.

Repaso

Lección 2

Este *Repaso* se concentra en las normas presentadas durante la Clase 2. Aquí se incluyen las guías asociadas a la aplicación correcta de las temperaturas irregulares, la identificación de la transición de la Fase I a la Fase II y el cálculo de la Fecha Estimada del Parto (FEP).

¿Cómo aplicar el Método Sintotérmico cuando hay temperaturas alteradas y/o sin anotar?

Decimos que las **temperaturas sin anotar** son aquellas que no se tomaron o no se anotaron en la gráfica. Una **temperatura alterada** es aquella, que al anotarla en la gráfica, queda fuera de la región donde se encuentran las otras temperaturas circundantes. Si usted tiene una o dos temperaturas omitidas o irregulares entre las seis precambio, inclúyalas en el conteo de las seis precambio, pero ignórelas al momento de establecer el Nivel Bajo de Temperatura (NBT). El NBT debe establecerse usando temperaturas normales.[1]

Cuando hay temperaturas alteradas y/o sin anotar entre las seis precambio la Fase III comienza luego de *esperar al cuarto día poscúspide de temperatura elevada en un patrón ascendente y sobre el NBT.*

---

[1] Esta discusión sobre las temperaturas alteradas o sin anotar, solamente aplica al momento de usar la Norma Sintotérmica. Para instrucciones de qué hacer con las temperaturas alteradas o sin anotar cuando se usa la Norma de Temperatura Solamente, vea la nota 4 al pie de la pág. 130.

Si las temperaturas alteradas y/o sin anotar se encuentran entre las tres temperaturas elevadas poscúspide, del cambio térmico, *las seis precambio no se podrán establecer hasta que*
se tengan tres temperaturas normales elevadas, poscúspide, en un patrón ascendente, sobre
el NBT. Recuerde que si la tercera temperatura no toca el NAT, tiene que esperar una
temperatura adicional, sobre el NBT, excepto cuando tenga tres días poscúspide donde el
cuello del útero se encuentra cerrado y firme.

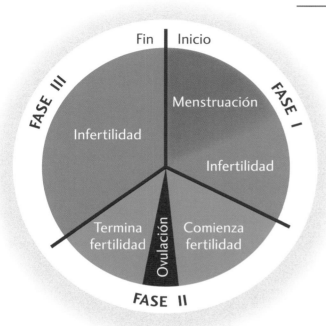

¿Cómo identificar la transición de la Fase I a la Fase II?

La Fase I comienza el primer día de la menstruación y la Fase II comienza tan pronto aparecen las señales de fertilidad. La Fase I usualmente se distingue por la ausencia de sensaciones y característi-cas asociadas a la mucosidad cervical. También incluye un descenso en la tem-peratura basal como los niveles preovulato-rios de los ciclos anteriores. La presencia de mucosidades es una condición fundamental para establecer el comienzo de la Fase II.

El fin de la Fase I

Guías generales que ayudan a evitar la confusión al observar las mucosidades:

- Noches solamente — La LPP recomienda, que una vez disminuye el sangrado menstrual, las relaciones matrimoniales deben limitarse a solamente en las no-ches durante la Fase I.

- Días alternos — La LPP recomienda, que una vez que disminuye el sangrado menstrual, deben abstenerse al día siguiente para tener relaciones matrimoniales, a menos que tengan suficiente experiencia y puedan detectar la ausencia de mucosidades con certeza.

Normas para determinar los límites de la infertilidad de la Fase I:

Norma del Ciclo más corto:

Si la mujer tiene ciclos de 26 días o más en sus 12 ciclos más recientes:
- Suponga infertilidad en los Días 1 al 6 del ciclo.

Si la mujer tiene ciclos de menos de 26 días en sus 12 ciclos más recientes:
- Suponga infertilidad desde el día 1 hasta el día que resulte de la resta de su ciclo más corto menos 20.

Si la mujer no tiene experiencia previa con su historial de ciclos:
- Suponga infertilidad durante los Días 1 al 5 hasta que tenga 12 ciclos de experiencia.
- Si más adelante experimenta ciclos de menos de 26 días, suponga infertilidad desde el primer día del ciclo hasta el resultado de su ciclo más corto menos 20.

Si la mujer acaba de dejar de usar un anticonceptivo hormonal no inyectable:
- Suponga infertilidad en los Días 1 al 5 del ciclo, hasta que tenga 12 ciclos de experiencia.
- Espere tres ciclos menstruales completos antes de usar esta norma.

Todas estas normas asumen que no hay mucosidades.

Norma de Doering:

Reste 7 al primer día de temperatura elevada de sus 12 ciclos más recientes. Marque ese día como el último día de infertilidad de la Fase I.

Esta norma asume la ausencia de mucosidades y seis ciclos de experiencia.

Norma del Último día seco:

El fin de la Fase I es el último día sin sensaciones ni características identificables de mucosidades.

Fecha Estimada de Parto (FEP)

Norma de Naegele:

La FEP se calcula sumando 7 días al primer día de la menstruación anterior y luego se suman 9 meses.

Norma de Prem:

La FEP se calcula restando 7 días al primer día de cambio térmico y luego se suman 9 meses.

Norma Sintotérmica

> ## La Fase III comienza en la noche del:
>
> **1.** Tercer día de secado después del Día Cúspide combinado con:
>
> **2.** Tres temperaturas normales poscúpide en un patrón ascendente sobre el NBT
>
> **Y**   la tercera temperatura en o sobre el NAT
>
> **O**   el cuello del útero cerrado y firme por tres días
>
> **Si estas condiciones no se cumplen, la Fase III comenzará el siguiente día de temperatura elevada poscúspide, sobre el NBT.**

Pasos para aplicar la Norma Sintotérmica:

1. Identifique el Día Cúspide y enumere los tres días de secado de izquierda a derecha.

2. Identifique tres temperaturas que se encuentren sobre las seis temperaturas anteriores. (Recuerde, tres temperaturas en un patrón ascendente cercanas al Día Cúspide).

3. Enumere las seis temperaturas precambio de derecha a izquierda.

4. Trace el Nivel Bajo de Temperatura (NBT) en la más alta de las seis temperaturas precambio.

5. Trace el Nivel Alto de Temperatura (NAT) a 0.4° F / 0.2° C sobre el NBT.

6. Busque la tercera temperatura normal poscúspide (es decir, tercera temperatura normal que ocurre después del Día Cúspide). Si esta temperatura se encuentra en o sobre el NAT, la Fase III comienza la noche de ese día.

7. Revise las anotaciones del cuello del útero, si las ha registrado. Si tiene tres días de "cerrado y firme" entonces no es necesario que la tercera temperatura llegue al NAT. La Fase III comenzará la noche de ese día.

8. Si no se cumplen los pasos 6 ó 7, espere un día más de temperaturas normales poscúspide sobre el NBT; la Fase III comenzará la noche de ese día.

9. Una vez aplique la Norma Sintotérmica y determine el comienzo de la Fase III, trace una línea vertical a lo largo de la columna de temperatura que corresponda al primer día de la Fase III.

Repaso › Gráfica de práctica

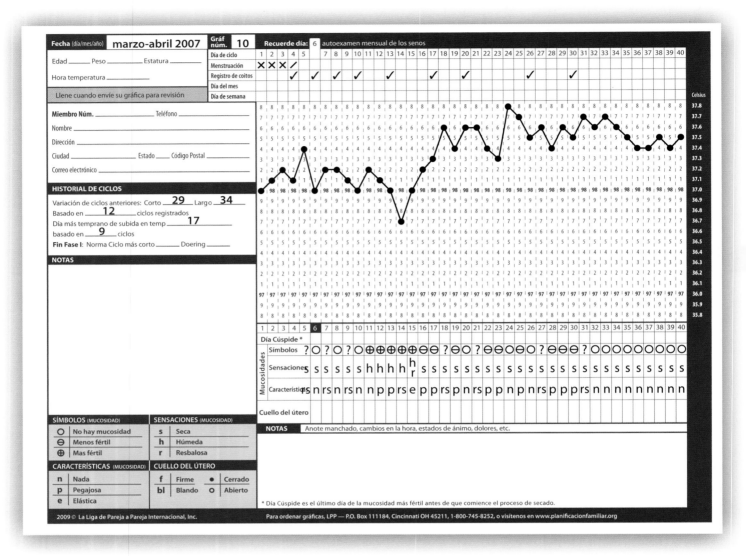

Si participa en uno de los cursos de la LPP tendrá la oportunidad de hacer estos ejercicios durante la clase. Si tiene el Curso de Estudio en el Hogar puede cotejar las respuestas en la página 209, Apéndice B.

Identifique el fin de la Fase I:

- Norma del Ciclo más corto (circule el día que corresponda)
- Norma Doering (circule el día que corresponda)
- Norma del Último día seco

Dibuje una línea entre la Fase I y la Fase II para indicar el día que más tarde establezca el fin de la Fase I.

Ahora siga los pasos antes mencionados, para aplicar la Norma Sintotérmica que determine el comienzo de la Fase III.

Observe el número de días consecutivos de temperaturas elevadas en este ciclo. ¿Será esto un posible embarazo? De ser así, determine la Fecha Estimada del Parto (FEP).

Tarea › Gráficas 5–7

Si participa en uno de los cursos de la LPP tendrá la oportunidad de hacer estos ejercicios durante la clase. Si tiene el Curso de Estudio en el Hogar puede cotejar las respuestas en la páginas 211–213, Apéndice B.

Notas

3 Otros métodos de PNF

Lección 3

En esta lección hablaremos sobre el método conocido como Ritmo Calendario y explicaremos la diferencia entre este método y la PNF de hoy. Además vamos a mencionar otros métodos de PNF que son reconocidos en los EE.UU. y en otras partes del mundo. Estos métodos son parte del fundamento para las normas de *Mucosidad Solamente* y *Temperatura Solamente* que usa la LPP. En ocasiones cuando las señales de la mucosidad o la temperatura faltan, o no son muy claras, ustedes pueden usar estas normas. Esta lección no pretende explicar a fondo los fundamentos ni el uso de estos otros métodos, sino más bien, es una introducción.

El método del Ritmo Calendario

Las bases para el Ritmo Calendario descansan en la investigación de dos médicos — el Dr. Kyusaku Ongino, un ginecólogo japonés, y el Dr. Hermann Knaus, ginecólogo-obstetra de origen austriaco — que durante la década de 1920 establecieron las bases para determinar los días fértiles e infértiles del ciclo de la mujer. Un elemento fundamental fue el descubrimiento de que la ovulación ocurre cerca de dos semanas antes de próxima menstruación. Los resultados de estos estudios fueron incorporados por primera vez por el Dr. Jan N. J. Smulders, ginecobstetra holandés, en 1930. Su sistema se basa en los estudios de Ongino.[1] El Ritmo Calendario, precursor de la PNF moderna, dependía estrictamente del

---

[1] Ogino K: [Tiempo de la ovulación y la concepción] Ovulationstermin and Konceptionstermin. Zbl. Gynaek. 54: 464, 1930.

historial de ciclos pasados y no tomaba en cuenta ninguna de las señales que acontecían durante el ciclo vigente.

Normas del Ritmo Calendario:

1. El último día de la infertilidad preovulatoria (Fase I) se calcula restando 19 al ciclo previo más corto,

2. El primer día de la infertilidad posovulatoria (Fase III) se calcula restando 10 al ciclo previo más largo.

Por ejemplo, si su ciclo más corto fue de 27 días, decimos que 27 – 19 = 8, por tanto, los primeros ocho días del ciclo se consideran infértiles. La Fase II comenzará el Día 9 del ciclo. Si su ciclo previo más largo fue de 36 días, 36 – 10 = 26, la infertilidad de la Fase III comienza el Día 26 del ciclo.

Esta fórmula funcionaba bien (efectividad de cerca de 91%)[2] para mujeres cuyos ciclos eran relativamente regulares. Esto supone que la diferencia entre su ciclo más corto y el más largo es de siete días o menos. Si una mujer tiene ciclos de irregularidad moderada (diferencia de ocho a veinte días de diferencia entre su ciclo más corto y el más largo) o de alta irregularidad (más de veinte días de diferencia), el cálculo establecía un gran número de días como fértiles (Fase II). Esto acarreaba otros inconvenientes, especialmente si la mujer tuvo un ciclo que fue más largo de lo común, por alguna situación, estrés o enfermedad. Ahora este ciclo, fuera de lo común, causa que la fórmula incluya varios días como parte de la Fase II de manera "artificial".

Además de afectar los ciclos futuros, una demora en la ovulación del ciclo vigente no se puede considerar cuando se usa el Ritmo Calendario. El método puede indicarle el comienzo prematuro de la Fase III, como veremos en el siguiente ejercicio.

---

[2] Vea discusión sobre la eficacia del método en las pág. 149–150.

Notas

Ritmo Calendario › Gráfica de práctica

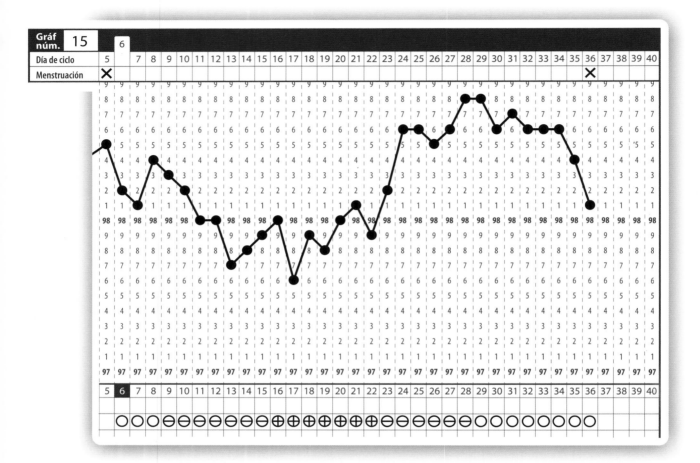

Aplicación del Ritmo Calendario:

Ciclo más corto (26) – ___ = ___ es el último día de la Fase I

Ciclo más largo (30) – ___ = ___ es el primer día de la Fase III

Si participa en uno de los cursos de la LPP tendrá la oportunidad de hacer estos ejercicios durante la clase. Si tiene El Curso deEstudio en el Hogar puede cotejar las respuestas en la página 214, Apéndice B.

Usen las normas del Ritmo Calendario en esta gráfica.

Luego, usen la Norma Sintotérmica siguiendo los pasos en la página 54.

En este caso, un nuevo ciclo más largo ocurrió a consecuencia del retraso de su ovulación. Debido a que el Ritmo Calendario se basaba solamente en el historial de ciclos previos, la mujer concluyó que se encontraba en la Fase III, según las normas del Ritmo Calendario, cuando en realidad eran días de alta fertilidad.

El Método de Días Fijos es otro método basado en el calendario.[3] Sin embargo, no es muy flexible con las posibles variaciones de los ciclos y no toma en cuenta las observaciones diarias, que son el mejor indicador de la fertilidad cada día.

Métodos que solamente observan las mucosidades

A nivel mundial, el método de PNF más común es enseñado por la *Organización Mundial del Método de Ovulación Billings* (WOOMB), que se le conoce como el Método de Ovulación Billings. La WOOMB comenzó en 1953 cuando los doctores **Evelyn** y **John Billings** se convirtieron en pioneros de este revolucionario método al ayudar a parejas a lograr o posponer sus embarazos. Como parte de su trabajo como neurólogo en Melbourne, Australia; John Billings descubrió que las parejas eran capaces de leer e interpretar las señales de la mucosidad cervical y por consecuencia determinar el tiempo de la ovulación. Gran parte de la instrucción ofrecida por los doctores Billings fue de mujer a mujer, aunque algunos matrimonios también han participado de este esfuerzo.

Otro sistema que se basa en la mucosidad originado en los EE.UU., es el *Modelo Creighton*, que también se le conoce por las siglas CrMS. Fue fundado por el **Dr. Thomas Hilgers**, ginecobstetra de la Universidad de Creighton en Omaha, Nebraska. El CrMS es la base de un estudio de la salud de la mujer llamado: NaProTECHNOLOGY (NaProTecnología), una palabra que representa la tecnología natural para procrear. Esta ciencia respeta la dignidad de la mujer y su fertilidad, al tiempo que atiende diversos problemas reproductivos y de fertilidad. Existen diferencias substanciales entre la nomenclatura para catalogar las mucosidades que usa Creighton y la de Billings.

Existen otros métodos, como el de la *Familia de las Américas*, y muchos otros programas diocesanos.

La experiencia de estos métodos de mucosidades sirve de base a la Norma de Mucosidades Solamente, que usa la LPP en aquellos ciclos cuando las señales de temperatura no sean confiables.

Esta representa una de las fortalezas del Método Sintotérmico que enseña la LPP — cuando una de las señales de fertilidad no está disponible, puede haber otras dos que no se vean afectadas y ofrezcan la información suficiente para poder leer el lenguaje de la fertilidad.

---

[3] Vea página en inglés *http://www.irh.org/index.htm*, Instituto de Salud Reproductiva, Escuela de Medicina de la Universidad de Georgetown.

Por ejemplo, suponga que le falta una temperatura o que no tiene certeza si la lectura se hizo de forma apropiada. En esos casos, pueden utilizar la Norma de Mucosidades Solamente para determinar el tiempo infértil de la Fase III.

Norma de Mucosidades Solamente de la LPP:

La Fase III comienza en la noche del cuarto día poscúspide de proceso de secado o que la mucosidad comienza a espesarse.

Norma de Mucosidades Solamente de la LPP ›
Gráfica de práctica

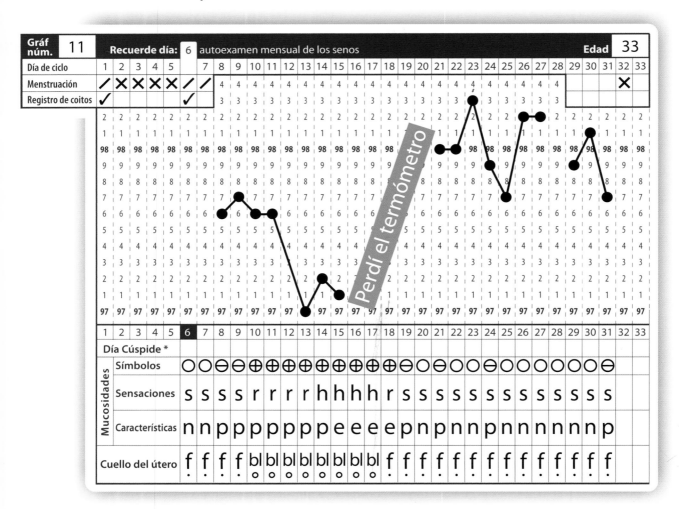

Si participa en uno de los cursos de la LPP tendrá la oportunidad de hacer estos ejercicios durante la clase. Si tiene El Curso de Estudio en el Hogar determine el inicio de la Fase III usando la Norma de Mucosidades Solamente. Una vez complete el ejercicio, puede cotejar las respuestas en la página 215, Apéndice B.

Existen algunas diferencias importantes entre la Norma Sintotérmica y la de Mucosidades Solamente. Cuando se usa la Norma Sintotérmica, los días en que hay sangrado después del cambio térmico se tratan como días infértiles; ya que *cualquier sangrado que ocurra luego del cambio térmico indica el comienzo de la menstruación.* Sin embargo, el uso de la norma de Mucosidades Solamente implica que la señal de la temperatura no se puede usar en la interpretación, así que un sangrado puede o no ser la siguiente menstruación. La dificultad reside en que no hay un cambio térmico (señal que la ovulación ya ocurrió) para confirmarlo. Existe la posibilidad de que este sangrado sea lo que llamamos "sangrado intermenstrual", el cual describimos en las páginas 136–137 de la siguiente lección. En ausencia de un cambio térmico sostenido, no se tiene la certeza de que el sangrado es una menstruación verdadera; pudiera ser un sangrado intermenstrual, lo que implica que todavía la mujer continúa en el tiempo fértil. Así que si deciden usar la norma de Mucosidades Solamente, y no pueden confirmar el cambio térmico, deben suponer que un sangrado puede indicar que todavía se encuentran en el tiempo fértil. En este caso de sangrado, si están posponiendo o evitando un embarazo, deben abstenerse de relaciones matrimoniales durante los sangrados, hasta que puedan confirmar el comienzo de la Fase III usando la Norma Sintotérmica.

Métodos que solamente observan la temperatura

En la Clase 2 hablamos sobre el Dr. G. K. Doering y su norma para determinar el fin de la Fase I basado en el primer día de temperatura elevada según el historial de ciclos anteriores. El Dr. Doering también desarrolló una norma para determinar el comienzo de la Fase III usando la temperatura basal. La LPP usa como base el trabajo del Dr. Doering para la Norma de Temperatura Solamente. Al igual que con la norma de Mucosidades Solamente de la LPP, esta norma debe usarse cuando no es posible interpretar la señal de la mucosidad. Por ejemplo, esta norma puede usarse cuando una mujer no entiende bien las diferencias entre los varios tipos de sensaciones y/o características asociadas a las mucosidades. También es una opción cuando se toman medicamentos que puedan alterar la consistencia de las mucosidades, como es el caso de los antihistamínicos.

Notas

Norma de Temperatura Solamente de la LPP:

La Fase III comienza la noche del cuarto día de temperaturas normales sobre el NBT. Las últimas tres temperaturas deben ser consecutivas y estar en o sobre el NAT.[4]

Norma de Temperatura Solamente de la LPP › Gráfica de práctica

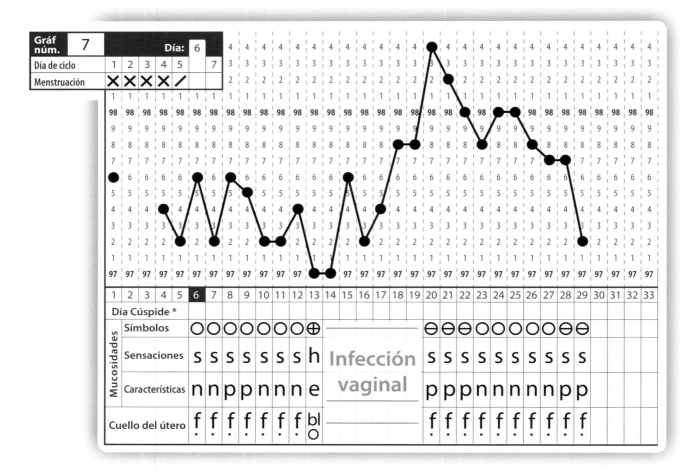

Si participa en uno de los cursos de la LPP tendrá la oportunidad de hacer estos ejercicios durante la clase. Si tiene El Curso deEstudio en el Hogar use la Norma de Temperatura Solamente de la LPP para determinar el comienzo de la Fase III. Una vez complete el ejercicio, puede cotejar las respuestas en la página 216, Apéndice B.

[4] Las seis precambio, el NBT y el NAT se establecen de la misma forma que se hace con la Norma Sintotérmica pero con la siguiente excepción. Al aplicar la Norma de Temperatura Solamente, en lugar de incluir las temperaturas alteradas o sin anotar como parte de las seis precambio, continúe el conteo de derecha a izquierda (ignorando las alteradas o sin anotar) hasta que tengan seis temperaturas normales para establecer el NBT. La razón para esto es que el Dr. Doering no incluyó temperaturas alteradas o sin anotar en su trabajo investigativo.

¿Cómo usar la PNF en situaciones especiales?

4

Lección 4

Hasta este momento, hemos presentado un cuadro típico de las señales de fertilidad de una mujer saludable. En esta lección hablaremos sobre situaciones menos comunes y la manera de interpretar las señales de fertilidad. Estas situaciones incluyen: patrones de mucosidad fuera de lo común, sangrado intermenstrual, estrés o enfermedades y momentos en que necesita tomar un medicamento. Al final de esta lección, ustedes sabrán cómo identificar estas circunstancias y la manera de interpretar sus señales de fertilidad en cada una de ellas.

Notas

Un patrón de mucosidad saludable

Primeramente, es importante poder identificar lo que constituye un patrón saludable de mucosidad. El ejemplo que verán a continuación contiene las observaciones típicas de un ciclo menstrual normal. Este se caracteriza por tener varios días sin mucosidades luego de la menstruación; seguido por mucosidades del tipo menos fértil; con un aumento en calidad y cantidad que se convierte en una serie que va de cinco a siete días de mucosidades del tipo más fértil. Al Día Cúspide le siguen los días de secado donde hay mucosidades del tipo menos fértil o días sin mucosidad hasta el final del ciclo.

Patrón saludable de la mucosidad

- **Días sin mucosidad después de la menstruación**

- **Mucosidad menos fértil**

- **Serie de mucosidad más fértil por 5–7 días antes del Día Cúspide**

- **Varios días de proceso de secado y días sin mucosidad hasta la próxima menstruación**

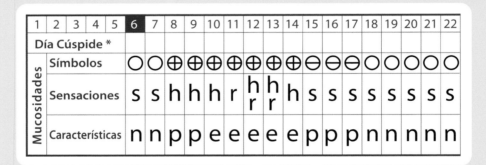

Situaciones especiales ›
Patrones inusuales de mucosidad

Existen tres tipos de patrones de mucosidad que se describen como inusuales o "fuera de lo normal". Esto son: mucosidad escasa (muy poca), serie de mucosidades y descarga continua.

Mucosidad escasa

Una **serie de mucosidad escasa** se caracteriza por la falta de sensaciones o características que permitan definir las observaciones con claridad; además de la poca cantidad de mucosidad. Al principio, mientras se aprende a usar el método, es común que muchas mujeres se confundan al tratar de identificar sus señales de mucosidad. En ocasiones esta dificultad resulta porque se hacen menos observaciones de la mucosidad.[1] Algunas mujeres pueden tener mucosidad escasa debido a un medicamento que tenga el efecto de secar la mucosidad, como el caso de los antihistamínicos. En el caso de que experimenten algún ciclo donde tengan mucosidad escasa, traten de aplicar la Norma Sintotérmica. Si luego de revisar sus observaciones no es posible interpretar la señal de la mucosidad la Norma de Temperatura Solamente puede ayudar. Son muchas las mujeres que han encontrado que la observación interna de la mucosidad puede ser de ayuda. Especialmente cuando no se tienen al menos cinco días de sensaciones ni características de mucosidad desde que aparecen por primera vez hasta el Día Cúspide. Para información sobre cómo hacer la observación interna de la mucosidad vea la página 252 en su Guía de referencia. Abajo puede ver un ejemplo de una serie de mucosidad escasa.

Patrones inusuales de la mucosidad — escasa

Mucosidad escasa

- Sensaciones y características de la mucosidad que carece de definición y cantidad

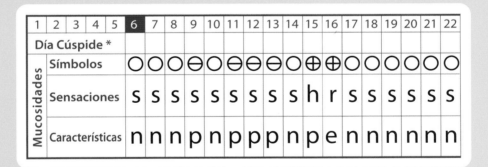

Notas

---

[1] La mayor parte de las mujeres es capaz de observar sus mucosidades y de escribir sus observaciones. Si usted no se siente segura de cuál letra asignar a sus observaciones al final del día, le sugerimos que anote sus observaciones en sus propias palabras en la sección "notas" de su gráfica. Su Pareja Instructora puede ayudarle a aclarar la confusión.

Serie de mucosidades

Otro ejemplo de una patrón de mucosidades fuera de lo normal puede afectar la **serie de mucosidades** — varios días de mucosidad seguido por otros donde no hay mucosidad. Las series de mucosidades es muy común durante el regreso de la fertilidad posparto, la pre-menopausia y cuando se deja de usar un anticonceptivo hormonal inyectable. La Norma para la Serie de mucosidades se puede encontrar en su Guía de referencia, páginas 234–237 para los anticonceptivos inyectables, 256 para posparto y 260 para premenopausia. Ahora, si tienen interés en el regreso de la fertilidad después del parto o en el uso del método durante la premenopausia, les animamos a que asista a una de las clases suplementarias que ofrece la LPP sobre estos temas. En estas clases se discuten estos temas con mayor pro-fundidad y detalle. Si ustedes tienen una serie de mucosidades, luego de que terminen estas clases, le pedimos que se comuniquen con su pareja instructora para una consulta. Abajo pueden ver un ejemplo de las series de mucosidades.

Patrones inusuales de la mucosidad — Serie

Serie de mucosidades

- **Varios días de mucosidad antes de unos días de secado**

	1	2	3	4	5	6	7	8	9	10	11	12	13	14	15	16	17	18	19	20	21	22
Día Cúspide *																						
Mucosidades — Símbolos						O	O	O	⊕	⊕	⊖	⊖	O	⊕	⊕	⊕	⊕	O	O	O	O	O
Mucosidades — Sensaciones						s	s	s	h	r	r	s	s	s	h	r	r	h	s	s	s	s
Mucosidades — Características						n	n	n	p	e	e	p	p	n	p	e	e	p	n	n	n	n

Notas

Descarga continua

• Caracterizado por descargas presentes durante todo el ciclo

		1	2	3	4	5	6	7	8	9	10	11	12	13	14	15	16	17	18	19	20	21	22
	Día Cúspide *																						
Mucosidades	Símbolos	⊕	⊕	⊕	⊖	⊕	⊕	⊕	⊕	⊕	⊕	⊕	⊖	⊕	⊖	⊖	⊕						
Mucosidades	Sensaciones	h	h	h	s	h	h	h	h	h	h	h	h	r	h	r	r	h					
Mucosidades	Características	e	e	e	p	e	e	e	e	p	e	e	e	p	e	e	e	p	e	e	p	e	

Descarga continua

Hay ocasiones en que una mujer puede observar una secreción o un flujo constante (también se conoce como secreción vaginal); que puede ocurrir día tras día desde la Fase I hasta la Fase III. Una variedad de factores pueden influir en la producción de este flujo constante. En algunos casos es debido a una irritación causada por algún producto de higiene personal o del material de alguna prenda de vestir. Una descarga continua también puede asociarse con condiciones de salud, como una infección, especialmente cuando viene acompañada por irritación y cuando la apariencia de la mucosidad es distinta de lo "normal". A veces puede que se sienta húmeda durante todo el día, aún cuando las otras señales le digan que se encuentra en Fase III. (Vea la página 269 de la Guía de referencia para información sobre secreciones vaginales).

Sugerencias para atender las situaciones especiales

Una de las ventajas del Método Sintotérmico, según lo enseña la LPP, es que normalmente tendrán más de una señal para determinar el estatus de su fertilidad. En el caso de que tengan dificultad al interpretar sus mucosidades, pueden recurrir a la temperatura y al cuello del útero para determinar su fertilidad e infertilidad. En ese caso, pueden usar la Norma de Temperatura Solamente, al tiempo que buscan ayudas para mejorar la calidad de sus señales de mucosidad. Este es un buen momento para hablar con su pareja instructora, que posiblemente tendrá experiencias adicionales que puedan ayudarle a lidiar con estas situaciones especiales. Si estas recomendaciones no le ayudan a mejorar su serie de mucosidad, y si continúa teniendo irritación o alguna secreción vaginal, debe consultar a un médico lo antes posible.

Situaciones especiales › Sangrado intermenstrual

Durante sus años fértiles, una mujer puede tener sangrados que no estén asociados a su menstruación. Este evento es más probable que ocurra en los primeros ciclos durante la pubertad, en ciclos largos, después del parto y durante la premenopausia. Anteriormente mencionamos que el sangrado intermenstrual presentaba ciertas dificultades al momento de usar la Norma de Mucosidad Solamente de la LPP. Además, el sangrado intermenstrual puede ocultar la presencia de mucosidad, y en algunos casos ocurrir durante el tiempo de fertilidad justo antes de la ovulación. También puede haber sangrado, dando la impresión de ser la menstruación, cuando en realidad es un ciclo anovulatorio (infértil).

En términos fisiológicos, el sangrado intermenstrual se inicia con un engrosamiento del endometrio al punto que no puede sostenerse sólo con el estrógeno. Esto resulta en un desprendimiento que puede parecerse a un manchado o al flujo menstrual. Es importante saber que la mucosidad puede estar presente durante un sangrado de este tipo.

Si se tiene un sangrado intermenstrual, deben suponer que se encuentran en la fertilidad de la Fase II durante todos los días en que haya sangrado, siempre y cuando no sea precedido por un cambio térmico.

La siguiente gráfica presenta un ejemplo de un sangrado intermenstrual que ocurre cerca de la ovulación.

Notas

Sangrado intermenstrual › Gráfica de práctica

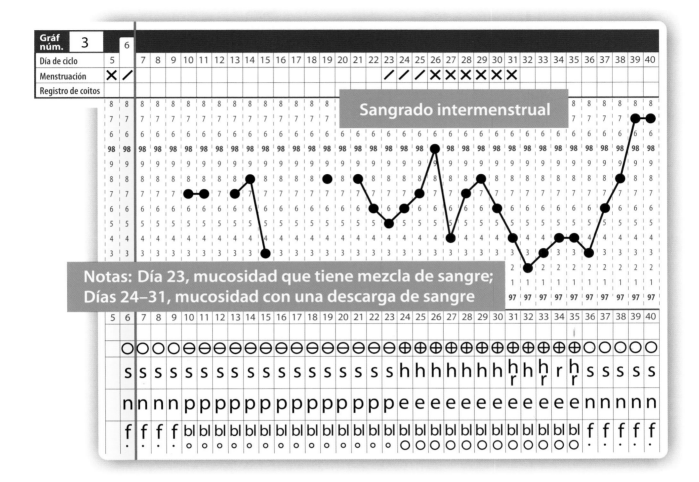

Sangrado intermenstrual

Notas: Día 23, mucosidad que tiene mezcla de sangre; Días 24–31, mucosidad con una descarga de sangre

Si participa en uno de los cursos de la LPP tendrá la oportunidad de hacer estos ejercicios durante la clase. Si tiene El Curso de Estudio en el Hogar determine el comienzo de la Fase III. Una vez complete el ejercicio, puede cotejar las respuestas en la página 217, Apéndice B.

En el caso de que tengan uno de estos sangrados, al tiempo en que se supone tengan su menstruación, es posible que sea indicio de un "ciclo" anovulatorio (uno donde la ovulación no ocurrió). Los ciclos anovulatorios tienden a ocurrir durante los primeros ciclos mientras lacta o durante los años de premenopausia. Tomar la temperatura cada día le puede ayudar a decidir cuál es el caso. Si tienen ciclos anovulatorios en otras circunstancias que no sean posparto y premenopausia, debe consultar a su médico.

Situaciones especiales › Estrés y enfermedad

Cualquier evento que produzca estrés físico o mental puede afectar la fertilidad de la mujer. En el plano fisiológico el estrés puede alterar o hasta detener el ciclo femenino. La LPP ha revisado numerosas gráficas en las que se demuestra, claramente, que eventos como una enfermedad, la muerte de un familiar, una mudanza a otro lugar, ejercicio intenso o hasta una boda que se avecina, pueden alterar los ciclos de fertilidad. Vean la siguiente gráfica para que puedan apreciar el efecto del estrés, un mes antes de la boda.

Estrés › Gráfica

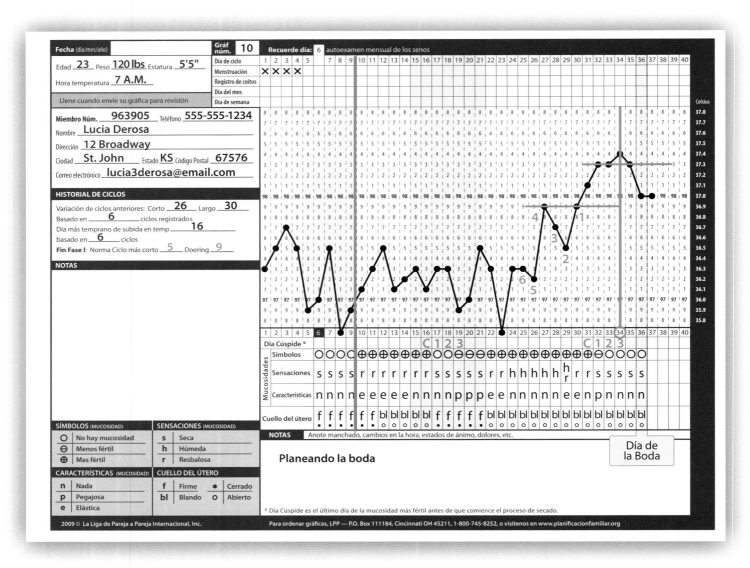

La gráfica anterior presenta las señales de fertilidad que se vuelven confusas entre los Días 15 y 21 del ciclo. Es probable que el estrés, asociado a los preparativos de la boda, tenga que ver con estos cambios. Noten que las señales de la mucosidad y el cuello del útero ambas indican fertilidad. Sin embargo, las mucosidades comienzan a parecer del tipo menos fértil en el Día 15 del ciclo, seguido por un cambio en las sensaciones y un cuello del útero que cambia a una serie de menos fértil el Día 17 del ciclo. Al analizar esta parte de la gráfica ustedes pueden identificar el Día 16 del ciclo como el Día Cúspide, pero noten que este "secado" no viene acompañado por el cambio térmico. Así que, aunque haya un secado y cierre del cuello del útero, los Días 17 y 18 siguen siendo parte de la Fase II. Esta mujer debe esperar el regreso de sus señales de fertilidad (lo que ocurrió con la aparición de la mucosidad más fértil el Día 22 del ciclo). Estas señales de fertilidad continuarán hasta el Día Cúspide que, en este caso, es el Día 31 del ciclo; que viene acompañado por el proceso de secado y el cambio térmico. La importancia de esta gráfica reside en que nos permite ver el efecto del estrés en la fertilidad y cómo alteró el ciclo por aproximadamente por una semana, antes de volver a la normalidad. (Vea análisis adicional en la página 218 del Apéndice B).

Enfermedad › Gráfica de práctica

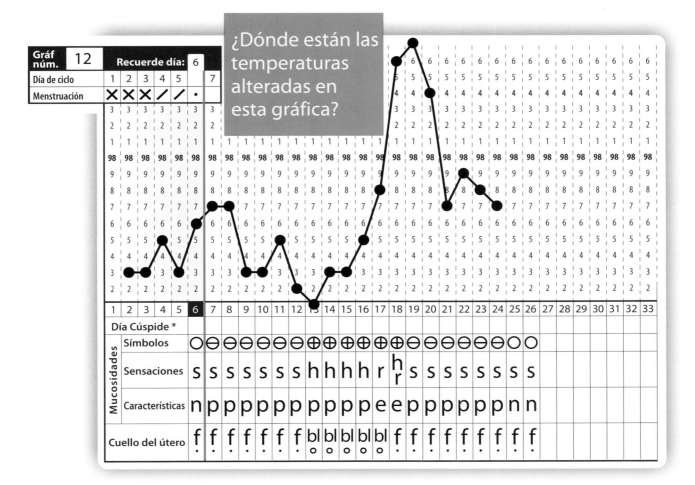

Si participa en uno de los cursos de la LPP tendrá la oportunidad de hacer estos ejercicios durante la clase. Si tiene El Curso de Estudio en el Hogar determine el comienzo de la Fase III. Una vez complete el ejercicio, asegúrese de cotejar las respuestas en la página 219 del Apéndice B.

¿Qué podemos hacer?

En algunos casos es posible hacer cambios en su estilo de vida que ayuden a reducir el nivel de estrés que afecta sus ciclos. En otros casos no siempre será posible ya que la causa se encuentra fuera de su control. Sin embargo, es posible que alguno de estos hábitos ayude a reducir el impacto del estrés en su ciclo:

- tener buenos hábitos alimenticios
- realizar ejercicio moderado
- dormir lo necesario para sentirse descansado
- participar en actividades que ayuden a cultivar su vida espiritual

Por ejemplo, si su trabajo es una fuente de estrés, asegúrense que su desayuno y almuerzo sean comidas nutritivas y balanceadas, aún cuando esto implique prepararlos en casa. Una alimentación deficiente tiene efectos fisiológicos que pueden producir estrés.

Realizar ejercicio moderado y mantener una rutina en que duerma lo suficiente para sentirse descansado son otras formas de reducir el estrés. Tomarse el tiempo de estirarse, caminar o relajarse mediante la oración, o reflexión espiritual, tienen gran impacto en los niveles de estrés de la persona.

Una vez se aprende a leer las señales del cuerpo, asociadas a la fertilidad, se adquiere una poderosa herramienta. Este conocimiento les permitirá practicar la PNF durante tiempos de enfermedad o estrés al saber observar aquellas señales que no se afectan por los eventos de ese momento.

Notas

Situaciones especiales — Medicamentos

Ciertos medicamentos pueden afectar sus señales de fertilidad. Algunos pueden afectar la mucosidad, la temperatura y/o el cuello del útero, o hasta retrasar o acortar la fase lútea. La gráfica de abajo tiene una fase lútea corta y esta mujer esta tomando un medicamento antidepresivo. Si necesitan ayuda en una situación similar, consulten su Guía de referencia en la página 238 o visite nuestra página en Internet, ***www.planificacionfamiliar.org***. Esta página será actualizada periódicamente.

Medicamentos › Gráfica de práctica

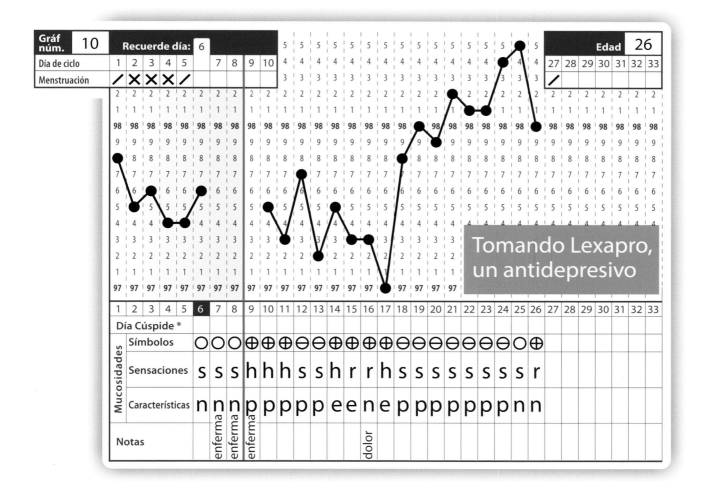

Si participa en uno de los cursos de la LPP tendrá la oportunidad de hacer estos ejercicios durante la clase. Si tiene El Curso de Estudio en el Hogar determine el comienzo de la Fase III. Una vez complete el ejercicio, puede cotejar las respuestas en la página 220, Apéndice B.

Comportamientos que van en contra de la dignidad humana y el amor conyugal

5

Lección 5

El cuerpo es la expresión externa de la persona. Este es el principio básico de los escritos del Papa Juan Pablo II en su Teología del Cuerpo. El cuerpo expresa lo que es la persona y revela quiénes somos y cómo debemos actuar. Cuando actuamos conforme a la voluntad de Dios nos volvemos imagen de Dios para los demás. De manera que el cuerpo revela nuestra persona y al mismo tiempo se convierte en reflejo del misterio de Dios. La planificación natural de la familia les ayuda a leer este lenguaje del cuerpo de una manera muy particular, a través de la sexualidad humana.

En la Clase 2 aprendieron las cinco características del amor. Éstas representan los rasgos esenciales que forman parte de las acciones de Cristo durante sus días en la Tierra. La primera de ellas nos es revelada durante la oración en el huerto de Getsemaní, al comienzo de su pasión. Que "no se haga mi voluntad sino la tuya", es el momento en que se unen la voluntad de Cristo y la del Padre. Esa *unión de voluntades* es posible ya que Jesús de Nazaret tenía *conciencia de la dignidad humana*, más aún, la vivió. Esta conciencia afirma que para ser plenamente humano debemos saber que es posible llegar al cielo, a la casa del Padre, y que este camino al cielo pasa por el calvario. Hemos sido creados para unir nuestras voluntades a las de aquellos que amamos y para descubrir nuestra propia dignidad y la de los demás.

Además, nuestro amor nos llama a ser un *don* para el amado. Esto lo hacemos de forma *libre* y con *total conciencia* de la dignidad de ambos y de las consecuencias de esta entrega, igual que lo hizo Cristo en la cruz. Esta entrega se hace con *fidelidad permanente*, es decir, para toda la vida. Cristo no estuvo colgado de la cruz por un momento, sino que permaneció hasta la muerte. Finalmente, la quinta característica del amor divino es que da vida, es *fecundo*. Al igual que la sangre y agua brotaron del costado de Cristo como fuente de vida sacramental para la Iglesia, así nuestro amor también está llamado a dar vida.

Hemos dicho que el cuerpo es la expresión visible de la persona. La persona es creada por Dios al momento de la concepción. Cuando una persona nace el cuerpo no es algo ajeno a la persona, como "un traje" o un vehículo. El cuerpo forma parte de la persona. Es por eso que podemos afirmar que el cuerpo es, también, regalo (don) del Creador. Hay pues, en el cuerpo, una dignidad especial. El cuerpo es "un templo" cuya presencia nos habla de la persona y que expresa lo que esa persona quiere comunicarnos. Tratar al cuerpo como un objeto es faltarle el respeto, trivializarlo. Faltar el respeto al cuerpo humano es faltar el respeto al individuo, la persona y al amor para el que fue creado. Es por eso que nunca se debe alterar un órgano sano y en buen estado, ya que al hacerlo tratamos al cuerpo como una máquina o un objeto. Actuar así, implica el tratar el cuerpo como un objeto que nos pertenece. Esta visión de que el cuerpo es mi propiedad es contraria a amar como Dios ama, y usualmente termina en que somos usados o usamos a los demás.

¿Quién quisiera faltarse el respeto a sí mismo?

Hay momentos en que eso es lo que hacemos, sin darnos cuenta. Por ejemplo, los **anticonceptivos** — el uso de un procedimiento mecánico, químico o médico, con el propósito de prevenir la concepción como resultado de una relación sexual — implica una alteración a un órgano sano y en buen estado. Por lo tanto, implica tratar al cuerpo como un objeto, usarlo/ usarse de manera indigna. Igualmente la pornografía, la lujuria y la masturbación implican el uso de uno mismo (y a veces de otros), por lo que faltan a la dignidad de la persona entera.

A veces hay personas que dicen que la Iglesia Católica no está en sintonía con el mundo moderno, especialmente en los temas de sexualidad y moralidad. Pareciera como si la Iglesia solamente sabe decir "no". En realidad, la Iglesia continúa diciendo "sí" a la visión verdadera de la persona humana, y "sí" al maravilloso misterio que nos invita a amar como Dios ama. Cuando la Iglesia dice "no", lo hace para protegernos; para evitar que seamos tratados como objetos. Cada uno de nosotros se merece más que eso. Estos actos no son dignos de la persona humana ni de alguien que esté llamado a ser imagen de Dios.

Por ejemplo, la **fecundación in Vitro** falta a la dignidad del esposo, la esposa y el niño. Cada uno de ellos es manipulado porque "ellos tratan sus cuerpos como fuentes de material biológico y no como expresión de sus personas".[1] Decimos así porque en la concepción de un hijo hay algo más que la unión de las dos células que se juntan. Es más que un proceso biológico. La fecundación in vitro usa a la madre, al padre e inclusive al hijo, porque remueve las células de ambos (sin tomar en cuenta la dignidad de las personas) y manipula estas "piezas" para traer al hijo a la existencia. Cada hijo tiene el derecho de ser concebido, llevado y nacido del vientre de su madre; porque este es el resultado de una relación de amor entre el padre y la madre

El misterio del amor conyugal queda también defraudado. ¿Qué implica el que alguien tenga una relación matrimonial fuera del matrimonio? Primero se falta a la permanencia del amor (ya que la pareja no está casada), a la fecundidad (porque usualmente la pareja no está lista, preparada o deseando tener un hijo, y por tanto usan anticonceptivos). Los anticonceptivos y el **aborto** (la terminación de una vida recién concebida), también faltan al misterio del amor conyugal porque ninguno de ellos es signo de una entrega total (don de sí) ni es fecundo (da vida).

Volvemos a insistir, cuando faltan todas las cinco características no es posible amar como Dios ama. Es decir, cuando falta la permanencia, el amor no es auténtico. La gente puede pensar que esto es amor, que ellos se sienten enamorados. Pero, cuando consideramos cómo Dios ama, vemos que no es amor. Si no es amor, lo más probable es que estemos usando al otro o nos están usando. Si no es amar, es usar.

Así que, desde el punto de vista de la persona humana, estos actos que la Iglesia nos pide que evitemos, van contra la dignidad de la persona como individuo. Desde el punto de vista del amor divino, es decir, como se aman el Padre, el Hijo y el Espíritu Santo, estos actos reflejan el uso del otro, es por eso que son considerados como pecados.

¿Qué podemos hacer si hemos hecho alguna de estas cosas? Es por eso que Cristo subió a la cruz, murió y resucitó, para que puedan pararse al pie de la cruz y ser lavados por su sangre. En la doctrina católica, esto ocurre mediante el sacramento de la Confesión o Reconciliación. Todo puede ser perdonado debido al sufrimiento infinito de Cristo en la cruz y por su resurrección. Todos cometemos pecados y todos necesitamos ser perdonados. Ciertamente estos pecados son serios; pero no debemos perder la esperanza cuando, en algún momento de nuestras vidas, hacemos algo contrario a lo que la Iglesia nos dice. Lo más importante es que ahora entienden la razón por la que estos actos faltan a la dignidad humana y al amor. Sólo hay que pedir perdón, levantarse y volver a intentar hacerlo mejor.

---

[1] Rev. Richard M. Hogan, *El Cuerpo humano: un signo de dignidad y un regalo* (Cincinnati: The Couple to Couple League, 2005), 22.

Anticonceptivos 6

Lección 6

Todos los anticonceptivos faltan a una de las características del amor y por tanto son inmorales (contrarios a la moral). También tienen efectos secundarios muy dañinos. Esta lección va a discutir los métodos anticonceptivos más comunes y los **abortivos** (hormonas, artefactos y procedimientos que causan abortos).

Métodos de barrera

Retirada se le llama cuando el hombre remueve su pene de la vagina de la mujer antes de la eyaculación. Este acto interrumpe el proceso que hace del acto matrimonial uno completo, y por tanto frustra la posibilidad de que sea fecundo (abierto a la vida). Además de ser un método poco efectivo para evitar los embarazos porque es probable que algunos espermas entren a la vagina antes de la eyaculación.

El uso de barreras o aparatos también constituyen un acto directo para prevenir la conclusión del acto matrimonial. Entre ellos encontramos los **condones** (preservativos), **dia-**

Notas

fragmas, **espermicidas** y **esponjas vaginales**. En el plano estético, estos aparatos requieren una preparación que da la impresión que la pareja se prepara para la guerra, más que para la donación de sí en un acto matrimonial. Todos ellos producen efectos secundarios que van desde alergias, infecciones de la vejiga y reacciones adversas a los químicos (de las esponjas). Además, no son tan efectivos como la PNF cuando se desea posponer un embarazo.

La esterilización

Hay otros procedimientos que son "permanentes". Entre ellos se encuentran la **ligadura de trompas** y la **vasectomía**. Estos procedimientos tratan al cuerpo como un objeto ya que remueven o incapacitan un órgano sano y en buen estado. Si el sistema reproductor está sano no hay razón para alterarlo mediante cirugías, drogas o aparatos ya que esto se convierte en un ataque contra el cuerpo, por consecuencia, contra la persona. Esto es sin contar los numerosos efectos secundarios. En algunos casos uno de estos es el surgimiento de una infección dolorosa conocida, en el hombre, como granuloma cuando hay un "escape" de los espermas luego de cortado el conducto del vaso deferente. Algunos hombres experimentan una reducción del deseo sexual y un grupo reducido sufren de dolor testicular prolongado. En cuanto a las mujeres, muchas dicen lamentar su ligadura de trompas porque sienten como si hubieran "perdido su feminidad — al perder su habilidad para concebir". De hecho, muchas mujeres experimentan estrés postraumático luego de la ligadura, muy similar al de aquellas que han tenido un aborto inducido. Algunas hablan de lamentar la perdida de los "bebés que pudieran haber tenido".

El Dispositivo Intrauterino (DIU)

Los **dispositivos intrauterinos** (DIUs) pueden clasificarse en dos categorías — los simples y los que están revestidos de hormonas. El DIU simple, es un aparato que se inserta en el útero y no hace nada para evitar la ovulación, solamente impide la implantación de la nueva vida recién concebida. Este actúa estrictamente como un abortivo (algo que impide la implantación de la nueva vida, lo que causa un aborto temprano). El DIU revestido de hormonas se ha diseñado para emitir progestina, que en algunos casos puede inhibir (impedir) la ovulación; pero en los casos donde esto no ocurra, todavía cuenta con la posibilidad de actuar como abortivo y terminar la nueva vida del bebé. También pueden ocurrir embarazos ectópicos, aumento en el sangrado menstrual y perforaciones en el útero. Sepan que estos dispositivos son la causa principal de infertilidad, debido a las infecciones en el útero y las trompas de Falopio, que surgen como consecuencia de su uso.

Anticonceptivos hormonales

Todos los anticonceptivos hormonales, sean **inyectables** o de cualquier otro tipo, actúan como anticonceptivos y como abortivos. Tienen una serie de mecanismos, algunos anticonceptivos y uno abortivo. Tanto el estrógeno como la progestina, dentro de estos anticonceptivos, "engañan" a la glándula pituitaria y le convencen que los ovarios ya tienen suficiente estimulación. Esto hace que se produzca menos HEF y HL. Esta situación lleva a la supresión de la ovulación, en la mayor parte de los ciclos. Además, las hormonas causan que la mucosidad cervical se espese lo que dificulta que los espermatozoides viajen a través del cuello del útero. Estas hormonas también pueden dificultar la navegación del óvulo y los espermatozoides por las trompas de Falopio. En ocasiones, reduce el movimiento de las trompas de Falopio, entorpeciendo el movimiento del óvulo y el espermatozoide. El tercer mecanismo que ambos grupos comparten es que reducen la densidad del endometrio (revestimiento del útero) al negarle el suministro de una substancia llamada glucógeno. La falta de glucógeno disminuye el grosor del endometrio ya que este recibe un menor flujo de sangre. Más tarde, el blastocisto (una nueva vida humana), no puede implantarse por esta reducción, lo que causa un aborto temprano. Sabemos que esto ocurre porque está documentado que una ovulación puede ocurrir, mientras se usa un anticonceptivo hormonal, entre dos al ocho por ciento de las veces.[1] Existen otros estudios que indican que el porcentaje, puede ser aún mayor.

Anticonceptivos

La Píldora	**Los efectos secundarios incluyen:**
La Píldora de progestina	
Inyecciones (Depo-Provera)	**Dificultades menstruales, pérdida de densidad ósea, cáncer, tumores, enfermedades del corazón, depresión, cirugías para resolver los efectos secundarios**
Norplant	
El Parche anticonceptivo	
Anillo vaginal	
Anticoncepción de emergencia	

[1] Bronson, RA. [Anticonceptivos orales: mecanismos de acción] "Oral contraception: mechanism of action." Revista *Clinical Obstetrics and Gynecology*, 1981; 24 (3): 869–877. Este estudio concluye que hay alrededor de un 2% de probabilidad de que una mujer pueda ovular mientras utiliza un anticonceptivo hormonal, este estudio fue conducido en 1981. En los estudios más recientes, tales como los realizados por Killick y Fitzgerald, cuando se usan píldoras de dosis reducida (similares a las que se venden hoy día) esta probabilidad pueden aumentar hasta un 8.3%. (Killick, SR, Fitzgerald C, Davis, A.[Actividad ovárica en mujeres que ingieren anticonceptivos hormonales que contienen 20 microgramos de ethilnyl estradiol y 150 microgramos de desogestrel: los efectos de las dosis bajas en estrógeno durante un intervalo libre de hormonas.] "Ovarian activity in women taking an oral contraceptive containing 20 micrograms ethinyl estradiol and 150 micrograms desogestrel: effects of low estrogen doses during the hormone free interval." Revista American *Journal Obstetrics and Gynecology* 1998; 179(1): S18–24.)

La gráfica que sigue contiene una lista de los tipos más comunes de anticonceptivos hormonales y sus efectos secundarios.

Los efectos secundarios de los anticonceptivos hormonales son demasiados para incluirlos en una lista. Ellos van desde dificultades con la menstruación, pérdida de densidad ósea, cáncer, tumores, enfermedades del corazón, depresión y las cirugías asociadas a tratar de resolver estos efectos. Vean las páginas 232–237, en su Guía de referencia, para saber más sobre cómo determinar el regreso de la fertilidad luego de discontinuar su uso.

Queremos llamar la atención a ciertos términos usados para definir el embarazo. Tanto los científicos como los médicos están de acuerdo en que los componentes biológicos de la persona humana se encuentran presentes al momento de la concepción. Aún cuando muchos individuos y organizaciones están de acuerdo en que la vida humana comienza en la concepción, hay otros que buscan una "justificación moral" para usar anticonceptivos hormonales u otras tecnologías reproductivas como la fertilización *in vitro*. Como consecuencia, la definición de embarazo fue cambiada en la década de los años 70 para decir que el embarazo comienza al momento que la nueva vida se **implanta** en el útero (el comienzo del desarrollo embriónico). Esta definición arbitraria del embarazo, como el tiempo desde la implantación al parto, ha permitido a muchos individuos y organizaciones justificar ciertos comportamientos inmorales, siempre que ocurran antes de la implantación. Lamentablemente, muchas organizaciones que se definen a sí mismas como "pro vida", evitan discutir el tema de los anticonceptivos y procedimientos como la fertilización *in vitro*, simplemente porque han aceptado esta "nueva" definición del embarazo. La LPP se mantiene firme en su compromiso de mantener las definiciones correctas en lo relacionado al comienzo de la vida y a enseñar a otros sobre la dignidad de la persona humana.

Existen algunos médicos que no recetan anticonceptivos hormonales, con el propósito de evitar los embarazos, ni participan en ligaduras ni abortos. Estos médicos reconocen que los pacientes que practican la PNF gozan de mejor salud y de menos problemas reproductivos que aquellos a quienes, anteriormente, ellos les recetaban anticonceptivos u otros dispositivos. La comunidad médica entiende claramente que los anticonceptivos hormonales traen consigo efectos secundarios muy serios. Algunos alegan que los beneficios superan los riesgos, otros continúan recentando o incluso, efectuando abortos sin mayor preocupación por las consecuencias.

En los EE.UU., la actividad sexual premarital y extramarital es, en parte, responsable del alto porcentaje de enfermedades de transmisión sexual. Muchas mujeres dañan y hasta destruyen sus sistemas reproductivos bajo la apariencia de una libertad sexual sin entender el impacto de esta conducta, al tiempo que continúan ignorantes sobre su propia fertilidad. Aquellas que aprenden a leer las señales de su cuerpo logran determinar su fertilidad e infertilidad con gran eficacia. Este conocimiento les dota de un poder que antes no tenían. En la próxima lección discutiremos la eficacia de la PNF con mayor detalle.

Eficacia de la PNF 7

7

Lección 7

La planificación natural de la familia no tiene efectos secundarios dañinos. Ella requiere el conocimiento de su fertilidad al tiempo que respeta la dignidad del cónyuge. Las preguntas que surgen son: ¿Es confiable la información que se obtiene a través de las observaciones diarias? ¿Realmente funciona para planificar o posponer un embarazo?

La eficacia de un método (cuán efectivo) se calcula, normalmente, en base a un porcentaje de lo que varios estudios han determinado que es la tasa de *embarazos no planificados*. La **tasa de embarazos no planificados o embarazos sorpresa** se mide en términos del número de parejas que quedan embarazadas de un total de 100 parejas. Por lo tanto, si la tasa de embarazos no planificados es de 15% ó 0.15 significa que 15 parejas de un total de 100, es probable que tengan un embarazo usando ese método durante un año. Una norma o un método que tenga un 99% de eficacia, implica que 99 de un total de 100 parejas, es probable que no tengan un embarazo al usar ese método. La eficacia también puede verse de dos maneras: **eficacia del método** y **eficacia del usuario**.

Eficacia del método

Al hablar de la eficacia del método asumimos que la pareja utiliza el método siguiendo todas las normas es decir, hace un "uso perfecto" del método. La eficacia del método *solamente* incluye aquellos embarazos que ocurren mientras se siguen todas las normas y durante aquellos meses o ciclos en los que se usó el método de manera correcta y consistente.

Para los usuarios de un método particular de PNF, esto quiere decir que la pareja sigue y aplica todas las reglas sin excepción. Esto lo podríamos comparar con la eficacia del método de la Píldora anticonceptiva que asume que la mujer la toma, exactamente como se indica, sin excepciones. Cuando hablamos de la PNF, un alto nivel de eficacia del método implica, que si se usa correctamente, el usuario puede sentirse confiado en que las normas de este método identificarán los días de fertilidad e infertilidad con gran precisión.

Eficacia del usuario

Al hablar de la eficacia del usuario nos referimos a la *práctica real* de las parejas que usan el método. Se refiere a todos los embarazos que ocurren durante *todos* los meses o ciclos que dure el estudio. Esto incluye la aplicación *correcta e incorrecta* del método y sus normas.

Por ejemplo, la eficacia del usuario para el Método Sintotérmico de PNF incluye los embarazos no planificados, que resultaron cuando la pareja tuvo relaciones matrimoniales durante los días en que observaron mucosidad antes de la ovulación. La eficacia del usuario también se afecta por la comprensión y la aplicación que haga la pareja de las normas establecidas. La confianza en un método disminuye cuando la instrucción es deficiente y los registros no son confiables. Además, la eficacia de la PNF depende de la habilidad que tenga una pareja para ser consecuentes con las decisiones tomadas sobre la vida familiar — paternidad responsable.

Notas

Por ejemplo, una pareja dice que desea posponer un embarazo, pero más adelante, tienen relaciones matrimoniales durante el tiempo fértil. En la eficacia del método, un embarazo durante ese ciclo no se considera un embarazo no planificado, ya que ellos siguieron las normas para lograr, en lugar de para posponer un embarazo. Aún cuando la eficacia del usuario siempre será menor o igual a la eficacia del método, todavía los métodos de PNF mantienen una gran eficacia.

Estudio alemán sobre la eficacia del Método Sintotérmico en 2007

Un estudio sobre la eficacia de las normas sintotérmicas se realizó en Alemania, y fue publicado en el 2007.[1] Este estudio utilizó unas normas que fueron levemente diferentes a las que enseña la LPP, pero suficientemente similares como para poder hacer una comparación válida. El estudio encontró una eficacia del método de 99.6% y una eficacia de usuario de 92.5%. (Vean la Guía de referencia, página 232, para mayor información sobre dicho estudio).

Los estudios del Dr. Roetzer

Hemos dicho anteriormente que las normas que presentamos en la clase de PNF se basan el en trabajo del Dr. Josef Roetzer. En su libro *Natuerliche Empfaengnisregelung* (Regulación Natural de la Concepción), el Dr. Roetzer habla sobre la eficacia del método durante sus años de consultoría médica con miles de parejas usuarias del método.[2] En su trabajo él encontró que la eficacia del método era de 99.8% y la eficacia del usuario de 99.2%. (Vea su Guía de referencia, página 232, para más detalles sobre el trabajo del Dr. Roetzer).

Comparando la efectividad de los distintos métodos

Aún cuando es posible comparar la eficacia de la PNF con la de los anticonceptivos, existe una diferencia fundamental entre ambos grupos. La eficacia de la PNF está asociada a la habilidad de la pareja para determinar los tiempos de fertilidad e infertilidad según el método. La eficacia de los anticonceptivos está asociada a la habilidad de la píldora y otros dispositivos para evitar que ocurra o que continúe un embarazo. La eficacia del usuario de la PNF, también envuelve la habilidad de la pareja para abstenerse de relaciones matrimo-

---

[1] P. Frank-Herrmann, J. Heil, C. Gnoth, et al. [La eficacia de un método de conciencia de la fertilidad para evitar los embarazos en relación a la conducta sexual de la pareja durante el tiempo fertil: estudio longitudinal.] The effectiveness of a fertility awareness based method to avoid pregnancy in relation to a couple's sexual behavior during the fertile time: a prospective longitudinal study, *Human Reproduction*, págs. 1–10, 2007

[2] Roetzer, págs. 99–100

niales en los días en que el método indica fertilidad, si ellos desean posponer un embarazo. La eficacia de los anticonceptivos dependerá de que la mujer/pareja use los dispositivos o tome las píldoras de la manera adecuada si desean posponer un embarazo.

Esta gráfica ilustra la eficacia de varios métodos de control de la natalidad en comparación con la PNF.[3]

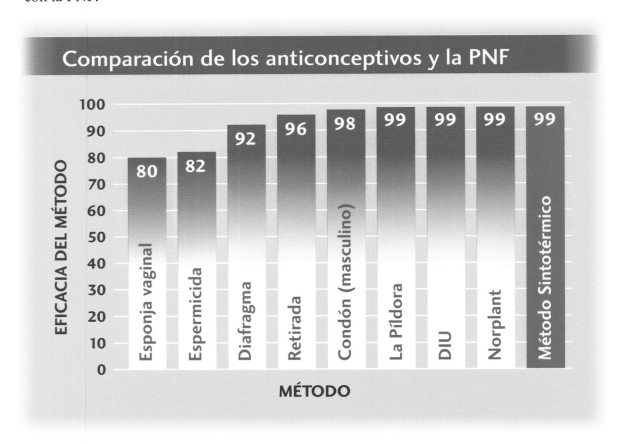

En resumen, el Método Sintotérmico de PNF, según lo enseña la LPP en este curso, es extremadamente efectivo en determinar los momentos de fertilidad e infertilidad en el ciclo de la mujer. El estudio alemán de 2007, demuestra que las parejas que desean posponer un embarazo, en un ciclo en específico, pueden usar la PNF con la misma precisión que los anticonceptivos.

---

[3] R. Hatcher, et al., [Tecnología Anticonceptiva] *Contraceptive Technology*, 18va Edición revisada (New York, NY: Ardent Media, 2004), ver Tabla 31-1, págs. 792–847.

Los beneficios de la lactancia y sus efectos en la fertilidad

8

Lección 8

Desde su creación, la LPP promovió la lactancia porque es la manera óptima de alimentar al bebé y porque afecta el regreso de la fertilidad de la mujer después del parto. De hecho, cuando se cumplen ciertas condiciones, la lactancia puede extender la infertilidad **posparto** (después del nacimiento) por varios meses. Más y más organizaciones, nacionales e internacionales, promueven el que las mujeres lacten sus bebés debido a las ventajas para el bebé, la madre, la familia y la sociedad. En esta lección discutiremos la terminología asociada con la lactancia, sus beneficios y cómo la lactancia puede afectar su fertilidad. Hemos desarrollado una clase específicamente para discutir a fondo el tema de la interpretación de gráficas después del parto. En ella discutimos la forma de interpretar sus señales de fertilidad, sin importar la manera en que ustedes decidan alimentar a su bebé.

Primero, es necesario entender que existen tres formas distintas de alimentar al bebé, y que cada una de ellas afectará la salud del bebé y de la madre de alguna manera. Todas estas formas de alimentar a su bebé las hemos organizado en lo que llamamos la *jerarquía de la alimentación*. Esta jerarquía se establece basándonos en aquellas opciones que ofrecen la mayor cantidad de beneficios para su bebé.

Dentro de esta jerarquía, incluimos cuatro categorías: alimentación con fórmula, alimentación mixta, lactancia exclusiva y lactancia continua. Veamos cada una de estas categorías y sus definiciones.

Tipos de alimentación para el bebé

Llamamos **alimentación con fórmula** al caso donde el bebé recibe toda su nutrición de fórmula (leche maternizada) y no consume leche materna. Las fórmulas van desde algunas que están hechas con leche de vaca hasta otras versiones especiales. La botella o biberón es el medio para alimentar al bebé.

La **alimentación mixta** combina alimentación con fórmula y lactancia. Una **alimentación mixta alta** implica que de un 80% de la alimentación viene del pecho. Una **alimentación mixta media** se refiere a que de un 20–79% de la alimentación viene del pecho, y la **alimentación mixta baja** ocurre cuando menos del 20% de la alimentación proviene del pecho se la madre.

Lactancia exclusiva es el término usado por la Organización Mundial de la Salud (OMS) y la Academia Americana de Pediatría (AAP) como la norma de cuidado durante los primeros seis meses de vida del bebé. Esta se caracteriza por lactar al bebé cuando él expresa interés (día y noche), donde el pecho se vacía en cada tetada. Inicialmente, un mínimo de 8–12 veces por día es lo que se requiere para establecer la producción necesaria para alimentar a su bebé con el pecho. También es importante mantener al bebé cerca de la madre. Más allá de los seis meses el bebé necesita alimentación suplementaria, además del pecho. La lactancia que va más allá de los seis meses la catalogamos como **lactancia continua**. Esto implica que la madre introduce otros alimentos y líquidos, como complemento, luego de dar el pecho.

Nada puede duplicar la leche materna. Aún la evidencia más reciente indica que las "leches artificiales", a pesar de grandes esfuerzos, continúan siendo diferentes e inferiores a la leche materna.[1] Esto se debe a que la leche humana no es sólo un alimento completo, sino que además actúa como medicamento, gracias a sus propiedades inmunológicas. Por esta razón, la mayoría de las autoridades recomiendan la lactancia exclusiva durante los primeros seis meses de vida. La AAP y la OMS van más allá al recomendar la lactancia continua como la norma para el cuidado del bebé al menos hasta los 12 meses y 24 meses, respectivamente.[2]

---

[1] Uauy and Periano, [El pecho es lo mejor: la leche humana es el alimento óptimo para el desarrollo del cerebro.] Breast is best: human milk is the optimal food for brain development, Publicado en el *American Journal of Clinical Nutrition*, Volumen 70 (4), 1999, 433.

[2] Lauwers, J. and Swisher, A., [Consultas para la madre lactante, Guía de consulta sobre lactancia] *Counseling the Nursing Mother, A Lactation Consultants Guide*, 2005, 167. Revista *Pediatrics*, Vol. 115, Núm. 2 febrero 2005, 496–506. [Organización Mundial de la Salud, *Nutrición de niño y el infante: Estrategia global sobre la alimentación de los niños e infantes*, 55ta Asamblea Mundial de la Salud, 16 de abril de 200World Health Organization, *Infant and young child nutrition: Global strategy on infant and young child feeding*, Fifty-fifth World Health Assembly, 16 abril 2002.

Notas

Beneficios de la lactancia

1. Beneficios para la salud del bebé y de la madre

Los infantes lactados gozan, en general, de mejor salud; con menos incidencias y menor severidad de: infecciones agudas, enfermedades de los oídos, sistema respiratorio, tracto urinario, sistema intestinal, pulmonía, meningitis y hospitalizaciones. La lactancia ha demostrado que puede reducir los niveles de diabetes, algunas formas de cáncer, asma y Síndrome de Muerte Infantil Súbita (SMIS).

La lactancia promueve una mejor salud oral, ya que ayuda a formar el paladar, de manera que facilita que los dientes puedan alinearse mejor. Por consiguiente, los niños tendrán menos problemas que requieran visitas al ortodoncista.

Aquellas madres que lactan experimentan menos sangrado posparto y una contracción de su útero más rápida luego del nacimiento del bebé. Las contracciones del útero que surgen a partir de la lactancia ayudan a reducir el útero al tamaño que tenía antes del embarazo.[3]

La lactancia exclusiva contribuye a la producción de altos niveles de **prolactina** (también conocida como la hormona materna) la cual ayuda a posponer el regreso de la fertilidad de la madre. Esto permite una mejor recuperación de la madre debido al "descanso" del ciclo hormonal y la ausencia de menstruaciones durante un periodo prolongado durante la lactancia (vean la ilustración "El regreso estimado de la fertilidad" en la página 160). Ésta también ayuda a espaciar los nacimientos y permite a la madre recargar sus energías y fortalecerse una vez que concluye el embarazo y antes de que ocurra el siguiente. Las madres que lactan de manera exclusiva reducen su índice de riesgo de contraer anemia, cáncer del seno,[4] cáncer de ovarios[5] y del endometrio.[6]

2. Beneficios al sistema inmunológico

La leche materna no es simplemente un alimento inerte y uniforme para su bebé. Más

---

[3] [Departamento de Salud y Servicios Humanos de los EE.UU., Oficina de Salud para la Mujer, *SSH Plan de acción sobre Lactancia*] U.S. Department of Health & Human Services, Office on Women's Health, *HHS Blueprint for Action on Breastfeeding*, 2000, pág. 11.

[4] Stewart-Macadam, P. and Dettwyler, K., [*Lactancia, Perspectivas bioculturales*] *Breastfeeding, Biocultural Perspectives*, 1995, págs. 9–11.

[5] Idem, pág. 11.

[6] Idem, pág. 12.

bien es una *substancia viva*[7] que sufre cambios en su composición, pH, volumen y factores inmunológicos constantemente. Por lo que la leche materna ayuda a los infantes a desarrollar su sistema inmunológico.

Podríamos decir que la leche materna está diseñada específicamente para la *especie* humana. De la misma manera que podemos afirmar que está diseñada tanto para el bebé como para la madre. La leche humana es diferente de todas las otras leches para mamíferos, e inclusive es diferente a la leche de otras madres. Cuando un bebé tiene un nacimiento **prematuro** (antes de alcanzar su desarrollo gestacional completo), la leche materna contiene los elementos más apropiados y específicos para atender las necesidades del bebé de manera que tenga las mejores probabilidades de sobrevivir.

3. Beneficios psicológicos

Los bebés necesitan estar cerca de sus madres, esta es una de sus necesidades básicas. El niño la ve como protectora a quien puede acudir cuando algo le duele o cuando tiene alguna necesidad. Esta relación reduce el estrés del niño, ya que confía en que sus necesidades van a quedar atendidas y que, no importa lo que pase, él puede regresar con su madre cuando necesite protección o ayuda. De esa manera, el niño se siente confiado, por lo que se aventura a investigar al mundo que le rodea; así aumenta su independencia como individuo. Más aún, la lactancia permite que el bebé pueda escuchar los latidos del corazón de su madre, uno de los sonidos que le es familiar desde que estaba en el vientre materno, al tiempo que satisface su hambre. Los infantes que son lactados tienen un desarrollo más avanzado, son más expresivos, asertivos y socializan mejor.

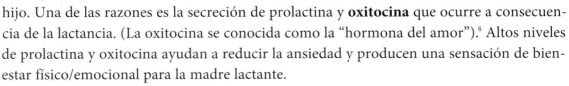

La lactancia facilita el vínculo materno-filial (madre/bebé) y aumenta la atención que la madre ofrece a su hijo. Una de las razones es la secreción de prolactina y **oxitocina** que ocurre a consecuencia de la lactancia. (La oxitocina se conocida como la "hormona del amor").[8] Altos niveles de prolactina y oxitocina ayudan a reducir la ansiedad y producen una sensación de bienestar físico/emocional para la madre lactante.

---

[7] Lawrence, Ruth and Lawrence, Robert, [Lactancia: Una guía para profesionales de la medicina] *Breastfeeding: A Guide for Medical Professionals*, 2005, pág. 99.

[8] Stewart-Macadam, P. and Dettwyler, K., [Lactancia, Perspectivas bioculturales] *Breastfeeding, Biocultural Perspectives*, 1995, pág 8.

Aunque el parto trae consigo algunos malestares (sensibilidad en los senos, dolor, incomodidades, etc.), la lactancia le brinda alivio contra estos síntomas. Esta sensación de bienestar y calma protege a la madre de estas molestias al tiempo que aumenta el deseo de cuidar a su bebé.

No hay duda que el perfil psicológico de la madre se beneficia con la lactancia exclusiva.[9] En un estudio de 181 mujeres, aquellas que lactaban tuvieron una reducción en los niveles de estrés, ansiedad, coraje y actitudes negativas, comparado con las madres que daban fórmula a sus bebés.

4. Beneficios cognitivos

La razón por la que los bebé lactados aventajan a los que se alimentan con fórmula es un misterio.[10] Parece que el contenido de la leche materna es la clave para entender esta diferencia. Esto contribuye a que los bebés lactados tengan un desarrollo neurológico más rápido, lo que acelera la adquisición de destrezas visuales y motoras, cuando se compara con los que usan fórmula. Este desarrollo avanzado continúa en la medida en que el bebé continúa lactando.

5. Beneficios nutricionales

La leche materna es el mejor alimento para la mayoría de los bebés. Debido a la presencia de distintos anticuerpos y las variadas composiciones, conforme a las necesidades del bebé,

---

[9] Kendall-Tackett, K. [Un nuevo paradigma para la depresión de nuevas madres: inflamación en la corteza central y cómo la lactancia y los tratamientos anti inflamatorios protegen la salud mental de la madre.] A new paradigm for depression in new mothers: the central core of inflammation and how breastfeeding and anti-inflammatory treatments protect maternal mental health, Publicado en el *International Breastfeeding Journal*, Vol 2 (6), 2007, página 22.

[10] Uauy and Periano, [El pecho es lo mejor: la leche humana es el alimento óptimo para el desarrollo del cerebro.] Breast is best: human milk is the optimal food for brain development, publicado en el *American Journal of Clinical Nutrition*, Volumen 70 (4), 1999, 433.

Notas

la leche materna no puede duplicarse. Por ser fácil de digerir, y estar llena de los nutrientes necesarios, es la que el niño puede absorber con mayor facilidad. Durante los primeros seis meses de vida la leche materna es el único alimento que permite una digestión y absorción adecuada de los nutrientes en concentraciones adecuadas. (Un estudio revela que los infantes absorben del 57–70% del hierro presente en la leche materna, en comparación con el 10% en las fórmulas hechas con leche de vaca)[11]. Los bebés lactados crecen de forma distinta a los que usan fórmula. Un estudio de la OMS, hecho entre el 1997 y el 2003, indicaba que las gráficas para determinar el crecimiento de los bebés eran, generalmente, diseñadas conforme a los bebés alimentados con fórmula; lo que las hacía inadecuadas para evaluar el crecimiento y las proyecciones de los bebés lactados e infantes.[12]

La comida que la madre ingiere afecta la composición y el sabor de la leche que produce. Todo esto es transmitido al bebé a través de la leche. No hay duda que el bebé come lo que la madre come; claro, con las modificaciones correspondientes que permitan el mayor beneficio al bebé. Se sabe que el bebé se expone a distintos sabores mientras se encuentra en el vientre de su madre. El líquido amniótico se considera el precursor de los sabores que dará paso al gusto por la leche materna. De igual manera, la leche materna introduce los sabores que el bebé preferirá una vez comience con la ingesta de alimentos sólidos.[13]

6. Beneficios al medio ambiente

La producción de fórmulas para bebés impone un costo considerable al compararla con la leche materna. La lactancia es *gratis para la madre y el padre, gratis para la sociedad e inofensiva para el medio ambiente*. Con la lactancia no hay daños asociados con la fabricación, uso de energía, plásticos, papel, etc. La lactancia no aumenta la demanda por petróleo, transporte o refrigeración.

La leche materna es estéril y se mantiene a la temperatura adecuada para alimentar al bebé.

[11] Stewart-Macadam, P. and Dettwyler, K., [*Lactancia, Perspectivas bioculturales*] *Breastfeeding, Biocultural Perspectives*, 1995, pág. 21.

[12] Onis, M. et al, [Comparación de los Estándares de Crecimiento Infantil de la OMS y las Gráficas de Crecimiento del Centro para el Control de Enfermedades para el año 2000.] Comparison of the WHO Child Growth Standards and the CDC 2000 Growth Charts, Publicado en *The Journal of Nutrition*, 144.

[13] Mennella, J., [La Leche Materna: un medio para las primeras experiencias con los sabores] Mothers milk: a medium for early flavor experiences, Publicado en el *Journal of Human Lactation*, (3) 1995, Volumen. 11, 39–45.

Además, le ahorra tiempo ya que no hay que salir a comprarla, almacenarla o prepararla, antes de usarla. La leche materna está lista para usar y no hay que desechar la que el bebé no consuma.

7. Beneficios económicos

En términos de la economía, todos se benefician de lactar al bebé — desde las familias hasta los patronos quienes, en ocasiones pagan por los servicios médicos, y hasta los programas de asistencia gubernamentales. El costo de la fórmula continúa en aumento. Aún cuando muchas familias participan de programas que suplementan los gastos de alimentos para los infantes, aquellos que no participan tienen una carga adicional en su presupuesto familiar.

8. Beneficios sociales

Finalmente, todos estos beneficios pueden resumirse en un beneficio para la sociedad: los bebés lactados tienen un menor índice de mortalidad y (una vez considerados todos los factores) aumentan la calidad de vida de la sociedad.

Notas

El rol del padre en la lactancia

El padre juega un papel importante durante la lactancia. Aún cuando él no puede dar el pecho, estar atento a las necesidades de la madre y el bebé le ayudará a descubrir lo importante de la lactancia y sus efectos en la salud y el desarrollo de su hijo. Hay estudios que demuestran que los padres se consideran como uno de los factores más importantes en la decisión de una madre sobre si lacta o no. La ayuda del padre es vital, tanto en su apoyo como en su motivación, particularmente si la familia, la comunidad o los médicos, no brindan el apoyo necesario. Los padres pueden ayudar a cambiar, a bañar y vestir al bebé. También pueden ayudar a cuidar los otros niños, con las tareas domésticas y cualquier otro asunto que requiera la atención de la madre durante este tiempo en que ella atiende las necesidades del recién nacido.

El amor del padre y la madre (amor esponsal) es un amor fruto de la entrega de ambos — que busca el bien del otro. *Él* se involucra con el cuidado que *ella* brinda al bebé, fruto del amor de *ambos*, en la medida en que atiende las necesidades de su esposa y del resto de la familia.

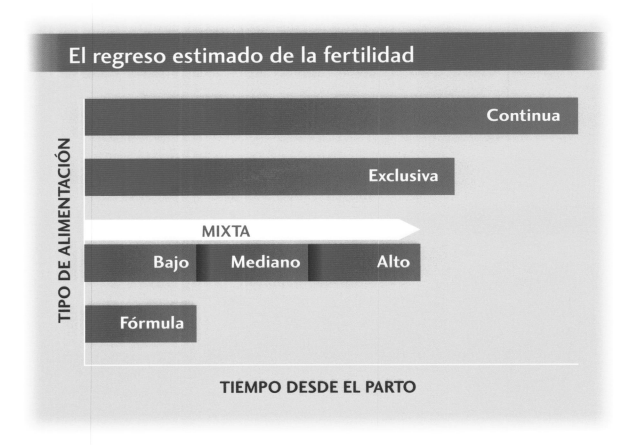

La alimentación del bebé y la fertilidad

¿Qué efecto tiene la lactancia en la fertilidad? Las tetadas frecuentes tienen el efecto de aumentar los niveles de prolactina, lo que suprime el estrógeno y previene que la mujer pueda ovular. Esto ofrece a la madre un descanso de la ovulación y por consiguiente la menstruación. Para las madres que alimentan con fórmula, la fertilidad regresa pronto. En general, la fertilidad regresará, no más tarde de las 12 semanas después el parto. Las que usen alimentación mixta verán distintas variantes del regreso de la fertilidad. Esto dependerá del tiempo que dediquen a dar el pecho y cuanta fórmula le den. Cuando se da el pecho de forma limitada (poco tiempo) la fertilidad regresará más temprano. En los casos en que la madre da el pecho con frecuencia y solamente usa fórmula en pocas ocasiones, la fertilidad vendrá más tarde. Aquellas madres que lactan de forma exclusiva usualmente tienen periodos largos de infertilidad. Algunos estudios indican que un 97% de las madres que lactan pueden contar con, al menos, seis meses de infertilidad. Si ella continúa lactando luego de los seis meses la infertilidad se prolongará más allá de los seis meses si la mujer sigue con amenorrea. La duración de la infertilidad extendida (debido a la lactancia) depende de una serie de factores que serán discutidos en la Clase de Posparto. Hemos incluído una lista de ayudas para detectar sus señales de fertilidad durante el tiempo de posparto en las páginas 254–256 de su Guía de referencia.

---

[16] Kennedy., Rivera, R. and McNeilly, A., [Declaración de consenso en cuanto al uso de la lactancia como método de planificación familiar] Consensus statement on the use of breastfeeding as a family planning method, Publicado en *Contraception*, Vol. 39 (5) Mayo 1989, págs. 477–496. [Tomado de la Conferencia del Consenso de Bellagio sobre Infertilidad por Lactancia.] From the Bellagio Consensus Conference on Lactational Infertility, en la ciudad de Bellagio, Italia, agosto 1988.

Notas

Algunas consideraciones

Existen muchos factores que influyen en la decisión de cómo alimentar a su bebé. Igual que en otras decisiones familiares, la manera de lactar/alimentar a su bebé debe evaluarse con cuidado y prudencia. Los datos que hemos presentado, sobre los beneficios de la lactancia, deben ayudarles a discernir (en oración) cuál es la mejor decisión para su familia en particular. Con el pasar de los años muchos matrimonios nos han compartido su experiencia con la lactancia y el impacto que ha tenido en su vida familiar. Ellos nos agradecen que hayamos compartido esta información sobre la lactancia, especialmente porque muchos sabían muy poco, o nada, sobre este tema. No importa el tipo de alimentación que escojan, La Liga de Pareja a Pareja desea apoyarle para que su experiencia sea enriquecedora. Pero lo más importante es que queremos asistirle en lo necesario para que pueda identificar el regreso de su fertilidad después del parto, sea cual sea su decisión.

Ustedes pueden encontrar numerosos recursos con los que aprender sobre la alimentación adecuada para el bebé y el impacto en su fertilidad.

Una manera concreta es asistir a una Clase de Posparto, que ofrezca la LPP, un poco antes o después del parto. Para mayor información sobre estos cursos consulten con su Pareja Instructora.

Notas

PNF durante la premenopausia 9

Lección 9

Son muchas las mujeres entre los cuarenta y cincuenta años, para quienes la palabra "menopausia" evoca un serie de experiencia negativas — "achaques o calenturas", ciclos irregulares, baja densidad ósea, dolores de cabeza, confusión, reducción en su libido, entre otros. Aún cuando la transición de los años fértiles a la menopausia puede ser difícil, una mujer que conozca sus señales de fertilidad puede usar la PNF para entender qué ocurre con su fertilidad. El Método Sintotérmico le ayudará a ganar confianza, mientras observa y entiende los cambios en sus señales que irán ocurriendo en los años que anteceden a la menopausia, comúnmente conocida como la premenopausia.

La **premenopausia** es un proceso natural, que típicamente se inicia cuando la mujer pasa los cuarenta años de edad y que implica que la fertilidad irá disminuyendo hasta que final-mente termine. Puede iniciarse tan pronto como a los 35 años, aunque el promedio es a los 45 años. Para el 95% de las mujeres, los últimos dos a ocho años, serán considerados como el tiempo de **perimenopausia**.[1] Para el restante 5%, la perimenopausia puede durar más de ocho años o hasta menos de dos. La premenopausia comienza con la reducción progresiva de la fertilidad y termina con la última menstruación. Es al final de la perimenopausia, una

---

[1] Leon Speroff, Robert H. Glass, Nathan G. Kase. [Ginecología y Endocrinología Clínica e Infertilidad] *Clinical Gynecologic Endocrinology and Infertility*, 6th edition, Lippincott, Williams & Wilkins, Baltimore, MD 1999, p. 653.

vez que la mujer ya no tiene menstruaciones, cuando ella entra en la **menopausia**.[2] Esta etapa se define por el cese de las menstruaciones y se establece formalmente cuando se tienen más de 12 meses sin una menstruación. La menopausia puede ocurrir entre los 50 y los 52 años. (La gráfica siguiente ilustra los tres cambios en los años fértiles y la llegada de la infertilidad permanente).

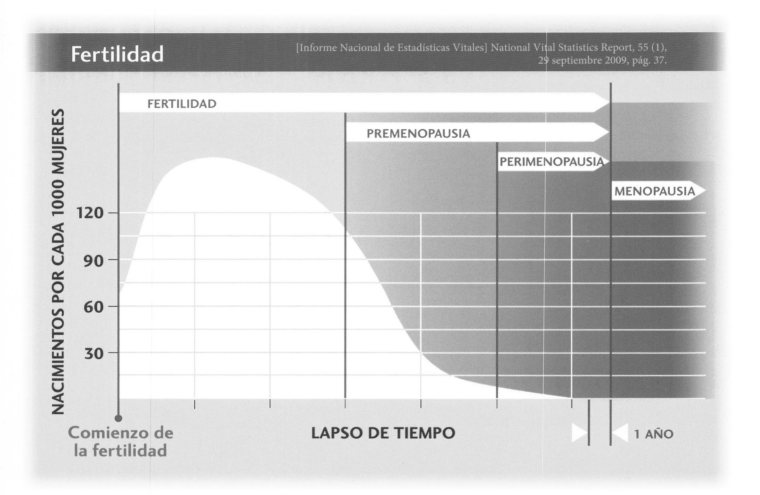

Cambios hormonales

Los cambios que una mujer experimenta durante la perimenopausia son causados, primordialmente, por la reducción en la cantidad de óvulos disponibles para ovular y los cambios hormonales asociados con esta reducción. Las fluctuaciones hormonales traen consigo retrasos en el día de la ovulación, junto a ciclos más largos de lo usual. Sin embargo, aún cuando existen pocos folículos produciendo estrógeno, la pituitaria intenta compensar aumentando la demanda por HEF (hormona estimuladora del folículo).

---

[2] Ídem, pág. 651. [La palabra menopausia se deriva de dos palabras griegas, *men* (mes) y *pausis* (pausa).] "Menopause is derived from the Greek words, *men* (month) and *pausis* (cessation)."

Los efectos de los cambios hormonales pueden producir:

- Irregularidad en los ciclos: más largos o más cortos

- Menstruaciones más prolongadas o de menor duración

- Flujo más o menos abundante de lo usual

Una mujer es posible que tenga cambios metabólicos y emocionales a consecuencia de sus cambios hormonales. Por ejemplo:

- Pueden ocurrir "calenturas" o sudores intensos en la noche, a consecuencia de leves cambios en la temperatura corporal

- También suelen ocurrir durante este tiempo cambios repentinos en el estado de ánimo

Todos estos cambios hormonales afectan las señales de fertilidad. Por ejemplo, la calidad y la cantidad de las mucosidades tienden a variar. En algunos ciclos no hay cambios, y en otros hay series de mucosidades que aparecen y desaparecen. En algunos ciclos no es posible identificar ningún tipo de mucosidad y en ocasiones, es posible que hayan episodios de sangrado o manchado durante el ciclo.

El patrón de temperaturas también se afecta debido a la reducción en la cantidad de progesterona que el cuerpo produce. Los cambios térmicos son más "débiles" o menos evidentes o requieren un mayor número de días para llegar al NAT. Una mujer puede tener fases lúteas más cortas o largas de lo normal.

Aquellas mujeres que tengan experiencia con la señal del cuello del útero pueden encontrarla de gran ayuda durante la perimenopausia. En aquellos momentos en que las mucosidades y las temperaturas anotadas parezcan confusas es aconsejable que la mujer considere palpar y anotar los cambios del cuello del útero.

Para otras, el paso por la premenopausia no es más que cambios en la regularidad de los ciclos. Sin embargo, al final, todas experimentarán una reducción significativa de su fertilidad. No importa los cambios que ocurran, aquellas que se hayan familiarizado con la lectura de sus señales de fertilidad tiene menor probabilidad de sentirse ansiosas durante este tiempo de transición.

La LPP ofrece una clase sobre la premenopausia que le da la información necesaria para ayudar a la mujer a pasar de sus años reproductivos, a través de la premenopausia, hasta la menopausia.

10 Los beneficios de la PNF

Lección 10

Desde su fundación en 1971, la LPP ha escuchado los testimonios de miles de parejas que hablan sobre los cambios dramáticos, que la práctica de la PNF, ha traído a sus vidas. Esta experiencia la confirman otras organizaciones que también enseñan métodos naturales. Este conocimiento de la fertilidad ha sido usado por muchos matrimonios que desean tomar decisiones responsables en cuanto al tamaño de su familia. También se le acredita como una ayuda para mejorar la salud general de la mujer (especialmente de su fertilidad), como una herramienta para identificar posibles enfermedades que pongan en riesgo la vida de la mujer y con la oportunidad para que los esposos puedan mejorar su comunicación y vivir una mayor intimidad matrimonial. Más aún, muchas parejas testifican que la PNF "salvó" sus matrimonios, ya que les devolvió el respeto mutuo y la perspectiva del otro como una persona que debe ser amada y aceptada como un don.

La planificación natural de la familia brinda a las parejas la oportunidad de poner al otro como el centro, en lugar de a sí mismos (egocéntricos), al momento de tomar decisiones que afectan a ambos. En palabras de una de las parejas: "La PNF nos ayudó a darnos cuenta que el cuerpo es sagrado y que realmente hemos sido creados a imagen de Dios, por lo que debemos tratarnos de esa manera".

Muchas mujeres comparten anécdotas sobre las distintas maneras en que la conciencia de su fertilidad les ha ayudado. Una de ellas notó algo extraño mientras hacía la palpación del cuello del útero. Ella fue inmediatamente a su médico y le dijo sobre un "crecimiento" extraño en su útero. La doctora le preguntó, cómo ella sabía esto, la mujer le dijo que ella practicaba la PNF y sobre la observación del útero. Más adelante, la doctora pudo confirmar la sospecha y tomar las medidas para evitar que la situación pudiera poner en riesgo la vida de la mujer.

Hace varios años una instructora de PNF sufría de ciertos problemas con la glándula tiroides que afectaban su capacidad de concebir. Ella ya había programado una cirugía en su tiroides y sin embargo tanto ella como su esposo todavía deseaban tener otro hijo. Durante ese tiempo la LPP publicó un libro relacionado a los efectos de la nutrición y la fertilidad. La instructora siguió los consejos del libro tales como: cambios en su dieta, entre otros. A las pocas semanas pudo lograr un embarazo y no necesitó la cirugía.

Otra pareja nos fue referida por un especialista en infertilidad, quien le pidió que aprendieran a observar las señales (según el Método Sintotérmico) ya que su problema no era tanto de infertilidad sino de "falta de coordinación" del tiempo fértil con sus relaciones sexuales. Una vez aprendieron el método, la esposa pudo concebir en su segundo ciclo de anotaciones.

Tal vez uno de los beneficios más importantes para el matrimonio es la manera en que la PNF propicia la comunicación entre los esposos. Decisiones como la de posponer o buscar un embarazo — traer una nueva vida al mundo — tocan tanto los aspectos físicos, psicológicos y espirituales del matrimonio de manera profunda. Cuando Dios terminó la creación, todo estaba en su lugar. No hubo necesidad de modificar cosas como *constante gravitacional* o las Leyes de Kepler sobre el universo. Sin embargo, en lo relacionado a la creación de las personas, hechas a su imagen y semejanza, Dios ha querido invitarnos a participar en la creación de cada nueva vida.

El poder de la procreación es central a la vida matrimonial y al acto sexual. Este curso les ha dado la oportunidad de ver cómo el cuerpo de la mujer está diseñado para concebir y proteger una nueva vida, cada vez que ovula, durante sus años fértiles. La decisión de posponer la llegada de otro hijo, no sólo requiere el consenso de los esposos, sino también la conciencia de que ésa es la voluntad de Dios para la familia. El compromiso de mantener una comunicación abierta y profunda, junto a la oración de ambos, ayuda a que la discusión de estos temas sea posible, aún cuando no siempre sea fácil. En ocasiones, estas decisiones implican cambio de empleo, comprar una casa, moverse a otro lugar, etc. Aquellos matrimonios que han usado la información de la PNF para tomar decisiones virtuosas (conformes a la moral), comparten que este proceso les ayuda a ser mejores esposos y padres, además de mejorar su intimidad y su comunicación.

Una vez que comienzan a usar la PNF, el saber que se encuentran en un día fértil, eleva la relación matrimonial a un nivel espiritual. Es poderoso saber, que ese día, la unión de los esposos puede ser el comienzo de una nueva vida que viene al mundo.

El matrimonio tiene como fundamentos el amor y la vida. Esta es la base, no la excepción. Amar al cónyuge no es algo que se hace "de vez en cuando"; la realidad es que se ama las 24 horas del día. La apertura a la vida tampoco es algo ocasional, es algo que se vive todo el tiempo. ¿Cómo puede una pareja estar abierta a la vida al tiempo que desea posponer un embarazo? Ambos deciden abstenerse durante los días fértiles del ciclo. De esta manera logran mantener su integridad física, psicológica y espiritual. En lugar de recurrir a "modificaciones", ellos deciden abstenerse del abrazo matrimonial durante un tiempo y se expresan el afecto de otra manera que no sea genital. Esto permite que tanto el esposo como la esposa sean modelos de virtud para sus hijos y para los demás. Su ejemplo recuerda a otros que el verdadero amor requiere sacrificio — darse por el bien del otro. Si esto implica tener que posponer un embarazo, lo consecuente será evitar cualquier acto que pueda implicar la concepción de una nueva vida, sin dejar de amarse. Así, el amor matrimonial se vuelve un don, no sólo para los esposos, sino para los demás. Tanto los hijos como la familia y los amigos, pueden ver lo bello del amor esponsal como la unión de las voluntades, el respeto a la dignidad y la entrega permanente que da vida.

Si desea comunicarse con La Liga de Pareja a Pareja puede hacerlo mediante nuestra página en Internet, o por correo electrónico o postal.

La Liga de Pareja a Pareja • P.O. Box 111184 • Cincinnati, Ohio 45211-1184
1-800-745-8252 • 513-471-2000 (local) • 513-557-2449 (fax)
www.planificacionfamiliar.org • lpp@ccli.org

Notas

Comparta esta información con otros

Hay quienes dicen que vivimos una revolución cultural en la que vamos a recuperar el sentido de los valores mediante la religión. Otros dicen que la sociedad está regresando a sus raíces, donde cada individuo aceptará la responsabilidad por sus acciones. Tanto las parejas que quieren que sus matrimonios funcionen, aquellas que quieren apartarse del materialismo hacia una vida más espiritual, como los matrimonios maduros que han visto el deterioro de la sociedad, coinciden que es necesario asumir la responsabilidad personal para poder cambiar las cosas. Después de todo, la familia es el núcleo de la sociedad. Donde vaya la familia, allí se dirige la sociedad.

Desde 1971 La Liga de Pareja a Pareja enseña la planificación natural de la familia y promueve matrimonios que vivan conforme a su fe. Durante este tiempo decenas de miles de parejas en los Estados Unidos y alrededor del mundo se han beneficiado de nuestros programas. Parejas voluntarias, tal como el matrimonio que les ofreció la clase, han sido el alma de la Liga desde el momento de su fundación. Hoy, una segunda generación de parejas instructoras surge para continuar la misión de enseñar la PNF, mientras nuevos lugares, estados y países, piden ayuda para implementar sus programas alrededor del mundo. Los instructores y promotores voluntarios que forman parte del equipo de la LPP van desde graduados de escuela secundaria hasta profesionales de todo tipo. Generalmente son gente dedicada a su familia con todas las obligaciones y responsabilidades de la vida moderna. Sin embargo, ofrecen su tiempo y su esfuerzo para compartir con otros su conocimiento y sus experiencias con la PNF, usando el programa de la LPP. Si desean ayudarnos en este ministerio les pedimos que se comuniquen con su pareja instructora o directamente a la Oficina Central de la LPP. La Liga cuenta con un programa de capacitación en línea, que le preparará de forma adecuada para que pueda enseñar a otros. También ofrece una visión más profunda de lo que es la PNF y cómo la práctica virtuosa del método puede fortalecer su matrimonio. Si no puede enseñar, siempre hay necesidad de promover el trabajo de la LPP, o quizás puede ofrecer un donativo ya que la Liga es una organización sin fines de lucro. Estamos seguros de que si desean ayudar, ustedes encontrarán un lugar donde contribuir. ¡Acepten el reto!

Material suplementario

Apéndices

Cada uno de estos apéndices contiene una selección de ejercicios, gráficas y todas las tareas asignadas en la clase. Además incluimos una selección de ejercicios para aquellas personas que usan El Curso de Estudio en el Hogar y que no tendrán la información necesaria para completarlos. El resto de los estudiantes recibirán esta información durante la clase.

Apéndice A: Ejercicios, Gráficas de práctica y Gráficas de tarea

Clase 1

Anotar las sensaciones de la mucosidad › Ejercicio

Utilice los datos provistos (abajo) y describa las sensaciones de mucosidad utilizando las letras "s", "h" y/o "r" en la fila identificada como "sensaciones" en la gráfica de la página 28. (Recuerde que las descripciones pueden requerir más de dos letras). Las respuestas correspondientes a este ejercicio se encuentran en el Apéndice B de la página 187.

Días del Ciclo	Descripción
6	seca; hay fricción cuando pasa el papel
7	área vaginal seca durante el día
8	raspa y se siente aspero cuando pasa el papel
9	muy resbalosa cuando pasa el papel
10	igual que ayer
11	resbalosa cuando pasa el papel
12	muy rebaloso
13	húmeda durante el día; muy resbalosa cuando pasa el papel
14	igual que ayer; ropa interior húmeda
15	no está húmeda; ni resbalosa
16	seca; no está resbalosa
17	se siente aspero; hay fricción cuando pasa el papel
18	raspa cuando pasa el papel
19–28	seca; no hay lubricación

Anotar las características de la mucosidad › Ejercicio

Utilice los datos provistos (abajo) y describa las características de la mucosidad con las letras "n", "p" y/o "e" en la fila identificada como "características" en la gráfica de la página 31. Las respuestas correspondientes a este ejercicio se encuentran en el Apéndice B de la página 187.

Días del Ciclo	Descripción
6	nada en el papel
7	nada en el papel
8	mucosidad pegajosa
9	mucosidad espesa
10	se estira un peco, se rompió fácilmente
11	elástica, forma tiras
12	delgado; forma tiras
13	mucosidad como la clara de huevo crudo
14	nada en el papel
15	mucosidad más espesa, se estira menos; diferente que días 11–13 del ciclo
16	grumos de mucosidad
17	nada en el papel
18	grumos pegajosos
19	espesa
20–22	nada en el papel
23	mucosidad pegajosa
24	grumos espesos
25–28	nada en el papel

Anotar las observaciones del cuello del útero › Ejercicio

Utilice los datos provistos (abajo) y describa la señal del cuello del útero con "•" o "o", "a" o "bl" en la fila identificada como "cuello del útero en la página 35. Las respuestas correspondientes a este ejercicio se encuentran en el Apéndice B de la página 188.

Días del Ciclo	Descripción
6	cerrado y firme
7	cerrado y firme
8	cuello un poco abierto y blando
9	un poco abierto y blando
10	abierto, un poco blando
11	igual que ayer
12	más abierto, blando
13	más abierto, blando
14	muy blando, muy abierto
15	no tan blando, un poco cerrado
16	cerrado y firme
17	cerrado y firme
18–28	cerrado y firme

Tarea › Gráficas 1–4
(Deben completar estas gráficas entre la Clase 1 y la Clase 2)

En la tarea de las Gráficas 1 a la 4, determinen el comienzo de la Fase III usando la Norma Sintotérmica. Asegúrense de seguir los pasos que siguen a continuación. Estas gráficas se discutirán durante el Repaso de la Clase 2.

Pasos para aplicar la Norma Sintotérmica

1. Identifique el Día Cúspide y enumere los tres días de secado de izquierda a derecha.

2. Identifique tres temperaturas que se encuentren sobre las seis temperaturas anteriores. (Recuerde, tres temperaturas en un patrón ascendente cercanas al Día Cúspide).

3. Enumere las seis temperaturas precambio de derecha a izquierda.

4. Trace el Nivel Bajo de Temperatura (NBT) en la más alta de las seis temperaturas precambio.

5. Trace el Nivel Alto de Temperatura (NAT) a 0.4° F / 0.2° C sobre el NBT.

6. Busque la tercera temperatura normal poscúspide (es decir, tercera temperatura normal que ocurre después del Día Cúspide). Si esta temperatura se encuentra en o sobre el NAT, la Fase III comienza la noche de ese día.

7. Revise las anotaciones del cuello del útero, si las ha registrado. Si tiene tres días de "cerrado y firme" entonces no es necesario que la tercera temperatura llegue al NAT. La Fase III comenzará la noche de ese día.

8. Si no se cumplen los pasos 6 ó 7, espere un día más de temperaturas normales poscúspide sobre el NBT; la Fase III comenzará la noche de ese día.

9. Una vez aplique la Norma Sintotérmica y determine el comienzo de la Fase III, trace una línea vertical a lo largo de la columna de temperatura que corresponda al primer día de la Fase III.

Tarea › Gráfica 1

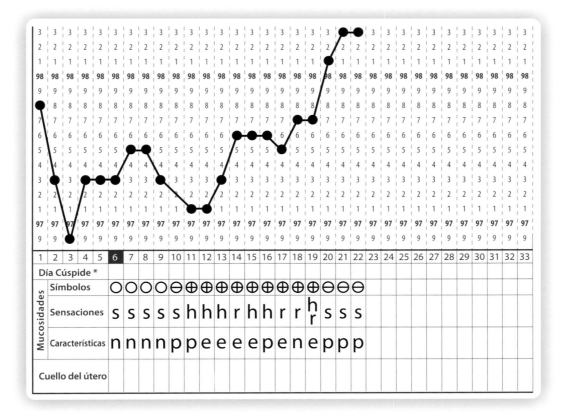

Tarea › Gráfica 2

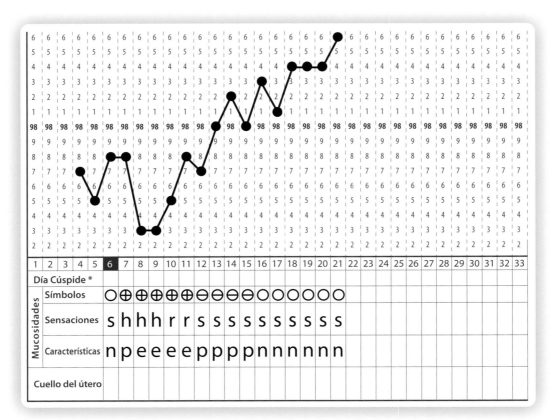

Tarea › Gráfica 3

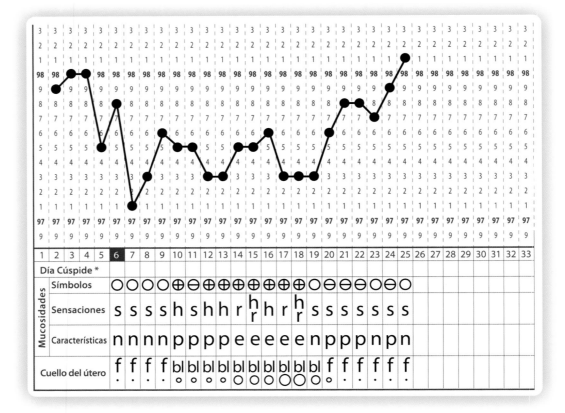

Tarea › Gráfica 4

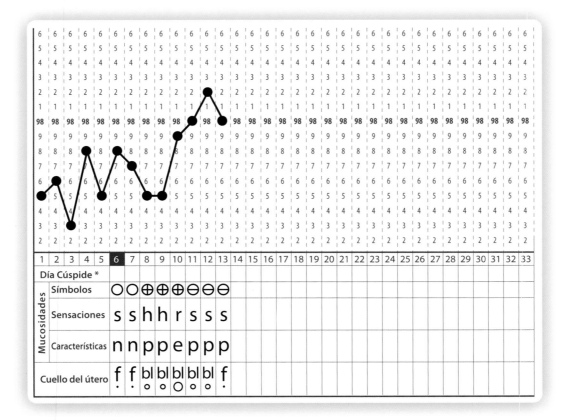

Clase 2

Normas de la Fase I › Ejercicio 3 (Página 96)

1. Utilice el historial de ciclos en la página 96, determine el fin de la Fase I usando la Norma de Ciclo más corto y Norma de Doering. Circule los días resultantes de cada norma en la gráfica.

2. Anote los datos en los espacios correspondientes en la gráfica identificada como num. 10 en la página 96.

Días de Ciclo	Menstruacíon	Coito	Temperatura	Sensaciones de la mucosidad	Características de la mucosidad
1	X		97.5° F.		
2	X	✓	97.2° F.		
3	X	✓	97.3° F.		
4	/		97.3° F.		
5	/	✓	97.4° F.		
6			97.3° F.	s	rs
7		✓	97.4° F.	s	n
8			97.2° F.	s	p, rs

3. Ponga el símbolo correspondiente en la fila de "símbolos" en la gráfica.

4. Determine el último día de la Fase I y el inicio (primer día) de la Fase II; trace la línea divisoria entre ambas fases.

Clase 3

Tarea › Gráficas 5–7
(Completar y traer estas gráficas para la Clase 3)

Para completar la tarea correspondiente a las Gráficas 5–7 determinen:

Fase I y Fase II

- Norma del Ciclo más corto
- Norma de Doering
- Norma del Último día seco
- Circule los día(s) que correspondan, si aplica
- Determine el fin de la Fase I y comienzo de la Fase II

Fase III

- Determine el comienzo de la Fase III aplicando la Norma Sintotérmica siguiendo los pasos presentados en la página 178 del Apéndice A o en la página 54 de la Guía del Estudiante.

Estas gráficas se discutirán como parte de la Clase 3.

Tarea › Gráfica 5

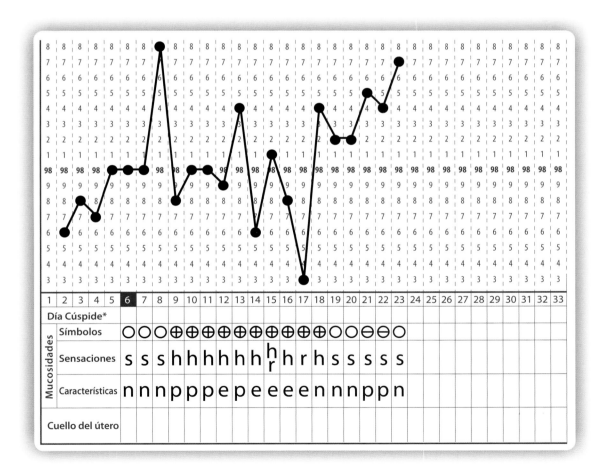

HISTORIAL DE CICLOS Gráf. núm. **2**

Variación de ciclos anteriores: Corto **26** Largo **32**

Basado en **12** ciclos registrados

Día más temprano de subida en temp **18**

basado en **1** ciclos

Fin Fase I: Norma Ciclo más corto _____ Doering _____

Último día seco =

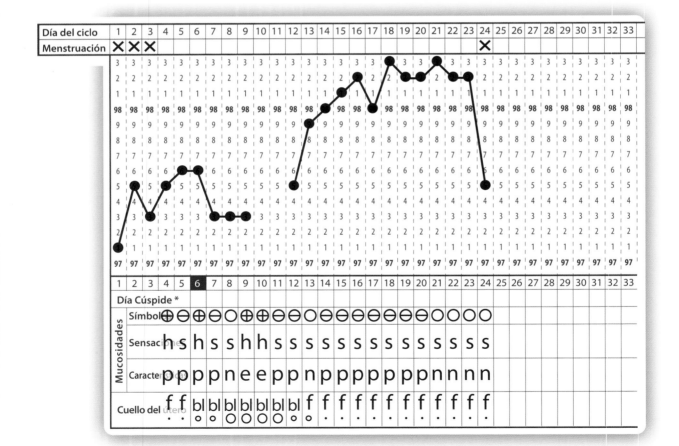

HISTORIAL DE CICLOS

Gráf. núm. **4**

Variación de ciclos anteriores: Corto __24__ Largo __26__

Basado en ___3___ ciclos registrados

Día más temprano de subida en temp ___14___

basado en __2__ ciclos

Fin Fase I: Norma Ciclo más corto_____ Doering_____

Último día seco =

Tarea › Gráfica 7

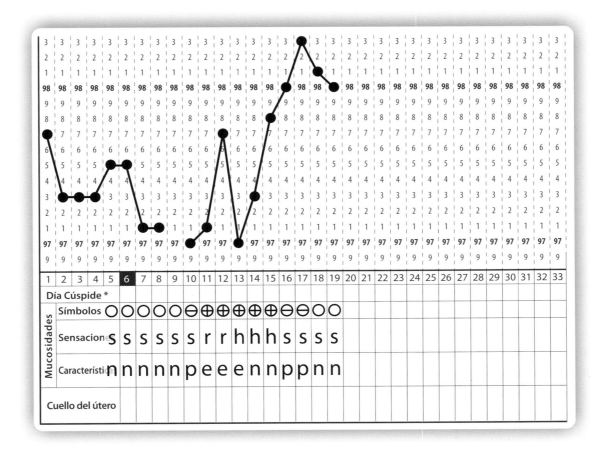

HISTORIAL DE CICLOS   Gráf. núm. **10**

Variación de ciclos anteriores: Corto __27__ Largo __29__

Basado en _____9_____ ciclos registrados

Día más temprano de subida en temp_____14_____

basado en ___9___ ciclos

Fin Fase I: Norma Ciclo más corto_____ Doering_____

Último día seco =

Apéndice B: Respuestas a los Ejercicios, Gráficas de práctica y Gráficas de tarea

Clase 1

Anotar las sensaciones de la mucosidad › Ejercicio (página 28)
(Ver los datos en la página 175 en el Apéndice A)

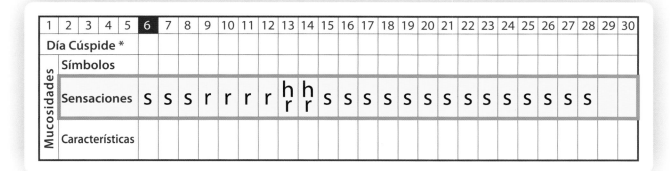

Anotar las características de la mucosidad › Ejercicio (página 31)
(Ver los datos en la página 176 en el Apéndice A)

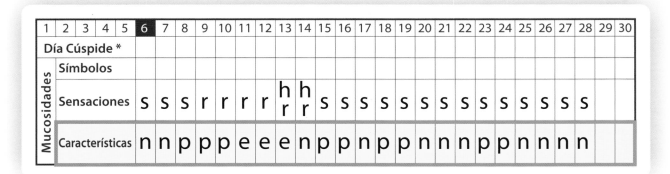

Anotar las observaciones del cuello del útero › Ejercicio (página 35)
(Ver los datos en la página 177 en el Apéndice A)

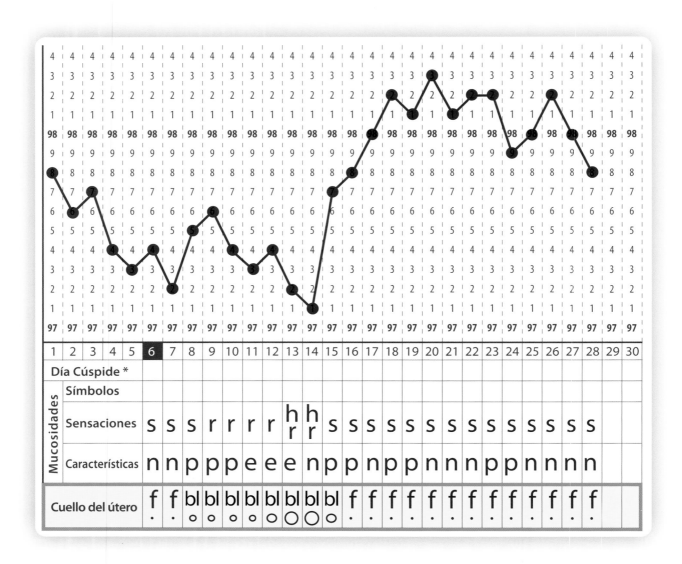

Anotar los símbolos de la mucosidad › Ejercicio (página 41)

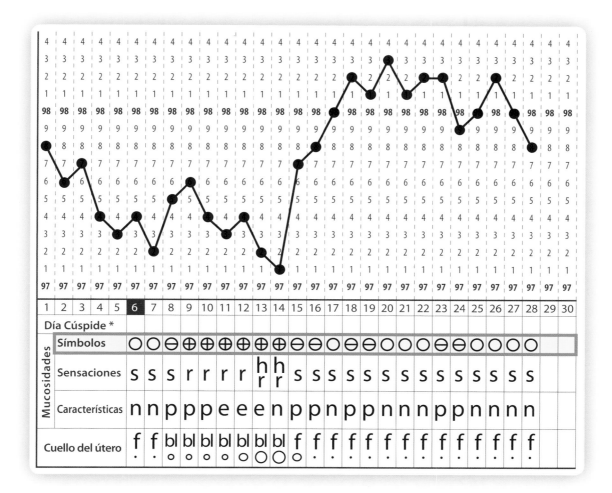

Identificar el Día Cúspide › Ejercicio (página 45)

Ejercicio 1 del Día Cuspide	—	Día 15 del ciclo
Ejercicio 2 del Día Cuspide	—	Día 18 del ciclo
Ejercicio 3 del Día Cuspide	—	Día 19 del ciclo

Interpretar la señal de la temperatura › Ejercicio (página 50)

Tres temperaturas del cambio térmico	—	Días 16–18 del ciclo
Las seis temperaturas precambio	—	Días 10–15 del ciclo
NBT	—	97.9° F.
NAT	—	98.3° F.

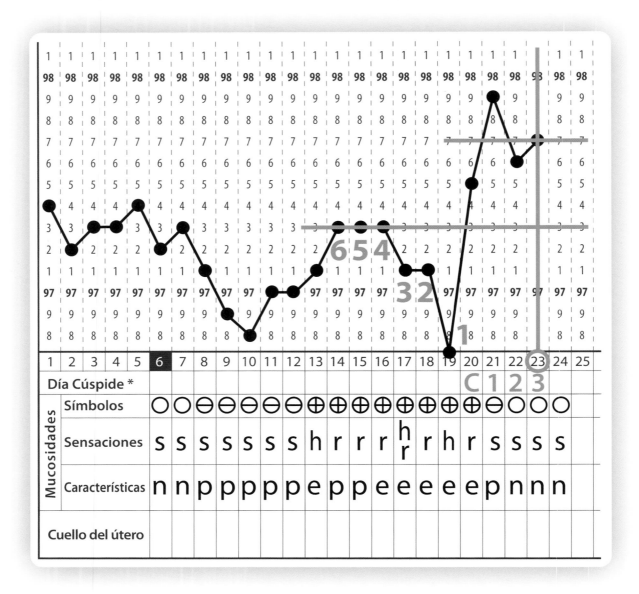

La Fase III comienza la noche del tercer día de secado después del Día Cúspide combinado con tres temperaturas normales poscúspide (Día 20, más Días 21, 22 y 23 del ciclo). Vean si la tercera temperatura poscúspide se encuentra en o sobre el NAT (sí), o si el cuello del útero se encuentra cerrado y firme por tres días (no aplica). Entonces, la Fase III comienza la noche del Día 23 del ciclo.

Nota: Aun cuando las temperaturas de los Días 14, 15 y 16 se encuentran más altas que las seis anteriores, es claro que estas no están asociadas al Día Cúspide.

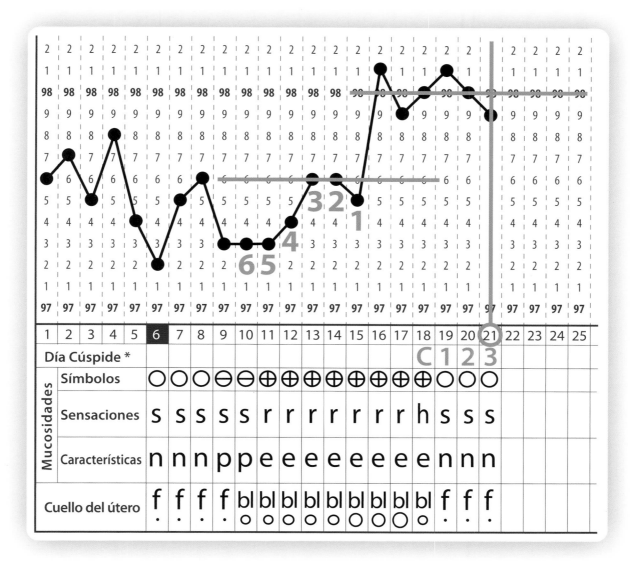

La Fase III comenzará la noche del tercer día de secado después del Día Cúspide combinado con tres temperaturas normales poscúspide (Día 18 del ciclo, más los Días 19, 20 y 21 del ciclo). Vean si la tercera temperatura poscúspide está en o sobre el NAT (no), o si el cuello del útero ha estado cerrado y firme durante tres días (sí). Entonces podemos concluir que la Fase III comienza la noche del Día 21 del ciclo.

Nota: Las tres temperaturas deben estar después del Día Cúspide; la tercera temperatura no alcanza el NAT, pero el cuello del útero se encuentra cerrado y firme durante tres días.

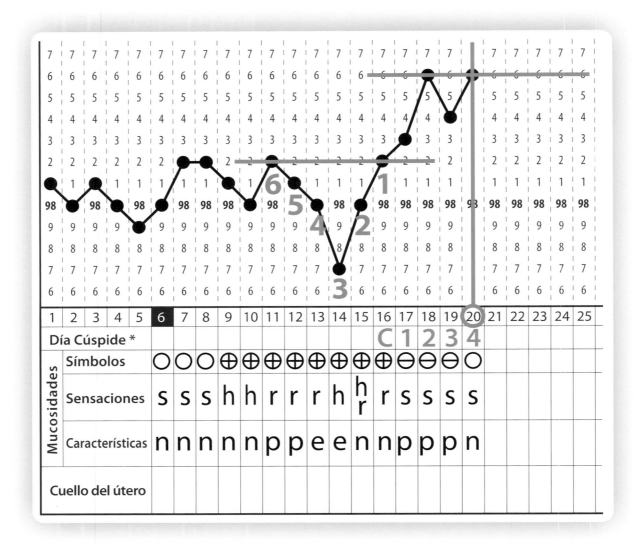

La Fase III comienza la noche del tercer día de secado después del Día Cúspide combinado con tres temperaturas normales poscúspide (Día 16, más Días 17, 18 y 19 del ciclo). Vean si la tercera temperatura poscúspide está en o sobre el NAT (no), o si el cuello del útero ha estado cerrado y firme durante tres días (no aplica). Si las condiciones antes mencionadas no se cumplen, la Fase III comenzará el día siguiente de temperatura elevada poscúspide sobre el NBT. Entonces, la Fase III comienza la noche del Día 20 del ciclo.

Nota: Si la tercera temperatura no llega al NAT, y no tienen anotaciones del cuello del útero, es necesario esperar al cuarto día.

Clase 2

Identificar el Día Cúspide › Ejercicio (página 70)

Día Cúspide	—	Día 15 del ciclo

Repaso › Gráfica de práctica (página 72)

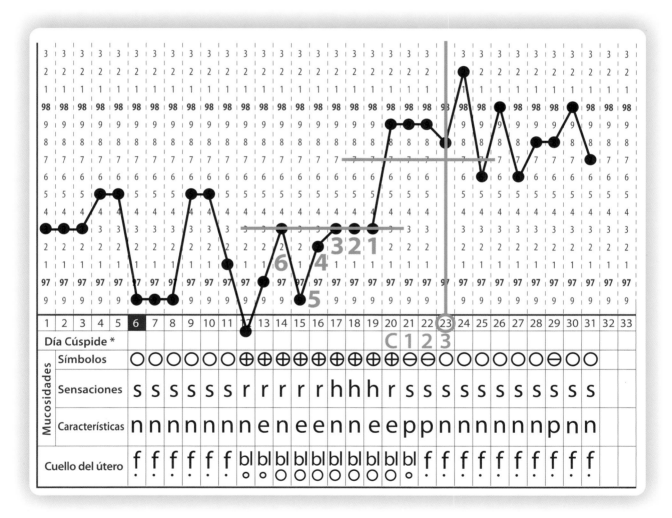

La Fase III comienza la noche del tercer día de secado después del Día Cúspide combinado con tres temperaturas normales poscúspide (Día 20, más Días 21, 22 y 23 del ciclo). Vean si la tercera temperatura poscúspide está en o sobre el NAT (sí), o si el cuello del útero ha estado cerrado y firme durante tres días (no). Entonces podemos concluir que la Fase III comienza la noche del Día 23 del ciclo.

Tarea › Gráfica 1
(Ver los Pasos, pág. 178 y la gráfica, pág. 179 del Apéndice A)

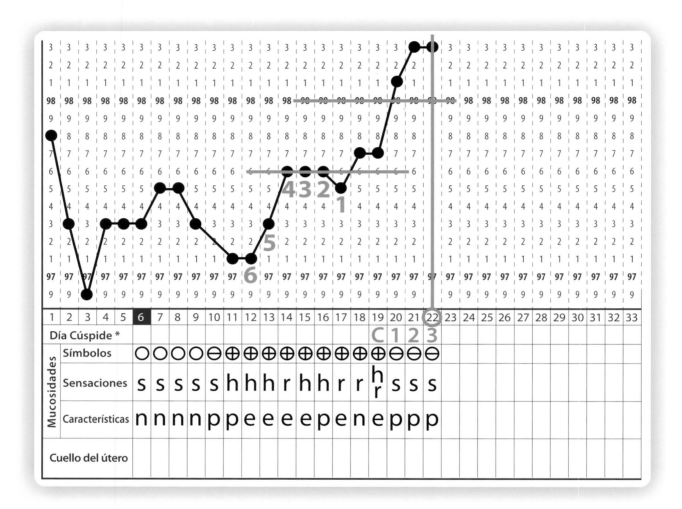

La Fase III comienza la noche del tercer día de secado después del Día Cúspide combinado con tres temperaturas normales poscúspide (Día 19, más Días 20, 21 y 22 del ciclo). Vean si la tercera temperatura poscúspide está en o sobre el NAT (sí), o si el cuello del útero ha estado cerrado y firme durante tres días (no aplica). Entonces podemos concluir que la Fase III comienza la noche del Día 22 del ciclo.

Tarea › Gráfica 2
(Ver los Pasos, pág. 178 y la gráfica, pág. 179 del Apéndice A)

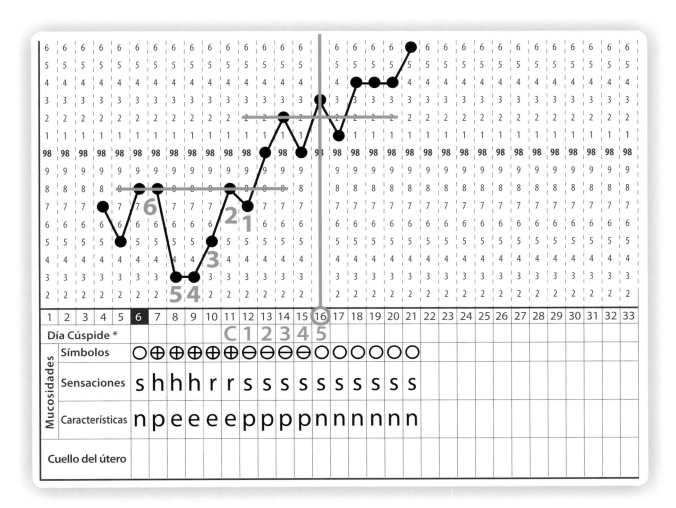

La Fase III comienza la noche del tercer día de secado después del Día Cúspide combinado con tres temperaturas normales poscúspide (Día 11, más los Días 13, 14 y 15 del ciclo). Vean si la tercera temperatura poscúspide está en o sobre el NAT (no), o si el cuello del útero ha estado cerrado y firme durante tres días (no aplica). Si las condiciones antes mencionadas no se cumplen, la Fase III comenzará el día siguiente de temperatura elevada poscúspide sobre el NBT (Día 16 del ciclo).

Tarea › Gráfica 3
(Ver los Pasos, pág. 178 y la gráfica, pág. 180 del Apéndice A)

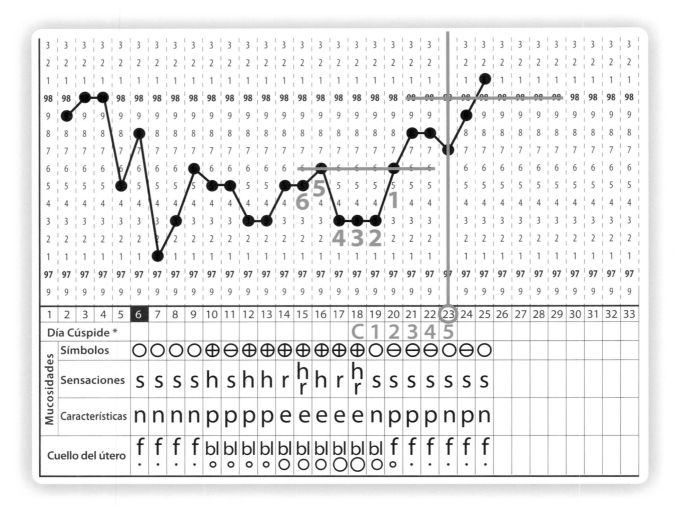

La Fase III comienza la noche del tercer día de secado después del Día Cúspide combinado con tres temperaturas normales poscúspide (Día 18, más los Días 21, 22 y 23 del ciclo). Vean si la tercera temperatura poscúspide está en o sobre el NAT (no), o si el cuello del útero ha estado cerrado y firme durante tres días (sí), los Días 21, 22 y 23 del ciclo). Entonces podemos concluir que la Fase III comienza la noche del Día 23 del ciclo.

Tarea › Gráfica 4
(Ver los Pasos, pág. 178 y la gráfica, pág. 180 del Apéndice A)

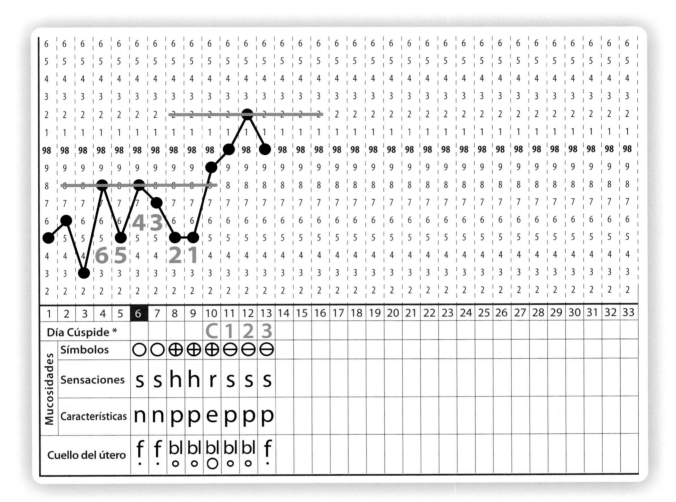

La Fase III comienza la noche del tercer día de secado después del Día Cúspide combinado con tres temperaturas normales poscúspide (Día 10, más los Días 11, 12 y 13 del ciclo). Vean si la tercera temperatura poscúspide está en o sobre el NAT (no), o si el cuello del útero ha estado cerrado y firme durante tres días (no). Si las condiciones antes mencionadas no se cumplen, la Fase III comenzará el día siguiente de temperatura elevada poscúspide sobre el NBT. En este caso, no es posible determinar el comienzo de la Fase III hasta que puedan observar y anotar la información por un día más. Entonces es posible que tengamos la información necesaria para interpretar la gráfica.

Aplicar la Norma Sintotérmica: Temperaturas alteradas o sin anotar › Gráfica de práctica 1 de 2 (página 76)

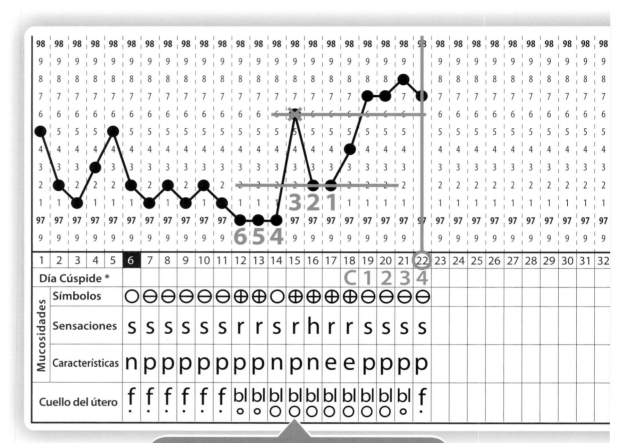

Debido a que hubo una temperatura alterada entre las seis precambio (Día 15 del ciclo), la Fase III comienza luego de cuatro días de temperaturas poscúpide sobre el NBT. Es decir, el Día 22 del ciclo.

Aplicar la Norma Sintotérmica: Temperaturas alteradas o sin anotar › Gráfica de práctica 2 de 2 (página 76)

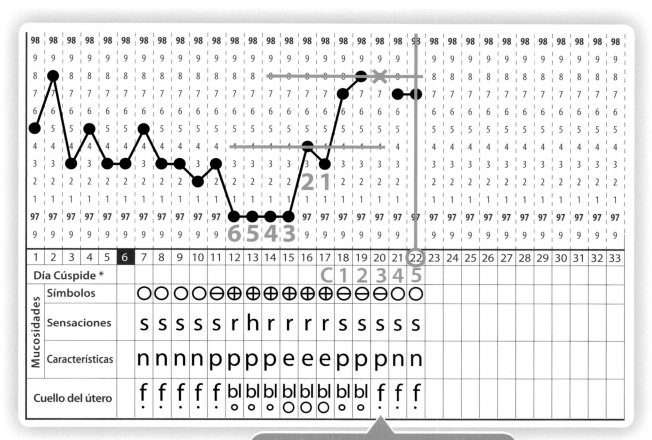

Olvidé tomar la temperatura

Debido a que una temperatura fue omitida durante el cambio térmico, las seis precambio no pueden establecerse hasta que haya tres temperaturas normales elevadas (Días 18, 19 y 21 del ciclo). Ya que la tercera temperatura (Día 21 del ciclo) no se encuentra en o sobre el NAT, y el cuello del útero solamente se encuentra cerrado por dos días, para establecer la Fase III tendrán que esperar a una temperatura poscúspide adicional (Día 22 del ciclo) que se encuentre sobre el NBT. En este ejemplo, la noche del Día 22 del ciclo.

Nota: Esta es una aplicación simple de la Norma Sintotérmica — deben tener tres temperaturas elevadas poscúspide, en o sobre el NBT o tres días donde el cuello del útero se encuentre cerrado y firme. Si las condiciones antes mencionadas no se cumplen, la Fase III comenzará el día siguiente de temperatura elevada poscúspide sobre el NBT (Día 22 del ciclo) se mantiene sobre el NBT. Vean que la cuarta temperatura — Día 22 del ciclo — no tiene que estar en o sobre el NAT.

Días infértiles en la Fase I › Ejercicio (página 82)

Verdadero
Falso
Verdadero
Verdadero

Norma del Último día seco › Ejercicio (página 83)

1 de 3

Día 7 del Ciclo	Símbolo de la mucosidad = $\bigcirc$
Día 8 del Ciclo	Símbolo de la mucosidad = $\oplus$

- El Último día seco es Día 7 del ciclo
- La línea para dividir los fases está entre el Día 7 y el Día 8

2 de 3

Día 11 del Ciclo	Símbolo de la mucosidad = $\oplus$

- El Último día seco es Día 10 del ciclo
- La línea para dividir los fases está entre el Día 10 y el Día 11

3 de 3

Día 10 del Ciclo	Símbolo de la mucosidad = $\ominus$

- El Último día seco es Día 9 del ciclo
- La línea para dividir los fases está entre el Día 9 y el Día 10

Norma del Ciclo más corto › Ejercicio (página 85)

Ciclo más corto	Días infértiles
26 días	Días 1–6 del ciclo
24 días	Días 1–4 del ciclo
28 días	Días 1–6 del ciclo

Comenzar una gráfica nueva › Ejercicio 1 de 3 (página 88)

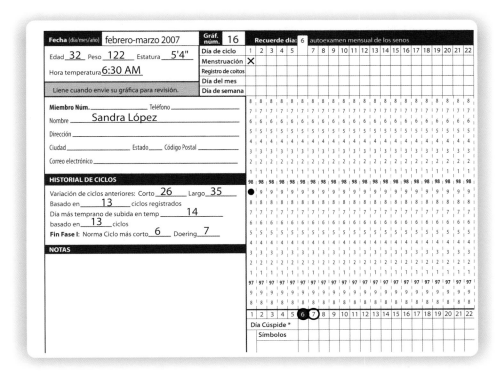

1. Largo del ciclo:

Ya que la menstruación comenzó el Día 32 del ciclo, el ciclo previo tuvo una duración de 31 días.

2. Datos para transferir a la siguiente gráfica:

- Fecha: feb–mar 2007
- Edad, peso, estatura, hora de tomar la temperatura (asumiendo que no ha cambiado)
- Gráfica Núm. = 16
- Datos de la gráfica anterior que corresponden al Día 1 del ciclo: "X" para indicar menstruación y la temperatura = 97.9° F/36.9° C

3. Historial de ciclos:

- La variación de ciclos anteriores para el más corto es de 26 y 35 para el largo; esto es basado en 13 ciclos de experiencia.
- El día más temprano de subida en temperatura asumimos que no ha cambiado, por lo que continúa siendo el Día 14, sólo hay que cambiar a 13 los ciclos en los que se basa la información.
- Fin de la Fase I:
  - Norma de Ciclo más corto = Día 6 del ciclo ya que la mujer tiene ciclos de 26 días o más en los últimos 12 ciclos
  - Norma de Doering = Día 7 del ciclo

4. Circule los Días 6 y 7 al pie de la gráfica.

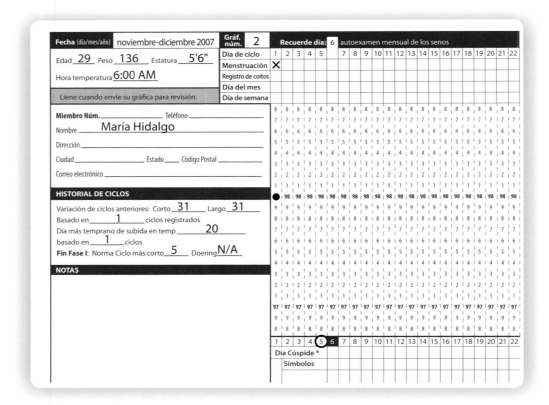

1. **Largo del ciclo:** Ya que la menstruación comenzó el Día 32 del ciclo, el ciclo previo tuvo una duración de 31 días.

2. **Datos para transferir a la siguiente gráfica:**
   - Fecha: nov–dic 2007
   - Edad, peso, estatura, hora de tomar la temperatura (asumiendo que no ha cambiado)
   - Gráfica Núm. = 2
   - Datos de la gráfica anterior que corresponden al Día 1 del ciclo: "X" para indicar menstruación y la temperatura = 98.0° F/37.0° C

3. **Historial de ciclos:**
   - Ya que su primer ciclo fue de 31 días de duración, la variación de ciclos para su segunda gráfica será 31 en el corto y 31 en el largo.
   - El día más temprano de subida en temperatura es el Día 20 del ciclo, basándose en 1 ciclo.
   - Fin de la Fase I:
     - Norma de Ciclo más corto = Día 5 del ciclo ya que la mujer tiene solamente un ciclo de experiencia.
     - Norma de Doering = N/A (no aplica) ya que necesita 6 ciclos de experiencia.

4. **Circule el Día 5 al** pie de la gráfica.

Comenzar una gráfica nueva › Ejercicio 3 de 3 (página 92)

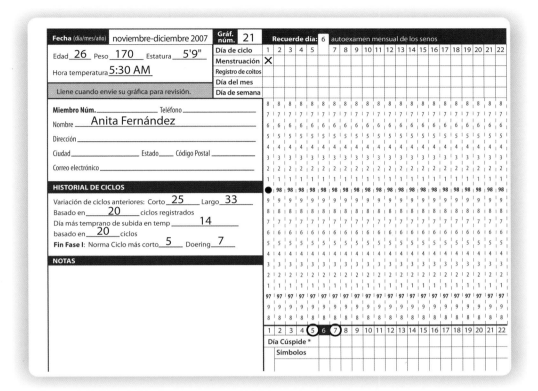

1. **Largo del ciclo:** Ya que la menstruación comenzó el Día 26 del ciclo, el ciclo previo tuvo una duración de 25 días.

2. **Datos para transferir a la siguiente gráfica:**
   - Fecha: nov–dic 2007
   - Edad, peso, estatura se mantienen igual
   - Gráfica Núm. = 21
   - Datos de la gráfica anterior que corresponden al Día 1 del ciclo: "X" para indicar menstruación y la temperatura = 98.0° F/37.0° C

3. **Historial de ciclos:**
   - En la variación de ciclos debemos considerar que el ciclo núm. 20 fue de 25 días de duración. Esto hace que haya que cambiar la variación de ciclo más corto a 25 (basado en la información más reciente) y 33 para el más largo, ahora basado en 20 ciclos.
   - El día más temprano de subida en temperatura será el Día 14 del ciclo (nuevo ciclo más corto), ahora basado en 20 ciclos.
   - Fin de la Fase I:
     - Norma de Ciclo más corto = Día 5 ya que la mujer tiene ciclos de menos de 26 días en sus últimos 12 ciclos.
     - Norma de Doering = Día 7 del ciclo

4. **Circule los Días 5 y 7** al pie de la gráfica.

Normas de la Fase I › Ejercicio 1 de 3 (página 94)

Ciclo No. 8	Normas: Ciclo más corto = 4 | Doering = 4 | Último día seco = 8								
Día de ciclo	1	2	3	④	5	6	7	8	9
Menstruación	✕	✕	✕	✕	╱	╱			
Símbolo							◯	◯	⊖
Fértil									◆
Infértil	◆	◆	◆	◆			◆	◆	
Indeterminado					?	?			
Fase	I	I	I	I	I	I	I	I	II

1. La Norma del Ciclo más corto indica los Días 1–4 como infértiles ya que la mujer tiene ciclos de menos de 26 días en sus últimos 12 ciclos. En este caso, un ciclo de 24 días (Infertilidad ◆ 1 y 4).

2. Debido a que su sangrado menstrual todavía continúa durante los Días 5–6, todavía no es posible establecer el fin de la Fase I. (Indeterminado ? 5 y 6). Sin embargo, es posible decir que ella sigue en la Fase I ya que no ha observado la presencia de mucosidades.

3. La ausencia de sensaciones o características de mucosidad en los Días 7 y 8 del ciclo confirman infertilidad (Infertilidad ◆ 7 y 8).

4. El Día 9 del ciclo es el primer día de la Fase II ya que la mucosidad aparece por primera (Fértil ◆ Día 9 del ciclo).

5. La línea divisoria se traza después del Día 8 del ciclo.

Normas de la Fase I › Ejercicio 2 de 3 (página 95)

Ciclo No. 3	Normas: Ciclo más corto = 6 | Doering = N/A | Último día seco = N/A								
Día del ciclo	1	2	3	4	5	⑥	7	8	9
Menstruación	X	X	X	X	X	/			
Símbolo							○	⊕	⊕
Fértil								◆	◆
Infértil	◆	◆	◆	◆	◆	◆			
Indeterminado							?		
Fase	I	I	I	I	I	I	II	II	II

(Se asume que esta mujer no ha tenido ciclos de menos de 26 días).

1. La Norma del Ciclo más corto indica los Días 1 al 6 como infértiles, ya que sus ciclos son de 26 días o más de duración en sus últimos 12 ciclos (Infértil ◆ Días 1 al 6).

2. Ya que esta mujer solamente tiene dos ciclos de experiencia, aún cuando ella no observa mucosidades en el Día 7 del ciclo, todavía tendrá que establecer el Día 6 del ciclo como el último día de la Fase I (Indeterminado ? Día 7 del ciclo).
   Nota: Si esta mujer hubiera tenido 6 ciclos de experiencia, el Día 7 del ciclo podría considerarse como infértil en la Fase I.

3. ⊕ en el Día 8 y 9 del ciclo indica fertilidad (Fértil ◆ Días 8 y 9 del ciclo).

4. La línea divisoria se traza después del Día 6 del ciclo.

Gráf. núm. **10**				Día	**6**																											
Día de ciclo	1	2	3	4	5		7	8	9	10	11	12	13	14	15	16	17	18	19	20	21	22	23	24	25	26	27	28	29	30	31	32	33
Menstruación	✕	✕	✕	╱	╱																												
Registro de coitos	✓	✓		✓			✓																										
Día del mes																																	
Día de semana																																	

HISTORIAL DE CICLOS

Variación de ciclos anteriores: Corto ___**26**___ Largo ___**30**___

Basado en ___**16**___ ciclos registrados

Día más temprano de subida en temp ___**16**___

basado en ___**6**___ ciclos

Fin Fase I: Norma Ciclo más corto ___**6**___ Doering ___**9**___

	1	2	3	4	5	⑥	7	8	⑨	10	11	12	13	14	15	16	17	18	19	20	21	22	23	24	25	26	27	28	29	30	31	32	33
Día Cúspide *																																	
Símbolos						?	○	⊖																									
Sensaciones						S	S	S																									
Características						rs	n	p rs																									
Cuello del útero																																	

Fin de la Fase I:

- Norma de Ciclo más corto = Día 6 ya que la mujer tiene ciclos de más de 26 días en sus últimos 12 ciclos.

- Norma de Doering = Día 9 del ciclo

- Circule los Días 6 y 9 al pie de la gráfica.

- Fin de la Fase I es el Día 7.

Nota: Esta pareja tuvo relaciones el Día 5 del ciclo por lo que anotó residuo seminal (rs) en el Día 6 del ciclo. Esto interfiere con sus observaciones por lo que no se puede confirmar la presencia/ausencia de mucosidades en este día. La pareja tuvo relaciones el Día 7 y anotó "rs" el Día 8 del ciclo. Sin embargo, ella pudo detectar la presencia de mucosidad del tipo pegajoso. La presencia de mucosidades (⊖ símbolo) es un indicador positivo del comienzo de la Fase II.

La línea divisoria se traza después del Día 7 del ciclo.

Calcular la Fecha Estimade de Parto › Ejercicio (página 111)

Primer día de menstrución	Primer día de subida de temperatura	Fecha de parto - La Norma de Naegele	Fecha de parto - La Norma de Prem
3 febrero	12 febrero	10 noviembre	5 noviembre
3 febrero	17 febrero	10 noviembre	10 noviembre
3 febrero	24 febrero	10 noviembre	17 noviembre

Lograr un embarazo › Gráfica de práctica (página 112)

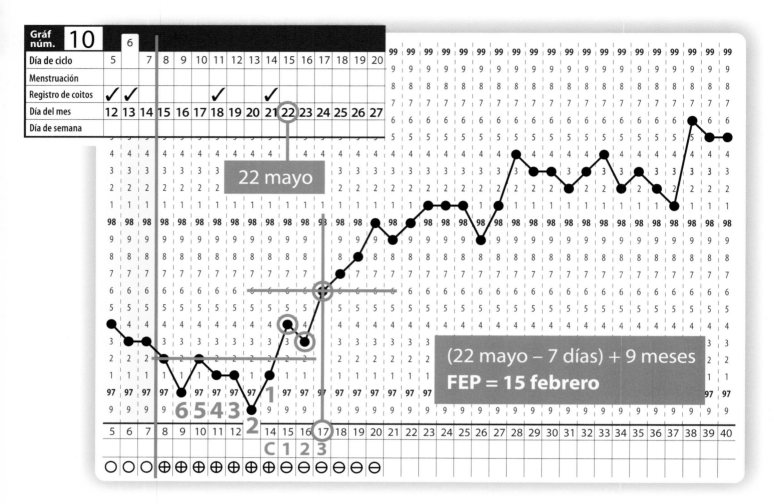

Fin de la Fase I es el Día 7 del ciclo.

La Fase III comienza la noche del tercer día de secado luego del Día Cúspide combinado con tres temperaturas normales poscúspide (Días 14, más Días 15, 16 y 17). Vean si la tercera tercera temperatura poscúspide está en o sobre el NAT (sí), o si el cuello del útero ha estado cerrado y firme durante tres días (no aplica). Entonces podemos concluir que la Fase III comienza la noche del Día 17 del ciclo.

La fecha estimada de parto (FEP), usando la Norma de Prem se establece con el primer día de temperatura elevada (Día 15 del ciclo, 22 de mayo) menos siete días, más nueve meses. El cálculo indica la FEP es el 15 de febrero.

Generalmente, una fase lútea de más de 21 días indica la posibilidad de un embarazo.

Clase 3

Repaso › Gráfica de práctica (página 122)

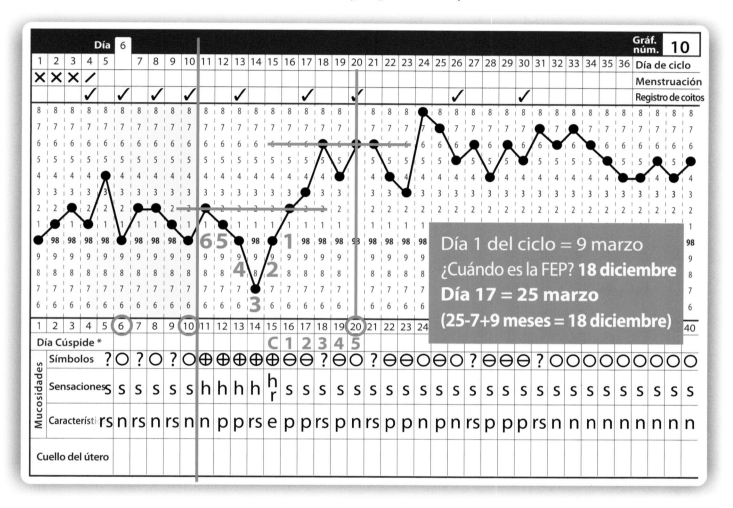

Fase I y Fase II:

- Norma de Ciclo más corto = Día 6
  (Vean que hay residuo seminal (rs) los Días 5, 7 y 9, que pudo interferir con la observación de la mucosidad. Es por eso que no los consideramos días infértiles).

- Norma de Doering = Día 10 del ciclo

- Último día seco = Día 10 del ciclo

- Fin de la Fase I = Día 10 del ciclo
  (Aún cuando la pareja tuvo relaciones matrimoniales el Día 10, la sensación de humedad "h" en Día 11 del ciclo es un indicador de fertilidad y del comienzo de la Fase II).

Fase III:

La Fase III comienza la noche del tercer día de secado después del Día Cúspide combinado con tres temperaturas normales poscúspide (Día 15, más Días 17,18 y 19). Vean si la tercera poscúspide está en o sobre el Nivel Alto (no), o si el cuello del útero ha estado cerrado y firme durante tres días (no aplica). Si las condiciones antes mencionadas no se cumplen, la Fase III comenzará el siguiente día de temperatura elevada poscúspide (Día 20 del ciclo) sobre el NBT. Entonces podemos concluir que la Fase III comienza la noche del Día 20 del ciclo.

Fecha Estimada del Parto = 18 de diciembre

 – Cálculo: Primer día de temperatura elevada = 25 de marzo

25 de marzo – 7 días = 18 de marzo

18 de marzo + 9 meses = 18 de diciembre

El largo típico de la fase lútea es de 10 a 14 días. Ya que la fase lútea ha pasado estos límites, podemos asumir que esta mujer está embarazada.

Tarea › Gráfica 5
(Ver las instrucciones y la gráfica en las páginas 182 – 183 del Apéndice A)

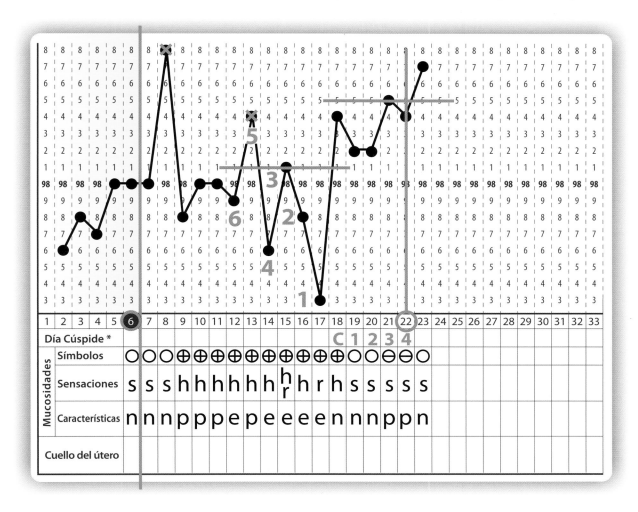

Fase I y Fase II:

- Norma de Ciclo más corto = Día 6
  (Aún cuando este es su segundo ciclo usando el Método Sintotérmico, ella sabe que en sus últimos 12 ciclos su ciclo más corto es de 26 días. Es por eso que ella puede usar esta norma).

- Norma de Doering = N/A (< de 6 ciclos de experiencia)

- Último día seco = N/A (< de 6 ciclos de experiencia)

- Fin de la Fase I = Día 6 del ciclo

Fase III:

La presencia de una temperatura alterada entre las seis precambio (Día 13 del ciclo) requiere esperar a una cuarta temperatura poscúspide sobre el NBT (Día 22 del ciclo).

Tarea › Gráfica 6

(Ver las instrucciones y la gráfica en las páginas 182 y 184 del Apéndice A)

Día del ciclo	1	2	3	4	5	6	7	8	9	10	11	12	13	14	15	16	17	18	19	20	21	22	23	24	25	26	27	28	29	30	31	32	33
Menstruación	X	X	X																					X									

Día Cúsp de *							C	1	2	3	4	5	6																				
Mucosidades — Símbolo	⊕	⊖	⊕	⊖	○	⊕	⊕	⊖	⊖	⊖	⊖	⊖	⊖	⊖	⊖	⊖	⊖	⊖	○	○	○												
Mucosidades — Sensaciones	h	s	h	s	s	h	h	s	s	s	s	s	s	s	s	s	s	s	s	s													
Mucosidades — Carácter	p	p	p	p	n	e	e	p	p	n	p	p	p	p	p	p	p	n	n	n	n												
Cuello de útero	f	f	bl	bl	bl	bl	bl	bl	bl	f	f	f	f	f	f	f	f	f	f	f	f												

Fase I y Fase II:

- Norma de Ciclo más corto = Día 4 del ciclo
  Nota: La observación de mucosidades el Día 4 indica que la Fase I ha terminado y la Fase II comienza.

- Norma de Doering = N/A (< de 6 ciclos de experiencia)

- Último día seco = N/A (< de 6 ciclos de experiencia)

- Fin de la Fase I = Día 3 del ciclo

Fase III:

Debido a la ausencia de dos temperaturas (Días 10 y 11 del ciclo), se requiere esperar cuatro días poscúspide sobre el NBT (Día 16 del ciclo).

Recuerden que al usar la Norma sintotérmica, las seis temperaturas precambio se escogen de los seis días que preceden a las tres temperaturas del cambio térmico. En este caso, la Norma permite hasta un máximo de dos temperaturas alteradas o sin anotar durante este tiempo. El NBT se determina a partir de las temperaturas restantes.

Tarea › Gráfica 7

(Ver las instrucciones y la gráfica en las páginas 182 y 185 del Apéndice A)

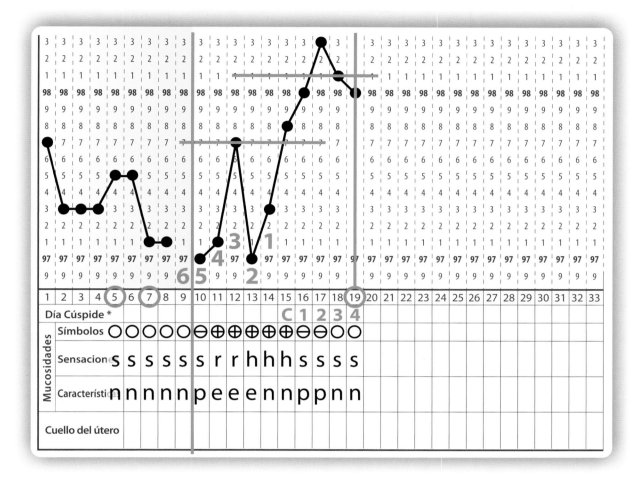

Fase I y Fase II:

- Norma de Ciclo más corto = Día 5 del ciclo

- Norma de Doering = Día 7 del ciclo

- Último día seco = Día 9 del ciclo

- Fin de la Fase I = Día 9 del ciclo

Fase III:

La ausencia de una temperatura entre las seis precambio (Día 9 del ciclo) requiere esperar al cuarto día poscúspide sobre el NBT (Día 19 del ciclo).

Ritmo Calendario › Gráfica de práctica (página 126)

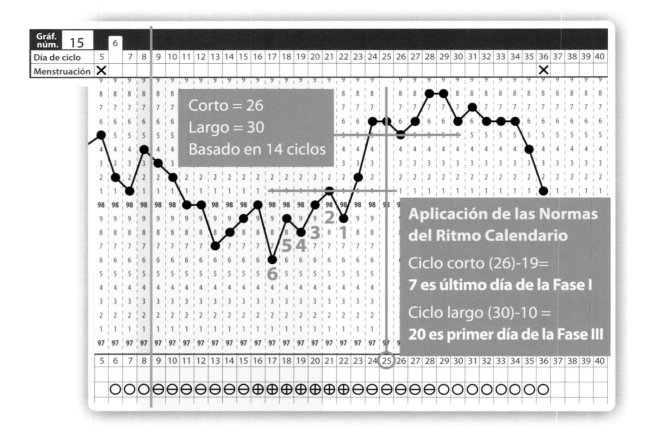

Fase I y Fase II:

Método Sintotérmico

- Norma de Ciclo más corto = Día 6
- Norma de Doering = N/A (falta información)
- Último día seco = Día 8 del ciclo
- Fin de la Fase I = Día 8 del ciclo

Fase III:

Método Sintotérmico

- Comienzo de la Fase III = la noche del Día 25 del ciclo

Este ciclo tiene 35 días de duración, cinco días más largo que el ciclo más largo en su historial de ciclos registrados. Vean los símbolos ⊕ sen los Días 20 al 22 del ciclo, sin embargo el método del Ritmo Calendario establece el Día 20 del ciclo como el comienzo de la Fase III. Cuando un ciclo es más largo o más corto que los anteriores, el Ritmo Calendario no le permite establecer los días de fertilidad e infertilidad con precisión.

Norma de Mucosidad Solamente de la LPP ›
Gráfica de práctica (página 128)

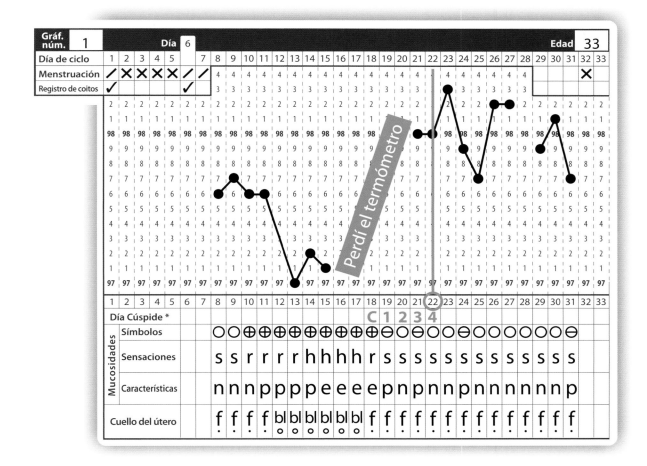

Fase III:

Al utilizar la Norma de Mucosidad Solamente de la LPP, la Fase III comienza la noche del cuarto día de secado, después del Día Cúspide (Día 22 del ciclo).

Norma de Temperatura Solamente de la LPP ›
Gráfica de práctica (página 130)

Gráf. núm.	7			Día	6	
Día de ciclo	1	2	3	4	5	7
Menstruación						

	1	2	3	4	5	6	7	8	9	10	11	12	13	14	15	16	17	18	19	20	21	22	23	24	25	26	27	28	29	30	31	32	33
Día Cúspide *																																	
Símbolos	○	○	⊖	⊖	○	○	○	⊕	—	—	—	—	—	—	⊖	⊖	⊖	○	○	○	○	○	⊖	⊖									
Sensaciones	s	s	s	s	s	s	s	h	Infección vaginal						s	s	s	s	s	s	s	s	s										
Características	n	n	p	p	n	n	n	e	—	—	—	—	—	—	p	p	p	n	n	n	n	n	p	p									
Cuello del útero	f·	f·	f·	f·	f·	f·	f·	bl○	—	—	—	—	—	—	f·	f·	f·	f·	f·	f·	f·	f·	f·	f·									

Mucosidades

Fase III:

Ya que en este caso no es posible utilizar la señal de la mucosidad, utilizaremos la Norma de Temperatura Solamente de la LPP. La Fase III comienza la noche del cuarto día de temperatura elevada (Día 21 del ciclo), donde las últimas tres temperaturas (Días 19, 20 y 21 del ciclo) son consecutivas y se encuentran en o sobre el NAT (98.0° F/37° C). Debido a que la temperatura del Día 19 del ciclo se encuentra por debajo del NAT, deben esperar un día adicional de temperaturas en o sobre el NAT. Esto ocurre el Día 22 del ciclo, por lo tanto, la Fase III comienza el Día 22 del ciclo.

Sangrado intermenstrual › Gráfica de práctica (página 137)

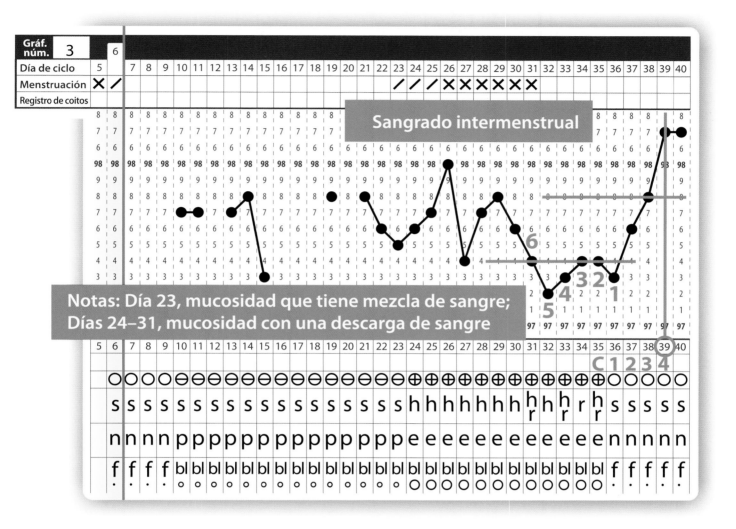

Notas: Día 23, mucosidad que tiene mezcla de sangre; Días 24–31, mucosidad con una descarga de sangre

Fase III:

La Fase III comienza la noche del tercer día de secado después del Día Cúspide, combinado con tres temperaturas normales poscúspide (Días 35, más 37, 38 y 39 del ciclo). Vean si la tercera temperatura poscúspide está en o sobre el NAT (sí), o si el cuello del útero ha estado cerrado y firme durante tres días (sí). Entonces podemos concluir que la Fase III comienza la noche del Día 39 del ciclo.

Estrés › Gráfica (página 138)

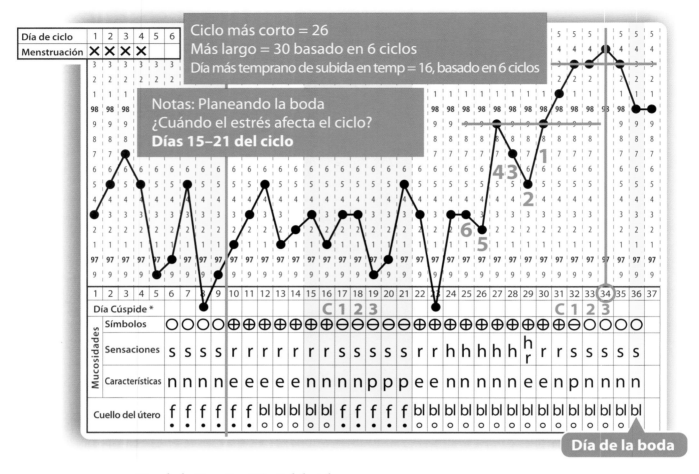

- Fin de la Fase I = Día 9 del ciclo

Fase III:

Esta gráfica incluye dos días cúspide. El primer Día Cúspide ocurre el Día 16 del ciclo, seguido por una serie de días de mucosidad del tipo menos fértil en los Días 17 al 21. Luego regresa la mucosidad más fértil en los Días 22 al 31 del ciclo, concluyendo con el segundo Día Cúspide el Día 31 del ciclo.

La Fase III comienza la noche del tercer día de secado después del Día Cúspide combinado con tres temperaturas normales poscúspide (Días 31, más 32, 33 y 34 del ciclo). Vean si la tercera temperatura poscúspide está en o sobre el NAT (sí), o si el cuello del útero ha estado cerrado y firme durante tres días (no). Entonces podemos concluir que la Fase III comienza la noche del Día 34 del ciclo.

Nota: El cambio de las observaciones más fértiles en los Días 15 al 21 del ciclo, puede deberse al estrés asociado con los preparativos de la boda. Esto se puede expresar con un cambio dramático en el patrón de las mucosidades a momento en que, normalmente, se espera que ocurra la ovulación, si tomamos en cuenta su historial de ciclos anteriores. Es probable que esta sea la causa de que se haya alargado el ciclo.

Fase III:

En esta gráfica podemos identificar que las temperaturas de los Días 18, 19 y 20 son temperaturas alteradas. Las tres temperaturas elevadas del cambio térmico corresponden a los Días 17, 21 y 22 del ciclo.

La Fase III comienza la noche del tercer día de secado después del Día Cúspide combinado con tres temperaturas normales poscúspide (Días 18, más 21, 22 y 23 del ciclo). Vean si la tercera temperatura poscúspide está en o sobre el NAT (no), o si el cuello del útero ha estado cerrado y firme durante tres días (sí). Entonces podemos concluir que la Fase III comienza la noche del Día 23 del ciclo.

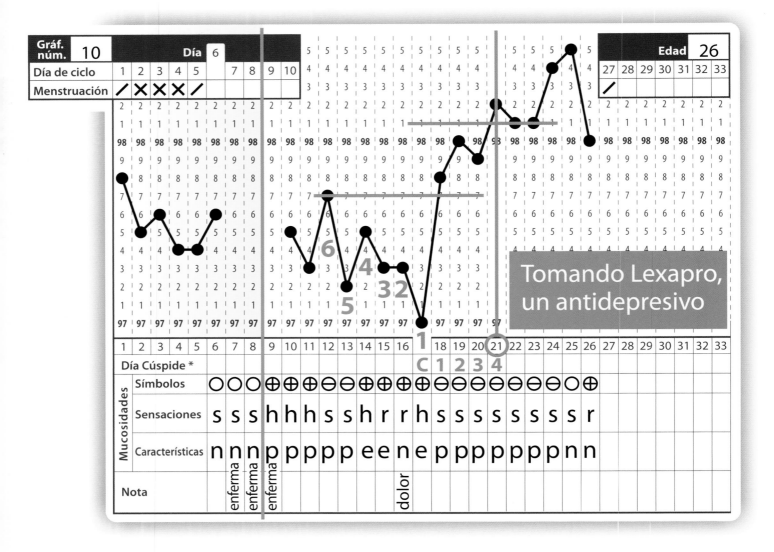

- Fin de la Fase I = Día 8 del ciclo

Fase III:

La Fase III comienza la noche del tercer día de secado después del Día Cúspide combinado con tres temperaturas normales poscúspide (Días 17, más 18, 19 y 20 del ciclo). Vean si la tercera temperatura poscúspide está en o sobre el NAT (no), o si el cuello del útero ha estado cerrado y firme durante tres días (no aplica). Si estas condiciones no se cumplen, la Fase III comenzará el siguiente día de temperatura elevada poscúspide (Día 21 del ciclo) sobre el NBT. La Fase III comienza la noche del Día 21 del ciclo.

Guía de referencia R

El reloj biológico

Cuando se desea lograr un embarazo, es importante recordar que la mujer tiene lo que llamamos un "reloj biológico" o los ritmos biológicos de su cuerpo. No hay duda que la edad juega un papel importante al momento de buscar un embarazo. Sin embargo, muchas parejas comienzan a preocuparse tal vez sin necesidad, debido a la falta de conocimiento sobre el tiempo que, normalmente, toma concebir un hijo.

La siguiente gráfica ilustra las posibilidades de concebir de acuerdo con las distintas edades. Ésta nos demuestra que "aún cuando la fertilidad parece disminuir con la edad, el total acumulativo de los embarazos no fueron diferentes en términos estadísticos".[1] Luego de 12 ciclos, el **porcentaje** de los embarazos se niveló entre 90 y 98%, esto incluía las mujeres mayores de 35 años.

"Es decir…la edad por sí sola no pudo asociarse con una reducción significativa en la *probabilidades acumulativas de concepción* (PAC)".[2] Lo importante de esa afirmación es que aunque existe un grupo reducido de parejas cuya fertilidad comienza a decrecer al entrar a sus treinta años, la mayoría de las parejas todavía mantendrán su fertilidad a medida que se acercan a los cuarenta años.

---

[1] Gnoth et al., "[El tiempo y el embarazo: resultados de un estudio alemán y su impacto en el manejo de la fertilidad] Time to Pregnancy: results of the German prospective study and impact on the management of fertility," *Human Reproduction,* 18(9), 2003, pp 1959–66.

[2] Idem.

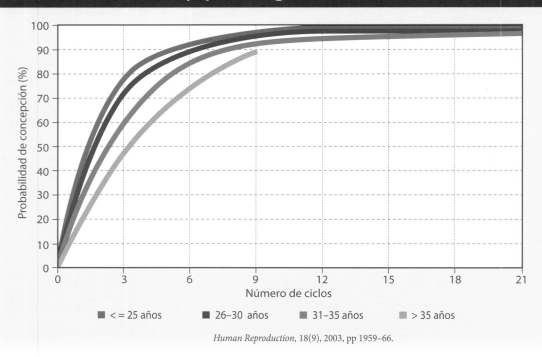

Tiemp para lograr un embarazo

Human Reproduction, 18(9), 2003, pp 1959–66.

Sangrado intermenstrual

Durante la Clase 3, mencionamos brevemente el "sangrado intermenstrual" o sea, un sangrado parecido al que ocurre durante la menstruación puede ocurrir durante la pubertad, posparto, premenopausia o con menor frecuencia durante los años de mayor fertilidad. Hay veces en que este sangrado o flujo intermenstrual debe considerarse como un signo de fertilidad, especialmente cuando ocurren durante los días antes de la ovulación. En otros momentos puede ocurrir en otro tiempo del ciclo en el que no está necesariamente asociado con el tiempo fértil.

El sangrado intermenstrual puede ocurrir cuando el endometrio se engrosa a tal punto que la capa superior no puede sostenerse solamente con el estrógeno, lo que concluye en un desprendimiento de la misma. Esto puede producir manchado en la ropa interior o, inclusive, un flujo casi igual al de la menstruación. Existe la posibilidad de que haya descargas de mucosidad cervical, incluso durante estos días de sangrado intermenstrual.

¿Cómo se puede distinguir entre el sangrado intermenstrual y la verdadera menstruación? El sangrado intermenstrual es un sangrado al que no le precede un cambio térmico. En cambio la verdadera menstruación se confirma ya que ocurre luego del cambio térmico. (Un cambio térmico sostenido se refiere a tres temperaturas normales que se encuentran sobre el NBT y próximas al Día Cúspide). Pueden revisar la explicación y la gráfica en su

Guía del Estudiante — Clase 3, Lección 4, *¿Cómo usar la PNF en situaciones especiales?*, página 136, y en el Apéndice B, página 217.

Si usted tiene un sangrado que no está precedido por un cambio térmico (sangrado inter-menstrual), debe considerarse como tiempo de fertilidad, no importa si no puede identificar sensaciones o características de mucosidad. Registre este sangrado en la fila que corresponde a la menstruación (al tope de su gráfica) y continúe haciendo sus anotaciones en la misma gráfica (en lugar de comenzar una nueva como lo haría con una menstruación verdadera). Hemos dicho que este sangrado puede que venga acompañado de mucosidades o no. En cualquiera de los casos, si usted observa un cambio térmico unos días después de que disminuya el sangrado, marque el último día de flujo o el último día de la mucosidad del tipo más fértil como el Día Cúspide. Luego aplique la Norma Sintotérmica para establecer el inicio de la Fase III. Si el sangrado ocurre luego del cambio térmico, usted puede iniciar una nueva gráfica.

Existe la posibilidad que un sagrado pueda ser una menstruación seguida de un ciclo donde la ovulación no ocurrió. Sin embargo, esto solamente podremos determinarlo de forma retrospectiva una vez el siguiente ciclo haya terminado. Es decir, cuando el siguiente ciclo tenga un cambio térmico al que le sigue un sangrado (verdadera menstruación).

Las parejas que buscan posponer o evitar un embarazo deben abstenerse durante estos días de sangrado o días de cualquier tipo de mucosidad que ocurra antes del cambio térmico, que confirma que la infertilidad de la Fase III ha comenzado.

El sangrado intermenstrual no es muy común, pero puede ocurrir. A aquellas mujeres que tengan ciclos sin cambio térmico y que no se encuentran en el tiempo después del parto o en la premenopausia, les animamos a que examinen cuidadosamente su alimentación, cantidad de ejercicio diario y sus niveles de estrés. Es posible que tenga que consultar un profesional de la nutrición o a su médico. Además, en el caso de las mujeres que tienen un ciclo largo y sangrado continuo, deben consultar a su médico inmediatamente.

Ritmo Calendario

En la Clase 3, hablamos del método del Ritmo Calendario y cómo se basaba en el descubrimiento de que la ovulación ocurría cerca de dos semanas antes de la siguiente menstruación. Inicialmente fue presentado como un método de planificación familiar por el Dr. Jan N. J. Smulders en 1930. Aún cuando el Ritmo Calendario es un método moralmente aceptable, no cuenta con la eficacia de los métodos de PNF de hoy día. Esto se debe, en gran parte, a que se basa solamente en el historial de ciclos anteriores sin tomar en cuenta las señales de fertilidad de la mujer.

Para determinar el fin de la Fase I y el comienzo de la Fase III, el Ritmo Calendario establece las siguientes normas:

1. El último día de la infertilidad preovulatoria (Fase I) se establece **restando 19 al ciclo más corto registrado.**

2. El primer día de la infertilidad posovulatoria (Fase III) se establece **restando 10 al ciclo más largo registrado.**

Examen del cuello del útero

Durante la Clase 1, discutimos la ayuda que puede brindarle el palpar los cambios en el cuello del útero. Aún cuando esta observación es opcional, hay momentos en que le puede ayudar a verificar el estado de su fertilidad. En cuanto a su forma, el cuello del útero se parece a la punta de una pera una vez se le remueve el tallo.

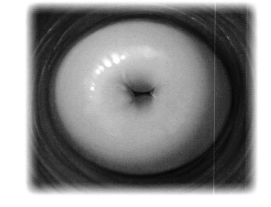

A medida que la mujer entra en su fase de fertilidad en el ciclo, el cuello del útero se torna blando y la apertura (hoz) se abre un poco. En algunos casos es más difícil palparla durante este tiempo ya que tiende a elevarse. Algunas mujeres comparan la textura con la de su labio inferior. Una vez la ovulación ocurre y la fase de fertilidad va terminando, el cuello del útero se pone firme, cerrado y baja nuevamente, con una textura parecida a la de la punta de la nariz. (La ilustración presenta la punta del cuello del útero vista desde abajo).

La manera más fácil de identificar estos cambios es mediante la palpación del cuello del útero. La mayor parte de las mujeres utiliza una de estas tres técnicas:

1. Sentada en el retrete/escusado/inodoro, introduzca el dedo índice en el canal vaginal hasta que pueda tocar el cuello del útero. Si no lo alcanza, intente presionar el vientre hacia abajo con la otra mano.

2. Ponga un pie en la tapa del retrete, introduzca el dedo índice en el canal vaginal hasta que pueda tocar el útero. Si no lo alcanza, intente presionar el vientre hacia abajo con la otra mano.

3. Agáchese/en cuclillas, introduzca el dedo índice en el canal vaginal, etc.

Nota: En el caso de que usted deba presionarse el vientre para hacer la observación, es recomendable que continúe utilizando esta técnica para mantener la consistencia en sus observaciónes.

Al introducir el dedo índice, sepa que la única estructura en la vagina es el útero. De ser necesario, mueva el dedo de un lado al otro hasta que pueda tocar el útero. La Fase III, es el tiempo más fácil para los principiantes. Lo que puedan palpar durante la Fase III les servirá de referencia para los cambios futuros, ya que este es el tiempo donde el útero se encuentra más firme, más cerrado y más fácil de alcanzar.

La historia de la LPP

En la encíclica *Humanae Vitae,* el Papa Pablo VI escribe sobre la necesidad de que los matrimonios se vuelvan apóstoles de otros matrimonios: "los mismos esposos se convierten en guía de otros esposos. Esta es, sin duda, entre las numerosas formas de apostolado, una de las que hoy aparecen más oportunas".[3] John y Sheila Kippley se sintieron llamados, por este planteamiento profético del Papa Pablo VI, a ofrecer ayudas prácticas para promover la planificación natural de la familia. Ellos decidieron crear un apostolado que tuviera este enfoque de "pareja a pareja" — matrimonios voluntarios enseñan sobre la PNF a otros matrimonios y parejas comprometidas. Es de ahí donde surge la idea de La Liga de Pareja a Pareja, que fue fundada en 1971.

La LPP comenzó a enseñar el método que los esposos Kippley desarrollaron con la ayuda del Dr. Konald A. Prem M.D., quien era profesor y presidente del Departamento de obstetricia y ginecología de la Escuela de Medicina de la Universidad de Minnesota, EE.UU. El método utilizaba temperatura, observación de las mucosidades y palpación del cuello del útero. Esto permitía que el usuario tuviera varias formas de corroborar su fertilidad utilizando los distintos indicadores tanto en la infertilidad preovulatoria como en la posovulatoria.

El programa de la LPP es sostenido por el concepto de "los tres pilares":

1. El Método Sintotérmico de PNF basado en la comparación de las señales de fertilidad.

2. La promoción de la lactancia "ecológica" y el regreso a la fertilidad después del parto.

3. La difusión de la doctrina católica sobre el matrimonio y la sexualidad, incluyendo la teología de la alianza matrimonial desarrollada por John Kippley.

Treinta años después, la Liga ha venido a convertirse en una extensa red de voluntarios a lo largo y ancho de los Estados Unidos y varios países alrededor del mundo. Durante este tiempo han ocurrido diversos cambios. Algunos de los términos han cambiado. Por ejemplo ya no se usa la palabra "ecológica" para referirse a la lactancia. El método se ha simpli-

---

[3] *Humanae Vitae,* 26

ficado y las enseñanzas de la Iglesia Católica se presentan en el contexto de la Teología del Cuerpo del Papa Juan Pablo II. Sin embargo el concepto de los tres pilares: método, lactancia y moralidad, continúa vigente.

Literalmente miles de parejas han encontrado que la práctica de la PNF ha tenido un impacto increíblemente positivo en sus matrimonios…para muchos ha sido una experiencia que ha cambiado sus vidas. Es por eso que muchas de estas parejas dedican su tiempo, como voluntarios, compartiendo con otros estas enseñanzas y sus propias experiencias. Si desean saber sobre las distintas formas en que pueden ayudar a la LPP, les invitamos a que visiten nuestra página web a ***www.planificacionfamiliar.org*** y busque la sección para voluntarios.

CyclePRO™

La LPP ha desarrollado un programa conocido como CyclePRO™, que permite a los usuarios anotar sus observaciones de mucosidad, temperatura y cuello del útero. El programa registra estos datos de forma electrónica en su computadora personal. Tengan presente que CyclePROTM está diseñado con el objetivo de ayudar a identificar el tiempo de fertilidad para aquellas parejas que desean buscar un embarazo — no se promueve como una herramienta para evitar los embarazos. Además de mantener un registro de su historial de ciclos, también le asiste en la aplicación de las normas de la LPP para identificar el tiempo fértil de la mujer durante ese ciclo. CyclePRO™, es fácil de usar, especialmente cuando las parejas tienen experiencia observando sus señales de fertilidad. Este programa está disponible solamente en el idioma inglés. Para más información pueden visitar la página de la LPP en inglés, ***www.ccli.org.***

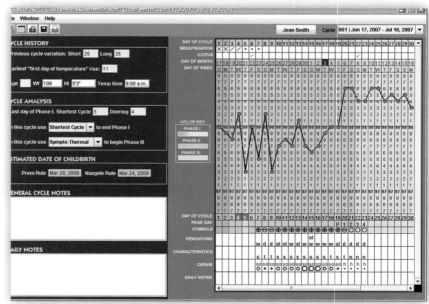

Cambios de hora (Horario de verano)

En varias regiones del mundo se acostumbra a utilizar el *horario de verano* que consiste en atrasar el reloj una hora para aprovechar la luz del día. Si una mujer se encuentra durante la Fase I o la Fase III lo más probable es que no tenga mayores dificultades para adaptarse al cambio de hora y cualquier posible efecto en sus señales de fertilidad. ¿Qué ocurre si la mujer se encuentra durante el tiempo fértil (Fase II)? Aunque es posible, es poco probable que haya cambios significativos. Una variación de ½ hora antes o después de la hora acostumbrada en la que se toma la temperatura no debe tener mayores consecuencias. En su libro *Regulación Natural de la Concepción (Natuerliche Empfaengnisregelung)*[4], el Dr. Josef Roetzer establece que las variaciones de hasta 1½ horas no tienen mayores consecuencias, por lo que es poco probable que el cambio de hora tenga un efecto dramático en sus anotaciones. Sin embargo, cuando una pareja sospeche que el cambio de hora haya influenciado sus registros de temperatura, lo más fácil es añadir un día a la Norma Sintotérmica de la Fase III y/o considere una norma de Mucosidades Solamente para ese ciclo.

Norma de Doering

Vea la Guía de referencia, *Resumen de las Normas,* páginas 262–267, y la Guía del Estudiante, Clase 2, Lección 4, *Transición de la Fase I a la Fase II,* página 86.

Eficacia

Según mencionamos en la Clase 3, la eficacia de los anticonceptivos y la de la PNF se deriva de varios estudios diseñados para estimar el número de **embarazos no planificados o embarazos sorpresa**. Se utiliza el **Índice Pearl** para presentar dichos estimados. El índice Pearl se puede definir como: El Cálculo basado en el número de embarazos no planificados por cada 100 mujeres durante un año. El nombre viene en honor a Raymond Pearl quien en 1930 creó una serie de parámetros para evaluar la eficacia de los métodos. Estos parámetros todavía se usan para asignar una medida de eficacia a cada método. La fórmula básica para estimar el Índice Pearl es:

$$\text{Índice Pearl} = \frac{\text{\# embarazos sorpresa}}{\text{\# meses de uso (o ciclos)}} \times 1200 \text{ mujer-años}$$

El número *1200*, representa los meses en que 100 mujeres pueden haber logrado concebir

---

[4] Joseph Roetzer, M.D., *[Regulación Natural de la Concepción] Natuerliche Empfaengnisregelung* (Freiburg: Herder, 2006), 18. El Dr. Roetzer añade que "variaciones significativas luego de las 7:30am deben anotarse en su gráfica".

durante un año. A esto se le conoce con el término **"mujer-años"**. Se usa 1200 para establecer el número de días durante un año con un promedio de 30.4 días de duración en cada ciclo. (Vea que algunos estudios usan el número 1300 asumiendo un total de 13 ciclos de 28 días de duración).

Por ejemplo: Suponga que 35 embarazos no planificados ocurren durante 18,000 ciclos. ¿Cuál sería el índice Pearl si usamos 1300 mujer-años?

$$\text{Índice Pearl} = \frac{35}{18{,}000} \times 1300 \text{ mujer-años} = \textbf{2.5 (redondeado)}$$

Términos como eficacia del método y del usuario se explicaron durante la Clase 3. Sin embargo, existen algunas limitaciones básicas y otros elementos que influyen en el índice de eficacia del método y del usuario. Entre ellas se encuentran el diseño del estudio, la manera en que se ejecuta, la forma en que se analizan los datos, la consistencia y la habilidad de las parejas participantes para usar el método correctamente. También tienen influencia en la frecuencia en que las parejas tienen relaciones, la fertilidad de ambos e inclusive el país y la cultura donde se lleva a cabo el estudio.

¿Qué significa todo esto? Por ejemplo, cuando interpretamos un cociente de eficacia tenemos la tentación de asumir que de todas las mujeres que participaron en este estudio tiene la posibilidad de embarazarse. La realidad es que dentro del grupo es posible que haya mujeres que no podrán lograr un embarazo, no importa si usan un método o no. Además, si ocurre 1 embarazo por cada 100 parejas que utilizan un método en particular durante un año, no quiere decir que el uso de ese método fue la única razón para que las otras 99 no concibieran. Otro elemento a considerar es el lugar en donde se toman las muestras. Un estudio hecho en una zona agrícola en Uganda puede producir resultados distintos a los del mismo estudio realizado en la ciudad de Nueva York. Las culturas, costumbres, hábitos alimenticios, pueden influir más de lo que uno se imagina. En resumen, los porcentajes de efectividad no son perfectos y hay algunas variables que son difíciles de controlar.

Aun cuando la PNF es tan eficaz como los anticonceptivos, igual que ellos, no es 100% eficaz. Existen solamente tres métodos que pueden prevenir un embarazo con 100% de eficacia:

- Abstinencia total de relaciones matrimoniales
- Castración o remoción de los testículos (Esto es distinto de una vasectomía).
- Castración o remoción de los ovarios (Esto es distinto de una ligadura de trompas).

Así como todos los métodos anticonceptivos tienen un porcentaje de embarazos no planificados, lo mismo ocurre con la PNF. Las gráficas que siguen les presentan algunos ejemplos de embarazos no planificados.

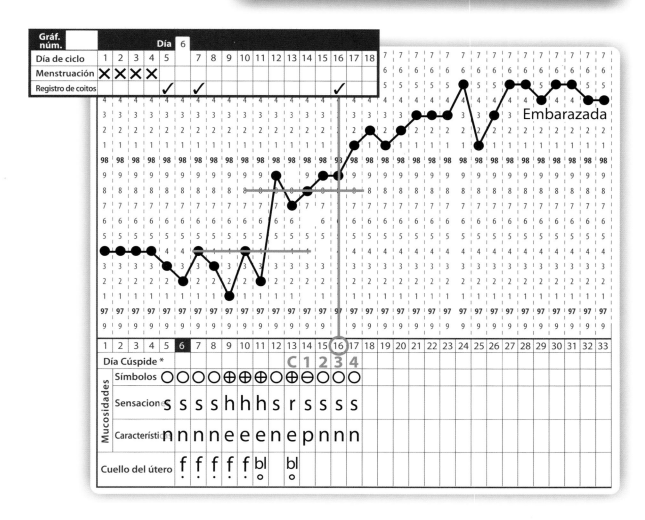

HISTORIAL DE CICLOS — Edad **32**

Variacion de ciclos anteriores: Corto **26** Largo **37**

Basado en **42** ciclos registrodos

Día más temprano de subida en temp_____

basado en_____ ciclos

Fin Fase I: Norma ciclo más corto **6** Doering **N/A**

Este embarazo parece haber ocurrido a consecuencia del coito en un día seco (sin mucosidad), Día 7 del ciclo. Las señales de la mucosidad y el cuello del útero no ocurrieron con suficiente antelación para alertarles sobre el comienzo de la fertilidad. En el futuro esta pareja puede utilizar la Norma del Ciclo más corto o la Norma Doering, que son más conservadoras, o quizás comenzar la observación de la mucosidad interna en el caso de que esta mujer encuentre que internamente puede detectar su mucosidad más temprano.

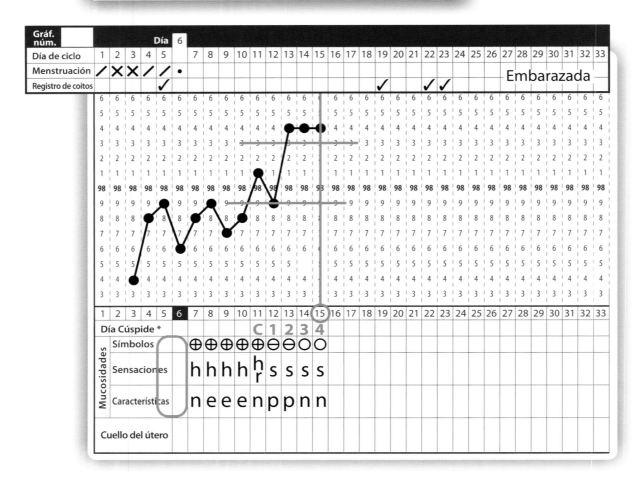

En este caso, la Norma del Ciclo más corto establece el Día 1 del ciclo como el fin de la Fase I, basado en su historial de ciclos registrados. Aún cuando hubo una reducción en el flujo menstrual, durante los Días 5 y 6 del ciclo, no hay anotaciones sobre la mucosidad. Es posible que no se hicieran o que no fuera posible determinar la presencia de mucosidad en presencia del flujo. Cuando se aplica la Norma Doering, se asume que no debe haber mucosidad. Sin embargo, la Norma del Último día seco, requiere que todas las observaciones sean anotadas. En este caso es posible que el embarazo no planificado se deba a que la pareja tuvo relaciones matrimoniales más allá de los límites de la Norma del Último día seco y que tuvo estas relaciones en un día en el que debieron observar y anotar sus observaciones de mucosidad.

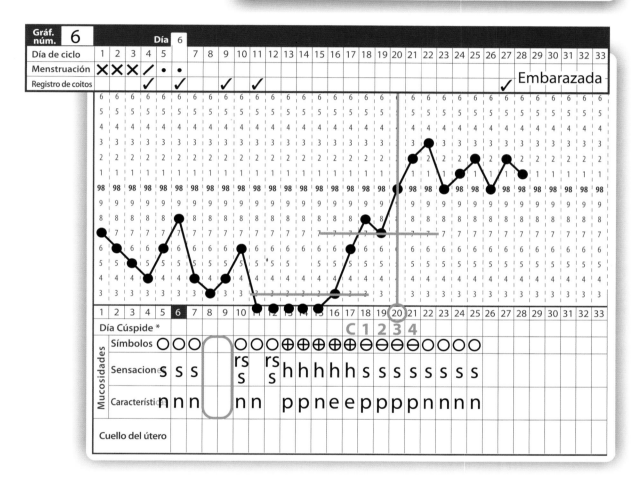

Esta pareja utilizó la Norma Doering para determinar el fin de la Fase I cuando solamente tenían un ciclo de experiencia. Debemos recordar que la Norma Doering requiere al menos seis ciclos de experiencia. En este ciclo, el fin de la Fase I debió ser el Día 6 del ciclo. Además faltan las anotaciones de las mucosidades los Días 8 y 9, y tuvieron relaciones matrimoniales el Día 11 del ciclo. Esto junto a que, en este ciclo, el cambio térmico ocurrió un poco antes de lo usual para esta mujer, probablemente contribuyeron al embarazo no planificado.

Aún cuando los embarazos no planificados sí pueden ocurrir, la PNF sigue siendo 99% eficaz. Los datos que siguen a continuación, ofrecen información detallada sobre un estudio realizado en Alemania y las estadísticas recopiladas por el Dr. Joseph Roetzer.

El estudio alemán de 2007

Un estudio sobre el Método Sintotérmico, realizado por los doctores Petra Frank-Herrmann y J. Heil, evaluó un total de 900 mujeres que contribuyeron 17,638 ciclos registrados. Dicho estudio adjudicó un índice de Pearl de 0.4 al método, que se traduce en un 99.6% de eficacia. Además de un índice de Pearl de 7.5 al usuario, que se traduce en un 92.5% de eficacia de usuario.

Las normas usadas en este estudio del Método Sintotérmico no fueron exactamente iguales a las que la LPP utiliza en su método. Por ejemplo, para determinar el fin de la Fase I ellos utilizaron el Día 5 del ciclo cuando se tienen menos de 12 ciclos de experiencia y una variación de la Norma Doering donde restaron ocho del primer día de cambio de temperatura luego de 12 ciclos de experiencia. Ambas normas asumen la ausencia de mucosidad. Es decir, tan pronto se observa mucosidad cervical, la Fase II comienza. En cuanto al primer día de la Fase III, lo calcularon cuando tenían tres días de secado poscúspide y tres temperaturas elevadas sobre el NBT y la tercera temperatura al menos a 0.4° F/0.2° C de elevación.

Aún cuando el método de la LPP no es idéntico al del Dr. Joseph Roetzer, las diferencia es muy poca. En 1978, el Dr. Roetzer reportó un índice de Pearl de 0.2 (99.8% eficacia) para el método y 0.0 (100% eficacia) para la Fase III. En su libro *Regulación natural de la concepción* (*Natuerliche Empfaengnisregelung*), el Dr. Roetzer comparte sus hallazgos basados en 300,000 ciclos registrados durante su consultoría como médico ginecólogo. Ningún embarazo ha sido reportando durante la Fase III cuando se aplicaron sus normas sintotérmicas.[5]

Anticonceptivos hormonales

Los anticonceptivos hormonales representan el método más común de control de la natalidad en nuestra sociedad, sin importar el hecho de que estos conllevan una serie de riesgos a la salud (infartos, ataques al corazón, etc.). Vamos a establecer dos grupos de anticonceptivos hormonales para efectos de nuestra presentación. Primero vamos a discutir los distintos anticonceptivos hormonales (no inyectables) y luego dedicaremos un momento para hablar específicamente de aquellos que requieren una inyección (inyectables).

---

[5] Roetzer, 100. Nota: Los datos presentados por el Dr. Roetzer sostienen un uso teórico de 100% de eficacia para la Fase III. Sin embargo, la LPP no pretende implicar que ni su método ni el del Dr. Roetzer sean 100% eficaces. Aún así, sus estadísticas son extraordinarias.

Comúnmente, cuando una mujer deja de usar un anticonceptivo hormonal, sus señales de fertilidad y sus ciclos naturales tienden a regresar con relativa rapidez — típicamente entre uno o dos meses, aunque en algunos casos puede tomar un poco más. A continuación veremos una lista de los anticonceptivos hormonales más comunes y daremos unas guías sobre el momento en que deben comenzar, una vez hayan dejado de usarlos, sus anotaciones en la gráfica.

Píldoras. Se dividen en dos tipos: **combinadas** (que combinan estrógeno y progestina sintética) y las de **progestina** (mini píldora). Si ha usado una píldora de *combinación*, comience sus anotaciones tan pronto deje de usar las píldoras y cuando vea que ha comenzado a tener sangrado. (*Este sangrado vaginal que ocurre una vez deja la píldora ocurre debido al cambio en los niveles de hormonas. Esto NO es una menstruación*). En el caso de las píldoras de progestina comience sus anotaciones tan pronto termine la última de las píldoras en el paquete.

Anillo vaginal. Este es un anillo hecho de un polímero flexible y transparente que contiene tanto estrógeno como progestina y se introduce en la vagina. Comience sus anotaciones una vez remueva el anillo y el sangrado vaginal comience.

Parche. Estos parches se adhieren a la piel y contienen tanto estrógeno como progestina. Comience sus anotaciones una vez remueva el parche y el sangrado vaginal comience.

Dispositivos intrauterinos con hormonas (DIU). Estos dispositivos están hechos de plástico, en forma de una "T" y solamente contienen progestina. Existen distintas marcas según el país donde viva. Comience sus anotaciones tan pronto el dispositivo sea removido.

Implantes. Los implantes subcutáneos (debajo de la piel) se colocan mediante un procedimiento quirúrgico y contienen progestina. Comience sus anotaciones una vez que remueva los implantes.

Guías al descontinuar anticonceptivos hormonales.

Las parejas deben abstenerse de relaciones matrimoniales durante la Fase I y la Fase II durante los primeros tres ciclos, luego de discontinuar el anticonceptivo. Durante el cuarto y quinto ciclo, pueden usar la Norma del Ciclo más corto (no más allá del Día 5 del ciclo, durante los primeros 12 ciclos). A partir del séptimo ciclo, pueden usar la Norma del Ciclo más corto, Norma Doering o la Norma del Último día seco.

La **Norma Poshormonal** para determinar el comienzo de la Fase III requiere identificar el Día Cúspide; es necesario que la mujer haga sus observaciones de la mucosidad y las anote, de manera que pueda determinar el Día Cúspide.

Norma Poshormonal

Durante los primeros tres ciclos, una vez descontinuado el anticonceptivo (i.e. píldoras, parches, implantes, anillos, dispositivos con hormonas) la Fase III comienza:

- la noche del cuarto día de secado después del Día Cúspide, y

- cuatro temperaturas normales poscúspide sobre el NBT (no es necesario que lleguen al NAT).

Si la mujer no ve ni tiene sensaciones de mucosidad, ella y su esposo pueden utilizar la Norma de Temperatura Solamente para establecer el comienzo de la Fase III (al igual que cualquier pareja que no pueda identificar la señal de la mucosidad).

Anticonceptivos hormonales inyectables. Estas hormonas inyectables son substancias que se introducen en el cuerpo de la mujer mediante una jeringuilla con el propósito de evitar la concepción (anticonceptivo). Generalmente existen dos tipos de anticonceptivos hormonales inyectables — unos que se inyectan mensualmente y otros cada tres meses. Estas hormonas pueden alterar las señales de fertilidad mucho tiempo después de haberlas usado. Es por eso que la Norma Sintotérmica para cuando se deja de usar un anticonceptivo hormonal inyectable es distinta, ya que deben tomar en cuenta la presencia de periodos prolongados de mucosidades y sangrado hasta que lleguen a la normalidad. El tiempo que toma el regreso a la fertilidad varía, especialmente si se trata de la Depo-Provera (i.e. puede tardar de tres meses hasta dieciocho meses después de su última inyección. Por tanto, esas normas requieren que seamos conservadores. Aún cuando las normas para discontinuar los anticonceptivos hormonales inyectables se incluyen en este manual, **les recomendamos que consulten a un instructor de la LPP antes de aplicarlas.** Durante este tiempo de transición puede ser difícil establecer el estatus de su fertilidad, lo que dificulta la aplicación de las normas.

Aquellas hormonas que se usan mensualmente, requieren que las parejas comiencen sus anotaciones (mucosidades, tanto sensaciones como características, y temperatura) no más tarde de un mes después de su última inyección. Para las de tres meses (como Depo-Provera) las parejas deben comenzar sus anotaciones (mucosidades, tanto sensaciones como características, y temperatura) no más tarde del tercer mes después de su última inyección. Las parejas deben abstenerse durante las primeras cuatro semanas que siguen a la fecha correspondiente a la próxima inyección. Durante estas semanas es necesario observar y anotar sus mucosidades y temperaturas.

Una vez deje los anticonceptivos hormonales inyectables, es probable que encuentre series de días de mucosidades que vienen y van durante varios meses. Es por eso que le facilitamos unas normas para usar cuando tenga estas series de mucosidades intermitentes. Aún cuando la mujer tome su temperatura y la anote, durante este tiempo los esposos tendrán que poner más atención a lo que indica la señal de la mucosidad para aplicar la norma. La Norma para Series de mucosidades ayuda a identificar la transición de la infertilidad de la Fase I a la fertilidad de la Fase II y de vuelta a la infertilidad de la Fase I. (La señal de la mucosidad es el mejor indicador para determinar las fases de fertilidad e infertilidad cuando se deja un anticonceptivo hormonal inyectable. La temperatura es relevante particularmente para determinar el inicio de la Fase III cuando regresen los ciclos).

Durante este tiempo de transición a sus ciclos regulares, si la mujer no observa mucosidad, puede considerarse en Fase I. *En este caso, sigan las guías para la Fase I — sólo en las noches y no en días consecutivos — para sus relaciones matrimoniales.* Si tuviera una serie de días de mucosidades, hay dos normas que puede usar: una para días en que tiene mucosidad menos fértil y otras cuando la serie incluye mucosidad del tipo más fértil.

Norma Poshormonal — inyectables (serie de mucosidad menos fértil)

La Fase I empieza en la noche del cuarto día sin mucosidad después del Día Cúspide, donde el Día Cúspide es el último día de mucosidad menos fértil.

Para aplicar la Norma para Anticonceptivos hormonales inyectables con mucosidades del tipo menos fértil (i.e. cuando NO tiene mucosidad del tipo más fértil ni sangrado como parte de la serie), las parejas deben abstenerse tan pronto aparezca cualquier tipo de mucosidad. **Marque el último día de mucosidad del tipo menos fértil como su Día Cúspide y luego cuente los siguientes cuatro días. La Fase I regresa en la noche del cuarto día sin mucosidad luego del Día Cúspide.**

Norma Poshormonal — inyectables (serie de mucosidad más fértil o sangrado)

La infertilidad de la Fase I comienza:

- La noche del cuarto día de proceso secado después del Día Cúspide, donde el Día Cúspide es el último día de mucosidad más fértil o sangrado.
- Los días de secado pueden ser días con mucosidad del tipo menos fértil, sin embargo es necesario que el cuarto día sea uno sin mucosidad.

Para aplicar la Norma para Anticonceptivos hormonales inyectables con mucosidades del tipo más fértil o sangrado seguido de un cambio a mucosidad del tipo menos fértil, la pareja debe abstenerse durante estos días. Los días de mucosidades menos fértiles pueden contarse como parte de los días de secado. **Marque el último día de mucosidad del tipo más fértil o de sangrado/manchado como su Día Cúspide y luego cuente los siguientes cuatro días (Cúspide + 1,2,3,4) en el caso de que no haya un cambio térmico.**

La Fase I regresa en la noche del cuarto día sin mucosidad, no antes del cuarto día de secado después del Día Cúspide (C+4). (Esto implica que al *menos* se deben tener cuatro días poscúspide donde el cuarto día es un día sin mucosidad. Si todavía hay mucosidad el día C+4, espere un día más. Si el siguiente día C+5 es uno sin mucosidad, la infertilidad de la Fase I comenzará la noche de ese día.).

Vean que el término *Día Cúspide* se usa de la misma manera en que lo aprendieron en la clase. El Día Cúspide, combinado con el cambio térmico, es como se establece el comienzo de la infertilidad de la Fase III. En el caso de los anticonceptivos hormonales inyectables, utilizamos el término "Día Cúspide" para determinar el comienzo de la Fase I en lugar de la Fase III. Además, en el caso de la Norma para Anticonceptivos hormonales inyectables (con mucosidad menos fértil), el Día Cúspide representa el último día de mucosidad *menos* fértil. La siguiente gráfica puede ser de ayuda para entender esta distinción y la manera de usarlo para interpretar el comienzo de la Fase I y la Fase II.

Fecha	abril-mayo 2005																						
Día de ciclo	1	2	3	4	5	6	7	8	9	10	11	12	13	14	15	16	17	18	19	20	21	22	23
Menstruación			/	•																			
Fase de ciclo	1	1	2	2	2	2	2	1	2	2	2	2	2	1	2	2	2	2	2	2	2	1	

	1	2	3	4	5	6	7	8	9	10	11	12	13	14	15	16	17	18	19	20	21	22	23
Alternando entre la Fase I y la Fase II			C	1	2	3	4		C	1	2	3	4			C	1	2	3	4	5		
	⊖	⊖	⊖	⊖	⊖	⊖	⊖	⊖	⊖	⊖	⊖	⊖	⊖	⊖	⊖	⊕	⊕	⊕	⊖	⊖	⊖	⊖	⊖
	s	s	s	s	s	s	s	s	s	s	s	s	s	s	s	h	h	h	s	s	s	s	
	n	n	n	p	p	n	p	n	p	p	n	n	n	n	e	p	p	p	p	p	p	n	

236

Vean que en el Día 4 del ciclo, el *Día Cúspide* marca el inicio del conteo de los días de secado ya que éste era el último día de manchado, lo que consideramos como mucosidad del tipo *más* fértil. Al aplicar la Norma para Anticonceptivos hormonales inyectables (con mucosidad más fértil), la Fase I comenzará la noche del Día 8 del ciclo. Con esta norma, los días de mucosidad menos fértil pueden incluirse en los días que forman parte del proceso de secado. Sin embargo, el conteo debe continuar hasta que ocurra un día sin sensaciones ni características de mucosidades.

Es posible identificar otro Día Cúspide, el Día 10 del ciclo, ya que éste coincide con el último día de esa serie de mucosidades. En este caso de una serie de mucosidades del tipo *menos* fértil, al momento de aplicar la Norma para Anticonceptivos hormonales inyectables, la Fase I regresa la noche del Día 14 del ciclo.

La aparición de mucosidad en el Día 15 del ciclo establece, nuevamente, el inicio de la Fase II. Esta serie de mucosidades del tipo más fértil, continúa hasta el Día 17 del ciclo que lo define como el Día Cúspide. Al usar la Norma para Anticonceptivos hormonales inyectables (con mucosidad del tipo más fértil), podemos decir que la Fase I regresa nuevamente en la noche del Día 22 del ciclo. Noten que el Día 3 del ciclo es uno sin mucosidad, pero se considera como parte de la Fase II debido a la presencia de "manchado" durante ese día. El Día 10 del ciclo es uno de mucosidad menos fértil, aún así se considera como el Día Cúspide ya que es el último día de una serie de mucosidades menos fértiles. Más adelante ocurrirá un cambio térmico durante los días en que llega el Día Cúspide. Esto indica que la fertilidad ha regresado a la normalidad. Una vez esto ocurra, debe aplicarse la siguiente norma:

Desde el primer día de menstruación verdadera, es posible usar la Norma del Último día seco para el fin de la Fase I, porque desde el momento en que la mujer deja de usar las hormonas hasta que finalmente regresan sus ciclos, es probable que la mujer tenga varios meses de experiencia observando sus mucosidades.

Del Ciclo 2 en adelante, puede utilizarse la Norma del Ciclo más corto (no más allá del Día 5 del ciclo durante los primeros 12 ciclos de experiencia) o la Norma del Último día seco, y una vez tengan seis ciclos de experiencia, es posible usar cualquiera de las normas de Fase I. (Esto permite que tengan la cantidad de ciclos necesarios para aplicar la Norma Doering).

Para establecer la Fase III, apliquen la Norma Sintotérmica. En este caso, ya no es necesario aplicar la Norma para Anticonceptivos hormonales no inyectables.

Norma del Último día seco

Vean Guía de referencia, *Resumen de Normas*, páginas 262–267, y la Guía del Estudiante, Clase 2, Lección 4, *Transición de la Fase I a la Fase II*, página 81.

Medicamentos y la PNF

En general, la mayoría de los farmacéuticos entiende el funcionamiento de las hormonas en el cuerpo, pero usualmente no están familiarizados con la relación entre la mucosidad cervical y la temperatura para determinar la fertilidad e infertilidad.

A pesar de la falta de conocimiento, los farmacéuticos siguen siendo un recurso para obtener información sobre los medicamentos. Estas son algunas de las preguntas que pueden hacerle a su farmacéutico para determinar los posibles efectos de un medicamento en particular.

¿Este medicamento produce sequedad en la boca?

¿Es seguro durante el embarazo o la lactancia?

Entre los efectos secundarios se encuentran:

- Amenorrea (ausencia de periodo menstrual)
- Dismenorrea (menstruaciones dolorosas)
- Afecta la menstruación
- Oligomenorrea (menstruaciones poco frecuentes o de poco flujo)
- Menorragia (menstruaciones excesivas o muy prolongadas)

¿Puede causar alguna de estas?

- Impotencia
- Disfunción eréctil
- Ginecomastia (agrandamiento de los pechos en el varón)
- Reduce el impuso sexual

¿Puede afectar la tiroides? ¿De qué forma?

¿Cuánto tiempo toma el cuerpo en eliminar el medicamento?

¿Produce galactorrea (secreción láctea en mujeres que no dan el pecho)?

En caso de que el farmacéutico no pueda ayudarle, existen otros recursos en el Internet que pueden ofrecerle información adicional sobre el efecto de los medicamentos. Muchas de las cadenas de farmacias nacionales tienen servicios en línea donde usted puede revisar tablas de comparaciones con información actualizada sobre ciertos medicamentos.

No dejen que les intimide la letra pequeña. Concéntrese en los efectos adversos en el sistema reproductivo o urogenital. Hay veces que la información habla sobre los efectos en el ciclo menstrual. En ocasiones habla sobre amenorrea, oligomenorrea u otros cambios al ciclo menstrual. Al buscar información en Internet, use el nombre del medicamento y luego busque por los detalles sobre el uso del mismo.

Sin embargo, no es posible proveer informacion de todos los medicamentos que pueden afectar las señales de fertilidad. Algunos efectos son probables y otros es necesario inferirlos de la información ofrecida. (Por ejemplo, si un medicamento produce sequedad en la boca, es posible que la mucosidad también se afecte. En este caso sería aconsejable observar cuidadosa y consistentemente la señal de la mucosidad).

Es también importante que anoten cuando comienzan, terminan o cambian de medicamentos. Esto les será de ayuda al momento de evaluar si algún medicamento en particular puede o no, estar afectando sus señales de fertilidad. Cuando está alerta a posibles efectos adversos, tenga presente que es posible que el uso a corto plazo de un medicamento no tenga mayores efectos, en comparación con un uso prolongado del mismo. Eso posible que, una vez el cuerpo se adapta a la nueva medicina, usted pueda encontrar útiles sus observaciones, aun cuando se encuentren un tanto alteradas. En algunos casos, tal vez sea posible recalibrar (o modificar) su interpretación de acuerdo con los nuevos patrones de mucosidad (bajo la influencia del medicamento). Pero en la mayoría de los casos, si mantiene sus observaciones detalladamente (mucosidad, temperatura y cuello del útero), es posible practicar la PNF de manera exitosa.

Las tablas que siguen muestran como las señales de la fertilidad de la mujer pueden verse afectadas. Algunos de los medicamentos que afectan la fertilidad masculina se han incluido en estas tablas.

Los siguientes términos forman parte de la tabla:

Amenorrea: ausencia de periodo menstrual

Dismenorrea: menstruaciones dolorosas

Galactorrea: presencia de leche materna en mujeres no lactantes

Ginecomastia: recrecimiento de los pechos en un varón

Menorragia: menstruaciones excesivas o muy prolongadas

Menometrorragia: sangrado irregular o excesivo

Metrorragia: sangrado vaginal que no está asociado con la menstruación

Oligomenorrea: menstruaciones poco frecuentes o de poco flujo

Oligoespermia: una eyaculación de <20 millones de espermas/ml

Vulvovaginitis, Vaginitis: irritación e inflamación del área vaginal

Nombres genéricos comunes están en letras minúsculas seguidos por la (Marca) en paréntesis y en **negritas**.

Clasificación	Nombre genérico	Efectos
Aliviar Acné		
Retinoides (Derivados de la vitamina A)	isotretinoina	Tiene potencial de secar la mucosidad cervical, defectos de nacimiento, irregularidades en el ciclo
Antibióticos	doxiciclina, ampicilina, tetraciclina, minociclina	No se han documentado efectos en las señales de fertilidad
Antiansiedad		
Benzodiazepinas	diazepam, lorazepam, clonazepam	No se han documentado efectos en las señales de fertilidad
Otros (excepto benzodiazepinas)	buspironas	No se han documentado efectos en las señales de fertilidad
Antibióticos		
Grupos principales	tetraciclina, cefalosporinas, penicilinas, macrólidos, quinolonas, sulfonamidas, antibacteriales	No se han documentado efectos en las señales de fertilidad
Anticonvulsantes		
	topimarato	<3% de eventos de: dismenorrea, amenorrea, menorragia y dolor en los pechos
	gabapentina, carbamazepina	Puede secar la mucosidad
	valproato/divalproex sodium	Evite uso durante embarazo, afecta el desarrollo del sistema nervioso, 1–5% de eventos de: dismenorrea, amenorrea
	lamotrigina	Puede secar la mucosidad, (2–7%), dismenorrea, vaginitis, amenorrea
Inhibidores Selectivos de la Reabsorción de Serotonina (SSRI)	sertralina, fluoxetina, paroxetina, escitaloprama, citaloprama	1–7% de eventos de: evita/retrasa ovulación, amenorrea, sangrado sin ovulación, dismenorrea, dolor en los pechos, recrecimiento de los pechos, puede causar síndrome premenstrual (PMS), puede secar o reducir la mucosidad cervical *En el varón:* reduce el libido (2–6%), desórdenes en la eyaculación (3–13%), anorgasmia (2%) impotencia (3%)

Clasificación	Nombre genérico	Efectos
Anticonvulsantes (*continuación*)		
Inhibidores de la reabsorción de serotonina y norepinefrina (SNRI)	venlafaxina, atomoxetina	1–7% de eventos de: evita/retrasa ovulación, amenorrea, sangrado sin ovulación, dismenorrea, dolor en los pechos, recrecimiento de los pechos, puede causar síndrome premenstrual (PMS), puede secar o reducir la mucosidad cervical *En el varón:* reduce el libido (2–6%), desórdenes en la eyaculación (5%), impotencia (3%)
Antidepresivos		
Antidepresivos tricíclicos (TCA)	amitriptilina, imipramina, nortriptilina	1–7% de eventos de: evita/retrasa ovulación, amenorrea, sangrado sin ovulación, dismenorrea, dolor en los pechos, recrecimiento de los pechos, puede causar síndrome premenstrual (PMS), puede secar o reducir la mucosidad cervical *En el varón:* 1–10% disfunción sexual, impotencia, reduce orgasmo
	doxepin	En la mujer: igual a los TCA (arriba mencionados) En el varón: ginecomastia, cambios en libido (+/−)
	clomipramina	Galactorrea (50%) En el varón: cambios en libido (+/−) (21%), incapacidad para eyacular (42%), impotencia (20%)
Agentes antidiarrea/antiespasmódicos		
	loperamida, atropina/ difenoxilato, diciclomina	Puede causar sequedad o reducción en la mucosidad cervical

Clasificación	Nombre genérico	Efectos
Agentes antiestrógeno		
Tratamiento contra endometriosis	Leuprolida, hormonas que segregan gonadotropinas, danocrina	Calores (6%), sequedad vaginal, irritación (4%), sudores (3%), reducción de estrógeno; crea la falsa impresión de estar en menopausia debido a la falta de señales de fertilidad que se puedan identificar
Agentes antihongos		
	Ketoconazol	Puede causar ginecomastia, impotencia y oligoespermia
Antihistaminas		
Antihistaminas comunes	difehidramina, clorofeniramina, prometazina, hidroxina, fexofenadina, clemastina	Puede secar o reducir las señales de mucosidad
Antihistaminas Antiserononinas	ciproheptadina	Puede secar la mucosidad cervical, puede causar amenorrea o cambios en el ciclo debido a la posible producción de prolactina
Agentes Antiinflamatorios		
Sin esteroides (NSAIDS)	Ibuprofeno, naproxen, indometacina, diclofenaco, ketoprofen, etodolac, piroxicam	Puede causar episodios de sangrado debido a su efecto en las plaquetas
Sin esteroides con inhibidores de COX-2	Celecoxib	0.1–1.9% eventos de: dolor en los pechos, dismenorrea, vaginitis *En el varón:* afecta funcionamiento de la próstata
Corticoresteroides	prednisona, metil prednisona, betametasona, dexametasona, triamcinoclon, y otras variedades	Seca la mucosidad y produce aumento en temperatura que no está asociado a la ovulación; considere las señales alteradas hasta 4 días después de dejar el tratamiento
Antináuseas/Antivértigo		
	Prometacina, Procloroperacina, meclicina, difenhidramina, escopolamina	Puede secar la mucosidad cervical

Clasificación	Nombre genérico	Efectos
Antipsicóticos		
Típicos	haloperidol, thiothixene, clorpromazina, flufenazina, perfenazina	Galactorrea (50%)
Bloqueadores de dopamina y 5-hidroxitriptamina	paliperidona, olanzapina	Pueden secar la mucosidad cervical, reducir o eliminar la ovulación (<0.1%) ginecomastia (1%)
	risperidona	Galactorrea (50%), sequedad vaginal (1%)
Bloqueadores parciales de dopamina	aripripazol	Puede secar mucosidad cervical, raras veces puede causar: amenorrea, irregularidad en el ciclo, menorragia
Bloqueadores de 5HT y Antipsicóticos	ziprasidona	Puede secar la mucosidad cervical, afectar la tiroides (raras veces), galactorrea (raras veces)
Histaminas bloqueadores de 5HT2, 5HT3 Antipsicóticos	mirtazapina	Puede secar la mucosidad cervical, reduce la función de la tiroides (raras veces), <1% puede ocurrir: amenorrea, dismenorrea
serotonina, dopamina, bloqueadores de histamina antipsicóticos	quetiapine	Pueden secar la mucosidad cervical, galactorrea (leve posibilidad)
Antipsicóticos básicos	litio	Puede afectar la tiroides, asociado con defectos en el nacimiento
Agentes antivirales		
	aciclovir	No se han documentado efectos en las señales de fertilidad
	valaciclovir, famciclovir	Dismenorrea: ≤1% en tratamientos de herpes genital agudo, 4–8% in tratamiento de supresión de herpes genital crónico
	amantadina	Puede secar la mucosidad cervical
Reguladores de presión sanguínea		
Bloqueadores beta	propanolol, bisoprolol	No se han documentado efectos en las señales de fertilidad
	atenolol	Puede aumentar los niveles de prolactina, puede retrasar la ovulación o causar amenorrea

Clasificación	Nombre genérico	Efectos
Reguladores de presión sanguínea (*continuación*)		
Inhibidores de la ACE	lisinopril, benacepril	Puede secar la mucosidad cervical, evite el embarazo, impotencia (1%)
Inhibidores de la ARB	valsartan, losartan	Pueden secar la mucosidad cervical, evite el embarazo, impotencia (1%)
Inhibidores de Renina	aliskiren	Puede secar la mucosidad, evite durante el embarazo
Bloquedores de los canales de calcio	amlodipina	No se han documentado efectos en las señales de fertilidad
	verapamil	Puede aumentar los niveles de prolactina, puede retrasar la ovulación o causar amenorrea
Tratamiento contra el cáncer		
	tamoxifen, exemestano, anastozol	Síntomas frecuentes: calores, cambios en la menstruación, amenorrea, oligomenorrea, dolor en los pechos, cambios en la señal de la mucosidad
Agentes para reducir el colesterol		
	gemfibrozil, fenofibrato, "Estatinas": atorvastina, pravastatina, rosuvastatina	No se han documentado efectos en las señales de fertilidad
Diuréticos		
	bumetanida, furosemida, hidroclorotiazida	Puede secar la mucosidad cervical
	espironolactona, espironolactona e hidroclorotiazida	La espironolactona interfiere con la producción de progesterona, aumenta los niveles de estrógeno, puede causar amenorrea *En el varón:* ginecomastia, inhabilidad para lograr/ mantener la erección
Expectorantes		
	guaifenesina	Reduce el espesor de la mucosidad, puede ayudar a facilitar la migración de los espermas
Agentes gastrointestinales		
Antagonistas del receptor H_2	cimentidina, famotidina	Galactorrea y retraso en la ovulación debido a la posible producción de prolactina, ginecomastia

Clasificación	Nombre genérico	Efectos
Agentes gastrointestinales (*continuación*)		
	ranitidina	No se han documentado efectos en las señales de fertilidad
Inhibidores de la bomba de protones	omeprazol, lasoprazol, esomeprazol, pantoprazol, rabeprazol	No se han documentado efectos en las señales de fertilidad *En el varón:* impotencia (<1%)
Estimulantes gastrointestinales	metroclopramida	Puede producir galactorrea 50% debido a la producción de prolactina, también amenorrea, ginecomastia, impotencia
Agentes contra insomnio		
Benzodiazepinas	temazepam	
No benzodiazepinas, hipnóticos	zolpidem, zaleplon, eszopiclon	Puede secar la mucosidad cervical, dismenorrea (3%), amenorrea, dolor en los pechos <0.1%
Agentes para la migraña		
	almotriptan, sumatriptan, rizatriptan, eletriptan, zolmatriptan	Puede secar la mucosidad cervical
Estimulantes de la ovulación (oral)		
	clomifen	Tiene efecto antiestrogénico, puede secar la mucosidad cervical, sudores y calores
Agentes contra el dolor		
	tramadol, hidrocodona, oxycodona, codeina, parche de fentanyl	Puede secar la mucosidad cervical
Progesterona		
	progesterona	Dolor en los pechos, aumento artificial en la temperatura, seca la mucosidad, puede afectar la señal del cuello del útero
Agentes contra hipotiroidismo		
	Levotiroxina, L-tiroxina, thyroid USP	Puede mejorar las señales de fertilidad en casos de hipotiroidismo
Agentes contra somnolencia excesiva		
	modafinil, dextroamfetaimina, metilfenidatos	No se han documentado efectos en las señales de fertilidad

Efectividad del Método

Ver Guía de referencia, *Eficacia*, página 227, y la Guía del Estudiante, Clase 3, Lección 7, *Eficacia de la PNF*, página 149.

Aborto involuntario

Experimentar un aborto involuntario o prematuro, puede ser muy difícil para una familia. Aún cuando algunas mujeres nunca han tenido esta experiencia, hay otras que han tenido uno o dos abortos involuntarios, o tal vez gran dificultad para mantener su embarazo. Un aborto involuntario ocurre cuando un bebé que está en desarrollo muere dentro del útero. Algunos médicos estiman que aproximadamente de un 10% a un 20% de los embarazos clínicamente reconocidos terminan en un aborto involuntario.[6]

Causas del aborto involuntario

Hay algunos factores que pueden propiciar el que una mujer pueda sufrir un aborto involuntario. Una de ellas es su **genética**, es decir, que el material genético o los cromosomas estaban defectuosos de alguna manera. Las anomalías en los cromosomas pueden ser la causa de un 50% hasta un 80% de los abortos involuntarios, esto también depende de la edad de la madre y la edad gestacional en el momento en que ocurre.[7] Esto quiere decir que algo estaba mal, ya desde muy temprano en el embarazo. Otra causa que puede llevar a un aborto involuntario es la **deficiencia hormonal de la madre.** Posibles trastornos hormonales como son: el síndrome de ovario poliquístico, defectos de la fase lútea, o anormalidades metabólicas como una diabetes de tipo 1, sin controlar, pueden contribuir a los abortos involuntarios.[8] Algunas **enfermedades infecciosas virales** que puedan contraerse durante el embarazo, han sido relacionadas con los abortos involuntarios, así como también las **anomalías anatómicas en el útero.** Estas anomalías pueden limitar o impedir que el cuello del útero permanezca cerrado y apretado durante el embarazo (esto se le conoce como **cuello de útero incompetente**) que también puede contribuir a un aborto involuntario durante el segundo trimestre. Por último un **trastorno en el sistema inmunológico** — Cuando el sistema inmunológico de una madre genera anticuerpos contra el nuevo bebé — puede causar un aborto involuntario. El ejercicio, levantar cosas muy pesadas o correr, no son consideradas normalmente causas de aborto involuntario, sin embargo si una mujer esta considerando cambiar su rutina de ejercicio después de que el embarazo ya ha comenzado, debería consultar a su médico.

---

[6] [Colegio americano de obstetras y ginecólogos, *Causa recurrentes de la pérdida de embarazos*] American College of Obstetricians and Gynecologists, *Causes of Recurrent Pregnancy Loss*, 2001.

[7] Hogge, W. Allen MD et al, Publicación *American Journal of Obstetrics & Gynecology*. 189(2), agosto 2003, 397–400.

[8] [Colegio americano de obstetras y ginecólogos, *Causa recurrentes de la pérdida de embarazos*] American College of Obstetricians and Gynecologists, 2001, *Causes of Recurrent Pregnancy Loss*.

Tratamiento del aborto involuntario[9]

Los abortos involuntarios tienden a iniciar con un sangrado y calambres. Aunque no necesariamente todo el sangrado o calambres terminan en un aborto involuntario. El sangrar puede ser atribuido a un sangrado de implantación, y los calambres pueden ser en muchas ocasiones provocados por los normales "dolores de crecimiento" del nuevo embarazo.

Las mujeres embarazadas que tiene manchado o sangrado con calambres moderados deberían notificar a sus doctores. Los calambres no muy fuertes son normales en el embarazo.

¿Necesita un "D & C" (dilatación y curetaje) después de un aborto involuntario? Este es un procedimiento ambulatorio que se hace en un hospital, mediante el cual se elimina cualquier tejido que pueda quedar como parte del embarazo. Si se experimenta un aborto involuntario durante las primeras 10 semanas de gestación tal vez no se necesite este procedimiento. Es posible que su cuerpo pueda expulsar este tejido por sí mismo sin la ayuda del médico. Avise a su médico si tiene fiebre, mucho sangrado o si pasa coágulos del tamaño de la palma de su mano. Si no ha abortado espontáneamente después de una semana o dos, es probable que necesite la dilatación y el curetaje. Una vez que pasa la semana 12 de gestación ya no es posible hacer la dilatación. En ese caso, tendrá que ser inducida y tener al bebé como en un parto.

Regreso de la fertilidad después de un aborto involuntario

Durante o después de un aborto involuntario, usted debe abstenerse de tener relaciones matrimoniales y del uso de tampones hasta que su menstruación se vuelva a regular. Esto sucede normalmente de cuatro a seis semanas después de que el aborto haya finalizado. Para saber si su fertilidad ha regresado la mujer debe leer y trazar sus señales de fertilidad, tomando su temperatura basal corporal todos los días y realizando sus observaciones de la mucosidad, tanto de sensaciones como características. En algunos casos, la temperatura permanecerá alta por un tiempo durante e inmediatamente después del aborto (como estaba durante el embarazo), pero después debería volver a los niveles habituales de antes de la ovulación. Se recomienda esperar dos o tres ciclos antes de intentar embarazarse nuevamente. Si tiene dos o más abortos involuntarios consecutivos, le recomendamos que busque ayuda competente de un médico experto que evalúe sus hormonas, fisiología y su anatomía. Es posible que haya que recurrir a un suplemento de progesterona que le ayude a sostener su próximos embarazos.[10]

---

[9] Esta sección fue tomada del folleto [Información sobre Aborto involuntario – Preguntas frecuentes] "Miscarriage Information/Frequently Asked Questions" publicado por el Centro Tepeyac para la Familia LLC, Fairfax, VA, EE.UU. Una organización dedicada al cuidado gineco-obstétrico en favor de la vida y en favor de la mujer.

[10] http://www.naprotechnology.com/progesterone.htm

Mucosidad

Sensaciones de la mucosidad

La descripción de la mucosidad no estaría completa si no se enfatizara la importancia de las sensaciones al momento de decidir si hay o no mucosidades en ese día en particular. En esta sección enseñaremos fotos de la mucosidad, sin embargo las **sensaciones** que la mucosidad produce son *igualmente* importantes, especialmente si la mujer no logra ver ninguna mucosidad. Por lo tanto no se olvide de estar conciente de sus sensaciones en la abertura vaginal o en la vulva durante el día, mientras realiza sus actividades cotidianas y también al limpiarse en sus visitas al baño.

Las sensaciones principales de la mucosidad se presentan, a continuación, para recordarles que estas ocurren al mismo tiempo que vemos cambios en las características de la mucosidad.

SECA — No hay sensación de humedad durante las actividades cotidianas, ni sensaciones resbalosas al limpiarse; la sequedad notable, puede sentirse áspera o que el papel causa fricción al limpiarse. Es una indicación de que NO HAY MUCOSIDAD.

HÚMEDA — La sensación de humedad en la abertura vaginal o en la vulva al realizar las actividades cotidianas. Una sensación del tipo MÁS FERTIL.

RESBALOSA — una sensación resbalosa al limpiarse, el papel se desliza o se resbala en la abertura vaginal. Una sensación del tipo MÁS FERTIL.

OTRAS SENSACIONES — Puede que algunas mujeres describan sus sensaciones de manera distinta según se encuentren en diferentes momentos del ciclo. Esto tiende a ocurrir al comienzo de la Fase II y cuando el mucosidad cambia de manera dramática después del Día Cúspide. Si es necesario consulte con un instructor de la LPP para ayudarle a determinar que letra se usa para cada tipo de sensación que usted nota durante estos días, en el caso que esto le ocurra.

Características de la mucosidad

NADA — No se observa mucosidad.

PEGAJOSA — Mucosidad es pegajosa, gruesa, pastosa, cremosa, grumosa, y/o se rompe cuando se estira repetidamente.

ELÁSTICA — Mucosidad es elástica, fina, fibrosa, similar a la clara de un huevo crudo, y/o no se rompe cuando se estira repetidamente.

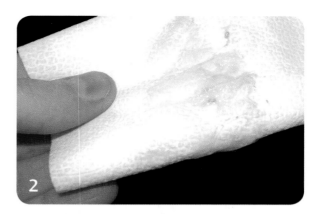

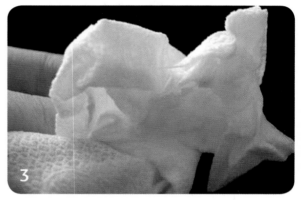

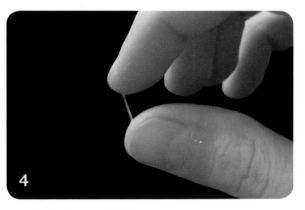

¿Qué pasa cuando no hay mucosidad?

NO MUCOSIDAD [1] — Después de limpiarse no se ve nada en el papel.

¿A qué llamamos mucosidad menos fértil?

MENOS-FÉRTIL [2] — Generalmente, esta mucosidad queda en el papel de baño, y no es absorbida por el papel, como pasa con la orina.

En esta ilustración, la mucosidad está mezclada con un color rosado, que aparece al final del Día 6 del ciclo. Cuando se levanta del papel de baño este no se pega ni se estira si no que regresa nuevamente al papel. Este tipo de mucosidad le llamamos PEGAJOSA.

MENOS-FÉRTIL [3] — Tome en cuenta que el papel higiénico arrugado inhibe ver la mucosidad; es por eso que le recomendamos que doble el papel antes de limpiarse.

MENOS-FÉRTIL [4] — Esta mucosidad se estira muy poco.

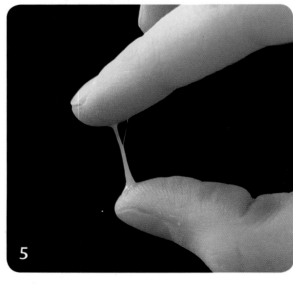

MENOS-FÉRTIL [5] — Note que esta mucosidad tiene una consistencia más gruesa y un color opaco.

MENOS-FÉRTIL [6] — Note que la mucosidad es todavía gruesa y opaca (comparada con la mucosidad mas fértil de las fotos 12 y 13), y al estirarla pierde su elasticidad y se empieza a romper. Esta foto fue tomada justo cuando la mucosidad se estaba rompiendo del dedo de la mujer. La mucosidad pegajosa se estira un

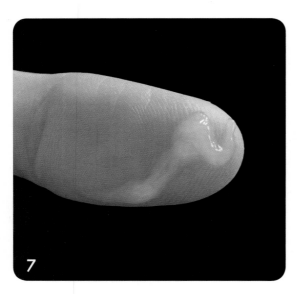

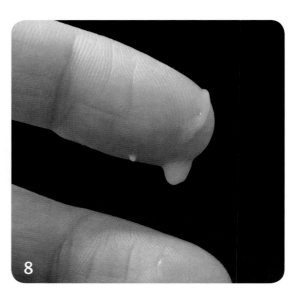

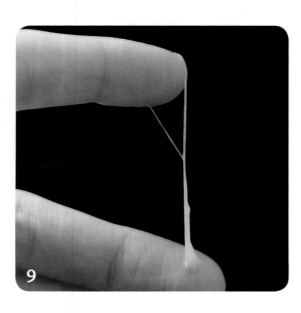

poco, pero no tiene las mismas cualidades elásticas que la mucosidad del tipo más fértil.

MENOS-FÉRTIL [7] — Note que esta mucosidad opaca es más gruesa.

MENOS-FÉRTIL [8] — Esta mucosidad es pegajosa.

MENOS-FÉRTIL [9] — Esta foto fue tomada justo **después** del Día Cúspide y coincide con el cambio de temperatura. Esta mucosidad en particular tiene algo de elasticidad, pero tiene una consistencia gruesa y un color opaco. Tampoco estira repetidamente y esta perdiendo su elasticidad. Como en la foto 6, que fue tomada justo cuando la mucosidad se estaba rompiendo.

MENOS-FÉRTIL [10] — Otro ejemplo de una mucosidad menos fértil después del Día Cúspide.

¿A qué llamamos mucosidad más fértil?

MÁS-FÉRTIL [11] — Mucosidad transparente, como la clara de un huevo crudo.

MÁS-FÉRTIL [12] — Mucosidad elástica y transparente. Tome en cuenta que la mucosidad se vuelve más acuosa (líquida), a medida que se vuelve más fértil. Mucosidad como esta es elástica y se puede estirar repetidamente sin que se rompa.

MÁS-FÉRTIL [13] — Mucosidad elástica con áreas transparentes.

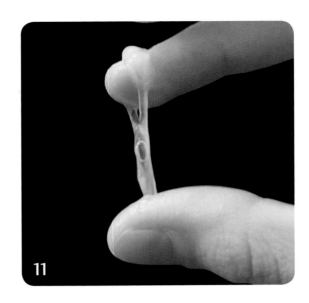

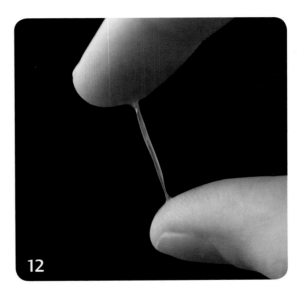

Prueba de agua

Algunas veces otros fluidos no relacionados con la fertilidad como el residuo seminal o flujo debido a la excitación sexual, pueden confundirse con la mucosidad cervical. Si le preocupa no estar segura si lo que está observando es realmente mucosidad cervical, hay una prueba que puede ayudarle. Tome un poco de la "supuesta mucosidad" en su dedo, eche un poco de agua sobre sus dedos y deje que la "mucosidad" caiga dentro de un vaso transparente de agua. Observe lo que pasa. *La verdadera mucosidad cervical mantiene su estructura en el agua*, y si toma una muestra se puede ver las líneas o redes, por lo que puede asumir que es verdadera mucosidad cervical. Otros residuos vaginales y seminales, se disipan volviendo el agua turbia. *Si la muestra se disuelve, no es mucosidad cervical.*

Mucosidad escasa

El tema de la mucosidad escasa o de poca calidad fue discutido brevemente durante la Clase 3. La mucosidad escasa se caracteriza por la falta de definición, tanto en la calidad como cantidad que se observa. Sin embargo, las mujeres jóvenes y saludables, tienden a tener una buena señal de mucosidad. En muchos casos la mucosidad escasa puede mejorarse con un cambio de dieta alimenticia y/o suplementos. En algunos casos, realizar un chequeo de la mucosidad interna puede ayudar también.

Observación interna de la mucosidad

La gran mayoría de las mujeres (97%)[11] pueden detectar la mucosidad sintiéndola (sensaciones) u observando fuera en la vulva (características). Sin embargo hacer la observación de la mucosidad en al hoz cervical (abertura del cuello del útero) puede ser de mucha ayuda para esas pocas *mujeres que no tienen al menos cinco días de sensaciones de mucosidad y/o de alguna mucosidad presente en la vulva, desde que aparece la primera mucosidad hasta el Día Cúspide.*

Para hacer esta observación, use una de las técnicas ya discutidas para palpar el cuello del útero, e inserte el dedo índice y el medio dentro de la vagina hasta que toque la punta del cuello del útero. Abra los dedos y póngalos uno en cada lado del cuello uterino. Delicadamente mueva los dedos hacia la punta del cuello uterino, hasta que estén juntos, y luego retire los dedos sin separarlos. Separe los dedos y observe cuáles son las características visibles en la mucosidad. Lávese las manos con agua y jabón. Asegúrese que sus uñas estén cortas. Tenga los mismos cuidados cuando haga la observación del cuello del útero.

---

[11] Organizacion Mundial de la Salud, [Estudio prospectivo sobre el método de ovulación, conducido en varios centros.] "A prospective multi-center trial of the ovulation method of natural family planning," Revista *Fertility and Sterility* 1987; 47(5):765–772

Tome en cuenta que el ambiente, dentro de la vagina, siempre se va a sentir mojado o húmedo (igual que el interior de la boca, que siempre esta húmeda). *Este examen de la mucosidad interna debe hacerse únicamente para determinar el inicio de la Fase II, y **no** debe ser usarse para determinar el Día Cúspide. El Día Cúspide debe determinarse mediante las observaciones externas de la **vulva** (las partes externas de la vagina).* Esto responde a que los estudios sobre la señal de la mucosidad como indicador de fertilidad, se han hecho observando la mucosidad en la vulva, por medio de su sensación y/o características físicas. No sabemos de estudios que hayan correlacionando la calidad de la mucosidad encontrada en la hoz cervical, y las fases del ciclo o del Día Cúspide.

Médicos que apoyan la PNF

Existen algúnos médicos que no recetan ni recomiendan el uso de anticonceptivos, la esterilización ni el aborto. Algunos tampoco refieren a otro médico para que les ofrezca estos servicios. Por el contrario, estos médicos que apoyan la Planificación Natural de la Familia se valen de tratamientos que ayuden a la mujer con estas circunstancias, en lugar de ocultar o complicarlas dándoles hormonas con propósitos anticonceptivos. Estos médicos son muy difíciles de encontrar.

También hay otros médicos que apoyan la PNF, pero también prescriben hormonas como solución a la necesidad de espaciar los nacimientos. A menudo, estos médicos pueden leer un folleto de Planificación Natural de la Familia y dar un buen consejo a sus pacientes. Si usted no puede encontrar un médico que apoye su uso de PNF, en su área, le animamos a que busque uno que le apoye o al menos respete su decisión. Hay muchas maneras en que podemos ayudar que estos médicos cambien sus prácticas de prescribir o de recomendar anticonceptivos, la esterilización o el aborto. Mediante la oración y el animarlos de manera sutil, es posible que eventualmente consideren la idea de convertirse.

Si a usted le interesa que su médico o cualquier médico en su área aprenda lo que significa tener un consultorio que apoye la Planificación Natural Familiar, invítelo a su clase. Los médicos podrán aconsejar mejor a la mujer una vez que han asistido a una clase de LPP ya que estarán más familiarizados con el método.

Norma Poshormonal — inyectables

Vea Guía de referencia, *Anticonceptivos hormonales* páginas 234–237, y *Resumen de las Normas*, página 262.

Guía para Serie de mucosidades que aparece y desaparece (posparto y premenopausia)

Vea Guía de referencia, *Posparto, regreso de la fertilidad*, pág. 255, y *Premenopausia, conciencia de la fertilidad*, páginas 258–260.

Guías y Normas de Fase I

Vea Guía de referencia, *Resumen de las Normas*, página 262–267, y Guía del Estudiante, Clase 2, Lección 4, *La Transición de la Fase I a la Fase II*, página 77.

Posparto, regreso de la fertilidad

A continuación se presenta un resumen sobre el regreso de la fertilidad durante el período de posparto (después del nacimiento de un bebé). Este resumen no reemplaza la Clase Suplementaria de Posparto que ofrece la LPP; más bien esta sección provee unas guías básicas para mujeres que han dado a luz recientemente, pero que aún no han asistido a la Clase de Posparto.

Después del nacimiento de un hijo, la mujer es inicialmente infértil y no puede ovular. Una vez regresan sus ciclos, generalmente, hay un largo período de tiempo entre sus menstruaciones con un retorno gradual a lo que era el largo "normal" de su ciclo antes del embarazo.

Alimentación del bebé y la fertilidad

Aunque hay varios factores que afectan el regreso de la fertilidad, esto depende primordialmente de la forma en que una madre alimenta a su bebé. A continuación se presenta un resumen de lo que se debe esperar.[12]

- *Alimentación con fórmula:* Normalmente ocurre un retorno temprano de la fertilidad (7–9 semanas posparto), con un máximo de 12 semanas posparto.

- *Alimentación mixta:* El retorno de la fertilidad varía dependiendo de cuánto un bebé amamanta y de la fisiología de la mujer.

- *Lactancia exclusiva:* Generalmente es altamente infértil durante los primeros seis (6) meses del posparto.

- *Lactancia continua:* El período de infertilidad se puede prolongar más de un año.

---

[12] Véase página 154 de la *Guía del Estudiante* para las definiciones de alimentación del bebé: fórmula, mixta, exclusiva y continua.

Señales de fertilidad en el posparto

Mucosidad cervical

Si usted no tiene mucosidad, entonces debe considerar que se encuentra en la Fase I de infertilidad.

(Nota: Generalmente sólo las mujeres que no tienen al menos cinco (5) días de sensaciones de la mucosidad y/o características en la vulva, del inicio de la serie de mucosidades hasta el Día Cúspide, consideran usar la observación interna de la mucosidad. Aún si éste fuera el caso, no se debe observar la *mucosidad interna*[13] hasta ocho semanas posparto o hasta que el médico lo autorice).

Señal de la temperatura

La señal de la temperatura tiene mayor importancia justo antes e inmediatamente después de la ovulación. Muchas veces la ovulación puede retrasarse durante el período posparto. Esto dependerá del tipo de lactancia que se practique. Inicialmente es más importante estar atentos a la aparición de la mucosidad, que pudiera ser una señal de fertilidad.

Cuello del útero

El cuello del útero necesita sanar y no se debe examinar hasta pasadas al menos **ocho semanas después del parto** o hasta que **el médico lo autorice**.

Guía para Serie de mucosidades que aparece y desaparece

Durante el período de posparto habrá una serie de mucosidades seguida de días sin mucosidad y sin ninguna señal de ovulación; esto es, sin el correspondiente aumento en la temperatura basal del cuerpo. En estos casos la mujer toma el último día de la serie de la mucosidades como el Día Cúspide. Por lo tanto, después de cuatro días de sequedad después del Día Cúspide, se considera en la Fase I de infertilidad. Cuando regresa la mucosidad, asume que ha iniciado nuevamente la Fase II de fertilidad y aplica la Norma para Serie de las mucosidades o la Norma Sintotérmica, según corresponda.

---

[13] Véase páginas 252–253 de la Guía de referencia para una discusión sobre la mucosidad interna.

Guías de la Fase I del posparto

Las guías de la Fase I para mujeres en posparto se diferencian muy poco de las guías para cualquier otra mujer:[14]

- Limitar las relaciones matrimoniales a las noches de los días secos,

- Abstenerse en cualquier día siguiente a las relaciones matrimoniales, a menos que esté seca,

- Asumir que se está en la Fase II de fertilidad tan pronto se tiene sensación o presencia de de la mucosidad.

Conciencia de la fertilidad y las anotaciones

Alimentación con fórmula

- Tan pronto terminen los loquios (secreciones vaginales que aparece después del parto), empiece a observar y anotar su mucosidad. Asumimos que empezó la Fase II de fertilidad cuando regresan las señales de la mucosidad y/o sangrado.

- A las tres semanas del posparto, se comienza a tomar y anotar la temperatura.

- No se debe realizar el examen de cuello del útero antes de las ocho semanas del posparto.

- Siga las Guías de la Fase I de posparto; aplique la Norma Sintotérmica para determinar el inicio de la Fase III.

Lactancia mixta, exclusiva y continua

- Tan pronto terminen los loquios (secreciones vaginales que aparece después del parto), empiece a observar y anotar su mucosidad.

- Cuando regresen las sensaciones de la mucosidad, las características o el sangrado, se asume que es la Fase II de fertilidad y se comienzan a anotar las señales de la mucosidad y temperatura. Aplique la Norma para Serie de las mucosidades, de ser necesario.

- No se debe realizar el examen cervical antes de las ocho semanas del posparto.

- Siga las Guías de la Fase I del posparto; aplique la Norma Sintotérmica para determinar el inicio de la Fase III, cuando corresponda.

Ayudas prácticas para lograr el embarazo

A continuación se ofrecen sugerencias prácticas para lograr un embarazo, basadas en los

---

[14] Véase página 77 de la Guía del Estudiante para una discusión más detallada de las Guías de Fase I.

más de 30 años de experiencia de LPP en el campo de la PNF y pretenden complementar la información que se provee en la Guía del Estudiante, Clase 2, Lección 6, *Usar la PNF para lograr un embarazo*, página 101. *Estas sugerencias no constituyen consejo médico. Consulte con su médico acerca de cualquier medida de auto ayuda que desee intentar para lograr un embarazo.*

Consideraciones de buena salud

1. **Dieta balanceada**. Una dieta balanceada le ayudará a mantener un sistema reproductivo saludable. Trate de minimizar lo más que pueda las comidas con aditivos. El yodo de la sal yodada o de otras fuentes confiables como las tabletas de algas, es muy beneficioso. El yodo es esencial para el funcionamiento apropiado de la glándula tiroidea y las funciones de la glándula tiroidea afectan la fertilidad.

2. **Peso**. Diez o quince libras de exceso de peso usualmente no perjudican la fertilidad, pero un exceso de grasa corporal puede afectar el balance de estrógeno y progesterona en algunas mujeres.

3. **Ejercicio**. El ejercicio puede ser parte de un estilo de vida activo. Sin embargo, sobre ejercitarse puede afectar negativamente la fertilidad de una mujer. Una mujer necesita un cierto porcentaje de grasa corporal para mantener una fertilidad normal. El exceso de ejercicio puede causar ciclos infértiles, aún cuando se tengan menstruaciones regularmente, o puede causar **amenorrea de atletas** — esto es la ausencia de la ovulación y los períodos menstruales.

4. **Fumar**. Se estima que las mujeres que fuman sólo tienen un 72% de la fertilidad de las no fumadoras y tienen 3½ veces más probabilidad de tardarse todo un año para poder concebir.

5. *Fertility, Cycles & Nutrition* por Marilyn Shannon. Este es un excelente libro, que la LPP ha publicado en inglés, en el que se relaciona la nutrición a la fertilidad y la infertilidad. Tiene capítulos sobre irregularidades de los ciclos, problemas relacionados con el embarazo, abortos involuntarios consecutivos, y defectos de nacimiento e infertilidad masculina. También tiene sugerencias para dietas apropiadas, suplementos de vitaminas y minerales, al igual que referencias de otros recursos.

Consejos para los esposos

1. **Dieta balanceada y suplementos de vitaminas y minerales**. Algunos nutricionistas señalan que la **vitamina C, el zinc, las vitaminas B** y otros nutrientes pueden ayudar a mejorar la fertilidad masculina. Tenga en cuenta que puede tomar de tres a seis meses de buena nutrición para mejorar la fertilidad masculina.

2. **Ropa**. A algunos hombres les puede beneficiar utilizar calzoncillos holgados/anchos tipo pantalón corto. Los testículos son un órgano reproductivo externo. La ropa interior muy ajustada fuerza los testículos a estar más cerca del cuerpo, sometiéndolos a una temperatura más alta de lo que toleran los espermas. Por el contrario los calzoncillos estilo pantalón corto pueden ayudar a mantener una temperatura más fresca que promueva una mejor fertilidad masculina. También puede afectar la fertilidad masculina el trabajar en un ambiente muy caluroso.

3. **Fumar y el alcohol**. La nicotina puede dañar la función sexual masculina y el alcohol en gran exceso puede causar infertilidad, incluso irreversible.

4. **Baños calientes**. Se ha comprobado que el uso frecuente de baños calientes disminuye la cantidad de espermatozoides.

Consejos Generales

1. **El mejor momento**. Como mencionamos en la Clase 2, los días de mayor probabilidad de lograr un embarazo fluctúan entre el Día Cúspide y un día después del Día Cúspide. Aunque el Día Cúspide se determina retrospectivamente, considere tener relaciones matrimoniales los días cuando la mucosidad produce sensaciones resbalosas, muy húmedas, o tiene una apariencia elástica. Las señales de temperatura también le pueden ayudar a identificar el mejor momento. El primer día de aumento en la temperatura está estrechamente asociado con la ovulación y, en días de la mucosidad más fértil, la temperatura muchas veces baja justo antes de la ovulación. Los monitores de fertilidad le pueden ayudar a precisar el día de la ovulación.

2. **Maximizar el número de espermatozoides**. Abstenerse por uno o más días antes de los días de mayor fertilidad puede aumentar las probabilidades de lograr un embarazo.

Premenopausia, conciencia de la fertilidad

A continuación se presenta un resumen de lo que una mujer debe observar para estar conciente de la fertilidad durante la transición de sus años fértiles a la infertilidad permanente de la menopausia. Esta sección provee unas guías básicas para mujeres sobre los 35 años que están experimentando cambios en su cuerpo que pueden indicar una disminución en su fertilidad debido a la cercanía de la menopausia.[15]

Durante esta transición, ella puede experimentar irregularidades del ciclo, sangrado, calentones y sudoraciones nocturnas, sequedad vaginal, cambios de humor, ansiedad, depresión, aumento de peso, osteoporosis. Además de problemas del sueño, concentración y memo-

---

[15] Se ha identificado que la menopausia comienza un año después de no tener períodos menstruales.

ria. Los cambios hormonales que ocurren durante este período de tiempo pueden provocar cualquiera de los síntomas mencionados anteriormente.

Premenopausia y embarazo

Aunque una mujer puede quedar embarazada durante la premenopausia, sólo el 50% de las mujeres en sus cuarenta años son fértiles y su fertilidad se reduce hasta cerca de cero con cada año que pasa hasta la edad de 50. La capacidad de concebir durante este período depende de varios factores, incluyendo el número de embarazos previos, la salud general de la mujer y sus buenos hábitos alimenticios.

Premenopausia y fertilidad

La calidad y cantidad de la mucosidad cervical puede variar durante la premenopausia. En algunos casos es la misma que durante los años fértiles. En otras ocasiones puede ser totalmente inexistente por días o semanas y regresar por períodos indefinidos de tiempo. Además, se puede presentar con manchas o sangrado intermenstrual.

Señales de fertilidad en la premenopausia

Mucosidad cervical

Si usted no tiene mucosidad, se debe considerar en la Fase I de infertilidad. Si sus ciclos son iguales a los ciclos durante los días más fértiles, siga las normas de interpretación de la mucosidad como aprendió previamente. Tener sensación y/o presencia de la mucosidad indica el inicio de la Fase II. Identifique el Día Cúspide y aplique la Norma Sintotérmica para determinar el inicio de la Fase III.

Señal de la temperatura

La señal de la temperatura es más significativa durante el momento antes y justo después de la ovulación. La ausencia de cambio térmico es un indicio de que no hay ovulación. Sin embargo, cuando se experimenta una infertilidad extendida de Fase I la señal de temperatura no es tan útil como las señales de la mucosidad y del cuello del útero.

Señal del cuello del útero

La señal del cuello del útero puede ser de mucha ayuda cuando es difícil interpretar las señales de la mucosidad o la temperatura. Un cuello del útero abierto y blando es una señal de posible fertilidad.

Guía para Serie de mucosidades que aparece y desaparece

Durante la premenopausia puede haber una serie de días fértiles seguidos de días infértiles sin ningún signo de ovulación, esto es, sin el correspondiente aumento en la temperatura basal del cuerpo. En estos casos, la mujer considera el último día de la serie de la mucosidades como el Día Cúspide. Por lo tanto, después de cuatro días de sequedad se considera que está en la Fase I de infertilidad. Cuando regresa la mucosidad, asume que está en la Fase II de fertilidad y aplica la Norma para la Serie de las mucosidades o la Norma Sintotérmica, según corresponda.

Guías de la Fase I de premenopausia

A continuación se enumeran las Guías de la Fase I para mujeres premenopáusicas:

- Después de la menstruación, siga las Guías y Normas de la Fase I relacionadas con la infertilidad que se indican en la Clase 2, Lección 4, *La transición de la Fase I a la Fase II*, página 77.

- Abstenerse en cualquier día despues de tener relaciones matrimoniales, a menos que haya sequedad.

- Limitar las relaciones matrimoniales a las noches de los días secos:

    - si hay un período extenso de infertilidad Fase I, continúe aplicando las mismas Guías de Fase I que se mencionan arriba.

    - asumir que se está en la Fase II de fertilidad tan pronto se observan sensaciones o características de la mucosidad.

Guías de la Fase II de premenopausia

- Asuma que se está en la Fase II de fertilidad cuando:

    - detecte sensaciones o características de la mucosidad,

    - ocurra manchado y sangrado sin que le preceda un cambio térmico (un posible sangrado intermenstrual)

    - aparezcan las series de la mucosidades

- Continúe tomando las temperaturas y haciendo otras observaciones de su fertilidad:

    - identifique el Día Cúspide

- De ser posible, aplique la Norma Sintotérmica,

    O

- Regrese a la Fase I de infertilidad de acuerdo con la Norma de la Serie de Mucosidades: La infertilidad de la Fase I comienza la noche del cuarto día de sequedad después del Día Cúspide.

Preguntas para su farmacéutico

Véase Guía de referencia, *Medicamentos y la PNF*, página 238.

Tecnologías reproductivas

La Clase 2 ofrece algunos consejos para ayudar a las parejas a concebir. De entre todas las opciones disponibles, existen algunas tecnologías reproductivas que pueden ayudarles sin violar la dignidad de los esposos o del bebé. Desafortunadamente, también hay muchas tecnologías hoy día que no respetan la dignidad de la persona humana.

¿Cómo saber cuál procedimiento es aceptable y cuál es contrario a la dignidad humana? Como regla general, cualquier procedimiento que no interfiera con la unión de los esposos, la cual culmina con la eyaculación del esposo dentro de la vagina de la esposa, es **aceptable**. Cualquier procedimiento que integre otro "participante" adicional al acto de la concepción, o que sustituya el abrazo matrimonial por un procedimiento de laboratorio, **no es aceptable**.[16]

Es moralmente aceptable aplicar el conocimiento obtenido a través de la PNF (conciencia de fertilidad), los monitores de fertilidad y evaluaciones médicas básicas para programar las relaciones sexuales durante los días de mayor fertilidad (cerca de la ovulación). Se considera moral las pruebas postcoital (luego de concluida la relación matrimonial) que examinan la interacción entre los espermatozoides y la mucosidad en el cuello del útero después de las relaciones matrimoniales, evaluaciones del útero y de las trompas mediante tecnología de ultrasonido o rayos X, o inyecciones que estimulan los ovarios de una mujer. Existen unos procedimientos quirúrgicos y médicos aceptables, como la NaproTECHNOLOGY (NaProTecnología), que no interfieren o reemplazan las relaciones matrimoniales y que tienen tan buenos o mejores resultados que las tecnología inmorales como es el caso de la fertilización *in vitro*. Una muestra de semen se puede obtener de una muestra del flujo seminal en un condón no lubricado y perforado utilizado durante las relaciones matrimoniales normales.

Se debe hacer un pequeño orificio en la punta del condón de manera que una cantidad sustancial de la eyaculación pueda penetrar en la esposa durante el coito. También son aceptables algunos medicamentos que ayudan al hombre a sostener relaciones matrimoniales, siempre y cuando no vayan en contra de la dignidad del esposo. Por lo tanto, hay muchas opciones aceptables para ayudar a las parejas a lidiar con la infertilidad.

---

[16] [Evaluación y tratamiento de la infertilidad, Guías para parejas católicas] Publicado por la Conferencia de Obispos de los EE.UU., USCCB Fact Sheet, "Reproductive Technology (Evaluation & Treatment of Infertility Guidelines for Catholic Couples)," *http://www.usccb.org/prolife/issues/nfp/treatment.htm*.

Algunos de los métodos que se consideran inmorales y violan la dignidad de los esposos o del bebé incluyen la masturbación, inseminación artificial y la maternidad sustituta (vientres de alquiler), en los que se usa el útero de una mujer para reproducir un bebé para otra persona.

Otras tecnologías como fertilización *in vitro* y transferencia intratubárica de cigotos (ZIFT) son también inmorales. La concepción ocurre fuera del cuerpo de la mujer y se seleccionan varios embriones fertilizados (personas humanas) para implantarse en el útero de la mujer, pero se destruye el resto de los embriones.

LPP tiene disponible un folleto de fácil lectura que se titula *El Cuerpo humano: un signo de dignidad y un regalo* por el Rev. Richard M. Hogan, que provee un marco de referencia para evaluar por qué ciertas conductas violan la dignidad y otras son genuinos regalos de amor.

Resumen de las Normas

He aquí un resumen de las reglas que hemos enseñado a través del curso. Para detalles de cada curso, pueden leer la lección o sección aplicable de la Guía de referencia.

Normas y Guías de la Fase I

Fase I Guías

Una vez disminuye la menstruación:

- Las relaciones maritales ocurren solamente en las noches durante la Fase I.
- Abstenerse el día siguiente de cada relación marital en la Fase I hasta que a través de la experiencia detecte positivamente la ausencia de la mucosidad.

Pasos para determinar el final de la Fase I:

1. La presencia de sensaciones y/o características de la mucosidad después del Día 1 del Ciclo indican que es el final de la Fase I y el comienzo de la Fase II. Este principio se llama la Norma del Último día seco. Ésta reemplaza cualquier otra norma — i.e., si existe algún indicativo de que podría haber mucosidad, deben asumirlo como la fertilidad de la Fase II.

2. Durante su primer ciclo (Ciclo 1), asuman que está fértil hasta confirmar el comienzo de la infertilidad de la Fase III.

3. Para los Ciclos del 2 hasta el 6, pueden aplicar la Norma del Ciclo más corto.

4. Cuando tengan seis ciclos de experiencia registrada, pueden aplicar la Norma del Último día seco, la Norma del Ciclo más corto o la Norma de Doering.

Norma del Último día seco

El fin de la Fase I es el último día sin sensaciones o características de la mucosidad.

Norma del Ciclo más corto

Los siguientes principios asumen la ausencia de la mucosidad cervical.

- Si la mujer tiene ciclos de 26 días o más en sus 12 ciclos más recientes puede suponer infertilidad los Días 1 al 6 del ciclo.

- Si la mujer tiene ciclos de menos de 26 días en sus 12 ciclos más recientes puede suponer infertilidad desde el día 1 hasta el día que resulte de la resta de su ciclo más corto menos 20.

- Si la mujer no tiene experiencia previa con su historial de ciclos puede suponer infertilidad durante los Días 1 al 5 hasta que tenga 12 ciclos de experiencia. Si más adelante experimenta ciclos de menos de 26 días, suponga infertilidad desde el primer día del ciclo hasta el resultado de su ciclo más corto menos 20.

- Si la mujer acaba de dejar de usar un anticonceptivo hormonal no inyectable puede suponer infertilidad en los Días 1 al 5 del ciclo, hasta que tenga 12 ciclos de experiencia. Espere tres ciclos menstruales completos antes de usar esta norma. Si experimentan un ciclo subsiguiente menor a 26 días de largo, asumirán como infértil los días del ciclo que preceden e incluyen el ciclo más corto menos 20.

Pasos para aplicar la Norma del Ciclo más corto:

1. Registre los datos del ciclo más corto en su nueva gráfica.

   a. Si ya están usando las gráficas de la LPP, compare el valor del "Ciclo más corto" en el encasillado de Historial de Ciclos de la gráfica anterior con la duración del ciclo registrado en la misma gráfica. Registre el menor de los dos números en el encasillado del Historial de Ciclos en la nueva gráfica.

   b. Si son nuevos estudiantes usando la Norma del Ciclo más Corto, registre la información aplicable en el Historial de Ciclos en la gráfica.

2. Luego de determinar el último día del ciclo en el cual pueden suponer infertilidad de la Fase I usando la Norma del Ciclo más Corto, circulen el día debajo de la gráfica.

3. Si observan mucosidad antes de ese día, no pueden usar esta regla.

Norma de Doering

Esta norma asume la ausencia de la mucosidad y requiere de seis ciclos registrados de su historial de temperaturas.

Reste 7 al primer día de temperatura elevada de sus 12 ciclos más recientes (nuevos usuarios, 6–12 ciclos). Marque ese día como el último día de infertilidad de la Fase I.

Pasos para aplicar la Norma de Doering:

1. Deben tener al menos seis ciclos menstruales registrados.

2. Determinen el primer día más temprano del ciclo que las temperaturas comenzaron a subir alrededor del momento de la ovulación. Registre la información en cada gráfica donde dice "Día más temprano de subida en temperatura".

3. Al final de cada ciclo, asegúrense de actualizar esta información en su siguiente gráfica según sea necesario, para que se mantenga al día.

4. Resten 7 al primer día más temprano en que las temperaturas comenzaron a subir (cambio térmico). Marque el día del ciclo como el último día que pueden suponer la infertilidad de la Fase I. (Por ejemplo: Si el primer días más temprano de aumento de temperatura es del Día 14 del ciclo, reste 7: el Día 7 del ciclo será el último día de la infertilidad de la Fase I.)

5. Si observan mucosidad antes de ese día, no pueden usar esta norma.

Normas de la Fase III _____

Norma Sintotérmica

La Fase III comienza la noche del:

1. Tercer día de secado después del Día Cúspide combinado con

2. Tres temperaturas normales poscúspide en un patrón ascendente sobre el NBT

Y donde la tercera temperatura se encuentra en o sobre el NAT

O el cuello del útero está cerrado y firme por tres días.

Si estas condiciones no se cumplen, la Fase III comenzará el siguiente día de temperatura elevada poscúspide, sobre el NBT.

Pasos para aplicar la Norma Sintotérmica

1. Identifique el Día Cúspide y enumere los tres días de secado de izquierda a derecha.

2. Identifique tres temperaturas que se encuentren sobre las seis temperaturas anteriores. (Recuerde, tres temperaturas en un patrón ascendente cercanas al Día Cúspide).

3. Enumere las seis temperaturas precambio de derecha a izquierda.

4. Trace el Nivel Bajo de Temperatura (NBT) en la más alta de las seis temperaturas precambio.

5. Trace el Nivel Alto de Temperatura (NAT) a 0.4° F / 0.2° C sobre el NBT.

6. Busque la tercera temperatura normal poscúspide (es decir, tercera temperatura normal que ocurre después del Día Cúspide). Si esta temperatura se encuentra en o sobre el NAT, la Fase III comienza la noche de ese día.

7. Revise las anotaciones del cuello del útero, si las ha registrado. Si tiene tres días de "cerrado y firme" entonces no es necesario que la tercera temperatura llegue al NAT. La Fase III comenzará la noche de ese día.

8. Si no se cumplen los pasos 6 ó 7, espere un día más de temperaturas normales poscúspide sobre el NBT; la Fase III comenzará la noche de ese día.

9. Una vez aplique la Norma Sintotérmica y determine el comienzo de la Fase III, trace una línea vertical a lo largo de la columna de temperatura que corresponda al primer día de la Fase III.

Aplicando la Norma Sintotérmica cuando hay temperaturas alteradas o sin anotar

En presencia de una o dos temperaturas alteradas o sin anotar, entre las seis precambio, la Fase III comienza la noche del cuarto día de temperatura elevada poscúspide en o sobre el NBT, siempre y cuando mantenga un patrón ascendente. *En el caso de que existan una o dos temperaturas alteradas o sin anotar como parte de las tres temperaturas del cambio térmico*, las seis precambio no podrán establecerse hasta que tenga tres temperaturas elevadas normales poscúspide, en o sobre el NBT, en un patrón ascendente. Aplique la Norma Sintotérmica usando esas temperaturas.

Norma de Mucosidad Solamente

La Fase III comienza en la noche del cuarto día poscúspide de secado o que la mucosidad comienza a espesarse.

Norma de Temperatura Solamente

La Fase III comienza en la noche del cuarto día de temperaturas normales sobre el NBT. Las últimas tres temperaturas deben ser consecutivas y estar en o sobre el NAT.

Normas luego de descontinuar anticonceptivos hormonales _____

Las Normas de la Fase I

Las parejas deben abstenerse de las relaciones matrimoniales durante la Fase I por los primeros 3 ciclos luego de descontinuar el uso de anticonceptivos hormonales.

Del Ciclo 4 en adelante, deben usar la Norma del Ciclo más corto y suponer infertilidad los Días del Ciclo del 1 al 5 hasta que tengan 12 ciclos de experiencia. Si después tienen un ciclo menor de 26 días de largo, suponga infertilidad desde el primer día del ciclo hasta el resultado de su ciclo más corto menos 20.

Del Ciclo 7 en adelante, ya podrán usar cualquier norma para la Fase I (i.e. Norma del Ciclo más corto, Norma de Doering y la Norma del Último día seco).

Norma Poshormonal

Para los tres ciclos luego de descontinuar el uso de algún anticonceptivo hormonal (es decir, píldoras, parche, anillo vaginal, DIU, diafragma), la Fase III comienza en la noche del cuarto día de secado después del Día Cúspide combinado con cuatro temperaturas normales poscúspide sobre el NBT (ninguna de las temperaturas tiene que llegar al NAT).

Norma Poshormonal — inyectables (mucosidad menos fértil)

La Fase I comienza en la noche del cuarto día sin mucosidad después del Día Cúspide, donde el Día Cúspide es el último día de la serie de mucosidad *menos fértil*.

Norma Poshormonal — inyectables (mucosidad más fértil o sangrado)

La Fase I comienza en la noche del cuarto día de proceso de secado después del Día Cúspide, donde el Día Cúspide es el último día de la mucosidad *más fértil* o sangrado. Los días de secado pueden ser mucosidad menos fértil; sin embargo, no debe haber nada de la mucosidad en el cuarto día.

Cuándo utilizar las Normas de la Fase I y la Norma Sintotérmica después de descontinuar el uso de anticonceptivos inyectables.

Cuando ocurra un cambio térmico en conjunto con el Día Cúspide esto indica el regreso de la fertilidad normal, entonces use los siguientes principios:

- Para la primera verdadera menstruación en adelante, las parejas deben usar la Norma del Último día seco para finalizar la Fase I.

- Para el Ciclo 2 en adelante, las parejas pueden usar la Norma del Ciclo más corto y la Norma del Último día seco.

- Para el Ciclo 7 en adelante, las parejas deben usar cualquier norma de la Fase I.

- Para determinar el comienzo de la Fase III, aplique la Norma Sintotérmica.

Guía para Serie de mucosidades que aparece y desaparece (posparto y premenopausia)

La infertilidad de la Fase I comienza la noche del cuarto día de secado después del Día Cúspide.

Turnos de trabajo

¿Cuándo debe tomarse la temperatura una mujer que trabaja turnos por las tardes o noches? Una regla general es: *Tome la temperatura cuando se despierte del mejor descanso prolongado.*

¿Podrían los diferentes turnos de trabajo afectar el patrón de temperaturas? A algunas personas sí y es posible que a otras no. Que se afecte el patrón de temperaturas podría depender de cuan frecuente sean los cambios de una hora de dormir y la otra (por ejemplo, la LPP ha visto gráficas de enfermeras sustitutas que cambian de turnos de trabajo casi todos los días y se toman la temperatura cuando se despiertan de su sueño más largo cada día. Su patrón de temperaturas sigue siendo fácil de interpretar). Si sospechan que su patrón de temperatura se puede afectar por su itinerario, traten de ser *más consistentes y precisos con las observaciones de la mucosidad.*

Para determinar si su itinerario de sueño está teniendo algún efecto en su patrón de temperaturas, preste particular atención sobre lo que pasa con su patrón cuando ocurren cambios en su itinerario durante la Fase III. Recuerden, cualquier diferencia que vean durante la Fase III, no está causada por cambios en hormonas.

También podría ayudar experimentar el mejor momento de tomarse la temperatura. Durante dos o tres ciclos, tomen la temperatura en dos o tres momentos diferentes cada día y registre cada lectura con un color diferente. Los momentos sugeridos son cuando se despierta de su mejor sueño del día; antes de irse a la cama; en otro momento fijo cuando usted no esté muy activo y no esté justamente terminando de comer o tomar líquidos. Al final del ciclo, compare los diferentes patrones con su patrón de la mucosidad y del cuello del útero y vea cual le da un cuadro más preciso.

Norma del Ciclo más corto

Vea el libro de referencia, *Resumen de las Normas*, páginas 262–267, y Guía del Estudiante, Clase 2, Lección 4, *La transición de la Fase I a la Fase II*, página 84.

Gráfica, programa CyclePro

Vea la Guía de referencia, *CyclePRO™*, página 226.

Índice de embarazos sorpresa

Vea la Guía de referencia, *Eficacia*, páginas 227–232.

Norma Sintotérmica

Vea la Guía de referencia, *Resumen de las Normas* páginas 262–267, y Guía del Estudiante, Clase 1, Lección 5, *Interpretación de las señales de fertilidad*, página 52.

Cambio de hora (al viajar)

Viajar a través de las zonas de tiempo durante las Fase I y la Fase III no debería afectar la interpretación de la gráfica porque las temperaturas durante estas fases normalmente no se necesitan. Sin embargo, si está en la Fase II durante ese tiempo, podría afectase su patrón de temperaturas y la posibilidad de interpretar el comienzo del a Fase III. Así como con turnos de trabajo, este es un *tiempo para ser muy preciso con las observaciones de la mucosidad.* Deben tomarse la temperatura en cualquier momento que se despierten de un sueño reparador, y tomar esa hora como su hora "normal" de tomar la temperatura por el tiempo que dure su viaje. Lo importante es tomar la temperatura de su "descanso" antes de levantarse para comenzar el día, similar a aquéllos que tienen diferentes turnos de trabajo. Indiquen los cambios en las zonas del tiempo en la sección de las Notas de su gráfica y vea si esas temperaturas están en conformidad con los niveles de temperaturas antes del viaje. Una vez más, el énfasis se puede poner sobre la señal de la mucosidad o si hay duda añada un día extra a la Norma Sintotérmica para determinar el comienzo de la Fase III, o use la Norma de la Mucosidad Solamente.

Efectividad del usuario

Vea la Guía de referencia, *Eficacia*, página 227, y la Guía del Estudiante, Clase 3, Lección 7, *Eficacia de la PNF*, página 149.

Secreciones vaginales

Existen otros tipos de secreciones vaginales además de las del cuello del útero. Por ejemplo, se puede detectar **flujo debido a la excitación** cuando una mujer está sexualmente estimulada. Es similar a la mucosidad cervical porque produce una sensación resbalosa y/o puede parecer elástica. Sin embargo, cuando se frota con los dedos parece que la piel lo absorbe, o cuando se pone en agua se disipa. (Vea la Guía de referencia, *Prueba de agua*, página 252). Permanece solamente mientras exista la estimulación.

El residuo seminal puede aparecer después de las relaciones maritales, pero luego de unas horas o al siguiente día desaparece. Puede parecerse a la elasticidad de la mucosidad y/o produce una sensación resbalosa, pero al igual que el flujo debido a la excitación, cuando se frota con los dedos, se disipa y parece ser absorbida. Sin embargo, puede causar confusión con la observación de la mucosidad. El residuo seminal debe registrarse en la gráfica como "rs."

Cándida (levadura) es un organismo que normalmente está presente en la vagina y hasta en el recto. Sin embargo, los cambios en el ambiente de la vagina debido a una nutrición impropia, uso frecuente de antibióticos, duchas vaginales, pobre control de la diabetes, o un sistema inmunológico debilitado en la mujer pueden causar la proliferación de este hongo. La secreción que produce es espesa, blanca, como requesón, provoca picazón e irritación en el área de la vulva. Existen tratamientos con o sin prescripción médica para contrarrestarla.

Otras secreciones vaginales pueden ser el resultado de infecciones y/o enfermedades de transmisión sexual y deben ser tratadas por un médico. Si experimentan alguno de los siguientes síntomas, deben contactar a su médico.

- Picor, sensación de quemazón, secreciones abundantes muchas veces mal-olientes o con pus.
- Verrugas, úlceras, manchas rojizas o llagas en el área vaginal.

- Secreciones verde grisáceo y pastosas
- Inflamación en las áreas genitales
- Coito doloroso y/o dolor al orinar
- Sensación frecuente de humedad sin sensación resbalosa aún durante lo que debería ser la infertilidad de la Fase I y/o de la Fase III.[17]

Otras consideraciones. La mayoría de las mujeres pueden aprender a interpretar los signos de la mucosidad sin dificultad. Sin embargo, algunas experimentan secreciones continuas que no tienen que ver con infección ni están relacionadas a la fertilidad. Comúnmente una mujer debería buscar el consejo de un médico; sin embargo, un cambio en el tipo de ropa y/o higiene personal puede ayudar en algunos casos.

Hay casos donde algunas mujeres tienen dificultad para interpretar la mucosidad debido a una secreción continua o inexplicable. Ellas han descubierto que cuando usan ropa interior de algodón en lugar de material sintético, o ropa más holgada en lugar de ajustada, se les hace más fácil identificar las sensaciones y características. Algunas mujeres tienden a utilizar toallas sanitarias cuando tienen cualquier secreción molesta; sin embargo, esto puede producir a veces mayores secreciones. Las toallas sanitarias cubren la entrada de la vagina, producen calor y humedad, lo que crea un ambiente favorable para el crecimiento de bacterias. Si tiene problemas para interpretar los signos de la mucosidad, considere limitar el uso toallas sanitarias a los días en que sea realmente necesario.

En el caso de los tampones que se insertan en la vagina, estos impiden la entrada del aire, lo que contribuye al crecimiento de bacterias y la producción de secreciones. Es posible que algunos productos perfumados, como jabones, lociones, aerosoles, desinfectantes y suavizadores de ropa puedan irritar la abertura de la vagina y/o causar potencialmente secreciones anormales. Recomendamos a las mujeres que experimentan una secreción fuera de lo común, que intenten usar productos libres de fragancias o perfumes y comparen los resultados. Finalmente, una limpieza incorrecta luego de evacuar puede causar secreciones anormales. Las mujeres pueden prevenir que las bacterias intestinales entren a la vagina limpiándose de al frente hacia atrás no de atrás hacia el frente. Luego de orinar deben limpiarse también de al frente hacia atrás.

---

[17] Hilgers, Thomas, M.D. [Práctica médica y quirúrgica de la NaproTecnología] *Medical and Surgical Practice of NaProTECHNOLOGY*, página 300

Glosario G

Abortivo: Una droga o dispositivo usado para causar un aborto.

Aborto: La terminación deliberada de una nueva vida concebida. No debe confundirse con el aborto involuntario o espontáneo.

Abstinencia: La práctica de privarse de satisfacer un apetito o deseo, por ejemplo, el acto sexual.

Alimentación con fórmula: Un bebé alimentado por botella (biberón) y que recibe solamente fórmula (no leche materna).

Alimentación mixta: *Alta*: 80% de la alimentación proviene del pecho; *mediana*: 20–79% de la alimentación proviene del pecho; *baja*: menos del 20% de la lactancia proviene del pecho.

Amenorrea: La ausencia de periodos menstruales.

Anticoncepción: El uso de procedimientos mecánicos, químicos o médicos para prevenir la *concepción* como resultado de la relación sexual.

Anticonceptivo hormonal: Cualquier producto que utiliza hormonas sintéticas para alterar la fertilidad, en un esfuerzo para interrumpir el proceso natural de la concepción (por ejemplo, píldoras, parches, anillos, etc.).

Anticonceptivo hormonal inyectable: Una hormona líquida artificial que se inyecta en el cuerpo de la mujer con una aguja (jeringuilla). Algunos ejemplos incluyen Depo-Provera y Lunelle.

Blastocisto: La primera etapa de una nueva vida inmediatamente después de la concepción, cuando las células comienzan a dividirse y a crecer.

Cambio térmico: Al menos tres temperaturas que se encuentran sobre las seis temperaturas anteriores. Se utilizan para calcular la Norma Sintotérmica y la Norma de Temperatura Solamente.

Características de las mucosidades: La calidad de las mucosidades que la mujer ve y/o toca cuando hace sus observaciones.

Ciclo anovulatorio: Es un ciclo menstrual donde no ocurre la ovulación.

Ciclo más corto, Norma de: Una fórmula para determinar el tiempo infértil al comienzo del ciclo de la mujer basada en el historial del largo de sus ciclos previos. En los últimos 12 ciclos: si su ciclo más corto es de 26 días o más, ella supone infertilidad en los días del ciclo que preceden a su ciclo más corto menos 20. (Para detalles sobre los casos donde falta información sobre el ciclo o al dejar de usar hormonas anticonceptivas, vea páginas 84–85 y 263).

Cinco características del amor divino y matrimonial: 1) Un *don* dado 2) *libremente* y en 3) *fidelidad permanente*, basado en una 4) *conciencia total* y 5) *abierto a la vida (fecundo)*.

Coito: Termino en latín para el acto sexual.

Concepción: La unión de un espermatozoide con un óvulo; el comienzo de una nueva vida humana. También se le llama fertilización.

Condón: Un forro hecho de un material fino, para cubrir el pene como un medio anticonceptivo durante el acto sexual.

Control de la natalidad: La limitación voluntaria o el control del número de hijos concebidos.

Cuello del útero: La parte baja y angosta del útero que se extiende levemente hasta la vagina; la abertura del útero.

Cuerpo lúteo: Una estructura amarilla que segrega progesterona, que se forma del folículo del ovario después que se libera un óvulo maduro. Si el óvulo no se fertiliza, el cuerpo lúteo secreta progesterona por 14 días aproximadamente después de la ovulación.

Día Cúspide: El último día de mucosidad más fértil antes de que comience el proceso de secado. El Día Cúspide sólo puede determinarse en retrospectiva.

Diafragma: Un dispositivo anticonceptivo que consiste de un disco flexible que cubre el cuello del útero.

Dispositivo Intrauterino (DIU): Una pieza de metal o plástico, en forma de anillo o espiral que se inserta en el útero para prevenir la concepción; actúa como un abortivo previniendo la implantación de la nueva vida concebida.

Doering, Norma de: Una fórmula para determinar el tiempo infértil al principio del ciclo. Se calcula restando 7 al primer día de temperatura elevada de sus doce ciclos mas recientes. Ese día se considera como el último día de fertilidad de la Fase I. Asume la ausencia de mucosidades y seis ciclos de experiencia.

Don de sí: La decisión de darse completa y totalmente, en especial al cónyuge, y que es reflejo del amor que Cristo nos mostró en la cruz. La capacidad del hombre y la mujer de unirse en el abrazo matrimonial en una unión que es reflejo del amor divino.

Eficacia del método: La eficacia del método de control natal asume un uso perfecto; esta incluye sólo aquellos embarazos que ocurrieron con el uso correcto y consistente del método.

Eficacia del usuario: La eficacia de un método de control natal basado en la experiencia práctica de los usuarios; se establece calculando todos los embarazos que ocurren durante el estudio, incluyendo todos los meses sin importar si se han seguido las normas correctamente o no.

Embrión: La etapa de la vida humana que comprende desde la implantación hasta la octava semana de desarrollo.

Encíclica: Una carta escrita por el Papa, dirigida a todos los obispos de la Iglesia explicando las enseñanzas de la Iglesia en un asunto importante.

Endometrio: La cubierta interna del útero.

Epidídimo: El órgano sexual masculino, en forma de coma, unido a la parte superior y trasera del los testículos, que ayuda en el almacenamiento y maduración del semen.

Escroto: Saco debajo del pene que contiene los testículos.

Esperma/Espermatozoide: Célula reproductiva del varón, fabricada en los testículos.

Espermicida: Un agente que mata los espermas, frecuentemente se trata de una crema o jalea, usado regularmente como un anticonceptivo.

Esponja vaginal: Una esponja que combina métodos de barrera y espermicidas anticonceptivos, que se inserta en la vagina antes de la relación sexual para prevenir la concepción.

Esterilización: El proceso de provocar esterilidad tanto en el varón como en la mujer.

Estrógeno: Una hormona de la fertilidad que produce cambios físicos en el cuello del útero, que promueve la secreción de mucosidad y el desarrollo del endometrio.

Eyaculación: La expulsión espasmódica de semen a través del pene.

Fase I: El tiempo de infertilidad, que comienza cuando una mujer empieza su sangrado menstrual y termina con la observación de la mucosidad.

Fase II: El tiempo fértil del ciclo. Es durante este tiempo que la mujer ovula y cuando puede ocurrir la concepción.

Fase III: El tiempo infértil después de la ovulación.

Fase lútea: Una etapa en el ciclo menstrual, que dura cerca de dos semanas, desde la ovulación hasta el principio de la siguiente menstruación. Se mide contando desde el primer día de aumento de temperatura hasta el último día del ciclo.

Fecha Estimada de Parto: Vea la Norma Naegele y la Norma Prem.

Fertilidad: La calidad o la condición necesaria para producir hijos.

Fertilización: La unión de un espermatozoide con un óvulo; el comienzo de una nueva vida humana. También llamado concepción.

Fertilización in vitro: Un técnica especializada en la cual un óvulo es fertilizado por el espermatozoide fuera del cuerpo, donde el embrión resultante es implantado más tarde en el útero.

Feto: La etapa de desarrollo de vida humana que empieza ocho semanas después de la implantación y continua hasta el nacimiento.

Fluido seminal: Fluido producido en la vesícula seminale que asiste en la transportación de los espermas y es expulsado a través del pene cuando el hombre experimenta el clímax sexual.

Folículo: Uno de los miles de pequeños sacos en los ovarios que contienen un óvulo inmaduro; en cada ciclo un folículo madura completamente y es liberado durante la ovulación. Al liberarse el óvulo, el folículo se convierte en una estructura llamada cuerpo lúteo.

Glándula pituitaria: Una glándula localizada en la base del cerebro que libera varias hormonas que controlan las funciones de otros órganos.

Glicógeno: Una forma de carbohidrato que se transforma en glucosa cuando el cuerpo lo necesita; es importante para mantener un grosor saludable del endometrio para la implantación.

Guía para Serie de mucosidades que aparece y desaparece (posparto y premenopausia): Una fórmula para determinar las transiciones entre la Fase I y la Fase II durante el periodo posparto al igual que en la premenopausia. La infertilidad de la Fase I comienza en la tarde del cuarto día de sequedad después del Día Cúspide.

Hormona: Una sustancia química producida por una glándula u órgano del cuerpo y que viaja a través de la circulación sanguínea a otras áreas para producir un efecto.

Hormona Estimuladora del folículo (HEF): Una hormona de la fertilidad secretada por la glándula pituitaria para estimular la maduración de los folículos del ovario.

Hormona gonadotropina coriónica humana (GCH): Una hormona producida por la placenta que sostiene al cuerpo lúteo y lo estimula a continuar produciendo progesterona por las primeras 10–12 semanas de embarazo.

Hormona Luteinizante: Una hormona de fertilidad producida por la glándula pituitaria que ayuda a estimular la ovulación en la mujer.

Hoz cervical: La abertura del cuello del útero.

Humanae Vitae (Sobre la vida humana): La carta encíclica de 1968 del Papa Pablo VI, que explica el deber que tienen las parejas casadas de transmitir la vida.

Implantación: El proceso donde el embrión se adhiere a la pared del útero.

Índice de embarazo sorpresa: Término que se usa para medir el número de embarazos no planificados en un grupo de 100 mujeres por un periodo de un año.

Índice Pearl: Es uno de los parámetros usados para evaluar la eficacia de un método anticonceptivo. (Ver la fórmula para Índice Pearl en la página 227 de la *Guía de referencia*).

Infertilidad: La calidad o condición de no poder procrear.

Labios: La parte interna y externa de los labios de la vulva; la parte externa de los órganos sexuales genitales femeninos.

Lactancia continua: Cuando la madre continua lactando más allá de los primeros seis meses, aun cuando se hayan introducido otros alimentos y líquidos en la dieta.

Lactancia exclusiva: El cuidado normal del bebé durante los primeros seis meses de vida, que se caracteriza por lactar cada vez que el bebé desea (día o noche), y en donde con cada comida vacía completamente la leche del pecho.

Libido: Sensación de deseo sexual.

Ligadura de trompas: Un procedimiento quirúrgico de esterilización femenina en el que las trompas de Falopio se ligan/amarran, se cortan o se cauterizan.

Menopausia: El periodo marcado por el cese natural y permanente de la menstruación; se llega a la menopausia oficialmente después de los 12 meses de la ausencia de periodo menstrual.

Menstruación: La descarga periódica de sangre y tejido del útero en mujeres no embarazadas, desde la pubertad hasta la menopausia. Debe haber un cambio térmico sostenido antes de que un sangrado se considere *menstruación*.

Método Sintotérmico: Un método de conciencia de la fertilidad que consiste en observar los cambios en la mucosidad cervical, la temperatura basal y el cuello del útero para determinar los tiempos de fertilidad e infertilidad en el ciclo menstrual de la mujer.

Métodos de mucosidad solamente: Estos son métodos de planificación natural de la familia basados en la lectura y la interpretación de las mucosidades del cuello del útero en el ciclo menstrual de la mujer. Los métodos de mucosidades solamente proveen el respaldo para la Norma de Mucosidades Solamente de la LPP en aquellas situaciones en las cuales una pareja no cuenta con una señal de la temperatura confiable en un ciclo en particular.

Métodos de temperatura solamente: Métodos de planificación natural desarrollados por el Dr. G. K. Doering basados en la interpretación de los cambios en la temperatura basal de la mujer. La Liga de Pareja a Pareja utiliza el trabajo del Dr. Doering para la Norma de Temperatura Solamente.

Monitor de fertilidad: Un dispositivo que mide el nivel de hormonas, tales como el estrógeno o la Hormona Luteinizante (HL), para detectar el tiempo fértil en el ciclo de una mujer.

Mucosidad cervical: Un fluido natural del cuerpo que es necesario para el funcionamiento normal del sistema reproductivo de la mujer y que ayuda en la fertilidad.

Mucosidad del tipo más fértil: Mucosidad que está presente durante el tiempo más fértil previo a la ovulación (Fase II) en el ciclo menstrual de una mujer. Esta se identifica por la sensación: *húmeda* y/o *resbalosa*, y/o las características: *elástica*, con *tiras* y/o parecida a la *clara de huevo crudo*.

Mucosidad del tipo menos fértil: Las mucosidades del tipo menos fértil suelen aparecer tanto antes como después de que la mujer tenga mucosidad del tipo más fértil (que la lleva a ovular). Se describe usualmente como pegajosa, opaca o más espesa que la mucosidad del tipo más fértil.

Mucosidad escasa: Mucosidad que se caracteriza por ser carente de definición, tanto en la cantidad como en la calidad.

Mucosidad Solamente, Norma de: La fórmula de la LPP para determinar el tiempo infértil de la mujer en un ciclo menstrual, que sigue a la ovulación. Ésta utiliza solamente los datos de las mucosidades. La Fase III comienza en la tarde del cuarto día de proceso de secado o cuando la mucosidad se vuelve espeso, después del Día Cúspide.

Mujer-años: El número de meses en el que 100 mujeres conciben durante un año. (Ver *Guía de referencia*, página 228.

Naegele, Norma: se calcula añadiendo 7 días al primer día del último periodo menstrual, y luego añadiendo nueve meses al resultado.

Nivel Alto de Temperatura (NAT): Es el nivel de temperatura que está 0.4° Fahrenheit (0.2° grados Celsius) sobre el Nivel Bajo de Temperatura (NBT). Se usa para establecer el comienzo de la Fase III usando la Norma Sintotérmica.

Nivel Bajo de Temperatura (NBT): Es la temperatura más alta de las seis precambio normales. El NBT es el nivel por el cual se determina el Nivel Alto de Temperatura (NAT).

Ovarios: El órgano femenino reproductivo que contiene los óvulos.

Ovulación: El proceso por el cual el folículo del ovario libera un óvulo, por consiguiente la mujer es fértil y capaz de concebir.

Óvulo: La célula reproductiva femenina o huevo.

Oxitocina: Una hormona liberada por la glándula pituitaria que estimula la contracción del músculo liso del útero, durante el parto y facilita la segregación de leche durante la lactancia; también llamada "la hormona del amor".

Paternidad responsable: La decisión virtuosa de un matrimonio, sobre si buscar o posponer un embarazo basada en la conciencia de su fertilidad.

Patrón ascendente de temperatura: Un "patrón ascendente" quiere decir que "cada temperatura — considerada de forma individual — es más alta que cada una de las seis temperaturas bajas".

Pene: Órgano sexual externo masculino.

Perimenopausia: Los últimos dos a ocho años de la transición a la menopausia, terminado un año después del último periodo menstrual de la mujer.

Poshormonal — inyectables, Norma: Una fórmula para determinar las transiciones entre la Fase I y la Fase II una vez se ha descontinuado un anticonceptivo hormonal inyectable.

- Con mucosidades del tipo *menos fértil*: La Fase I empieza en la noche del cuarto día sin mucosidad después del Día Cúspide, donde el Día Cúspide es el último día de mucosidades menos fértil.

- Con mucosidades del tipo *más fértil o sangrado*: La Fase I comienza la noche del

cuarto día de proceso de secado despúes
del Día Cúspide, donde el Día Cúspide es el
último día de mucosidad más fertil o sangrado. Los días de secado pueden ser días con
mucosidad del tipo menos fértil, sin embargo
es necesario que el cuarto día sea uno sin
mucosidad.

Posparto: El periodo de tiempo después del parto.

Prem , Norma: Una norma desarrollada por el
Dr. Konald A. Prem M.D. para calcular la fecha
estimada del parto (FEP), se calcula restando
siete días al primer Día de cambio térmico, luego
se suman nueve meses. Este método tiende a
establecer una fecha más cercana al día de la ovulación que la Norma Naegele.

Premenopausia: Una etapa en el proceso natural
de la fertilidad de la mujer que ocurre gradualmente a medida que su fertilidad va terminando.
Esta puede ocurrir tan temprano como los 35
años, aun cuando el promedio para el inicio de
la premenopausia es a los 45 años. Es también
identificada, por la comunidad médica, como
perimenopausia.

Progesterona: Una hormona asociada a la fertilidad que segrega el cuerpo lúteo y que prepara al
útero para recibir al óvulo fertilizado y a sostener el
embarazo.

Prolactina: Una hormona proveniente de la
pituitaria que estimula y mantiene la secreción
de leche materna, también se le conoce como la
"hormona maternal". Altos niveles de prolactina
durante la lactancia influyen en el retraso de la
ovulación.

Próstata: Órgano sexual masculino que controla
la expulsión de orina de la vejiga y produce un
fluido que tiene la función de ayudar a transportar a los espermatozoides.

Pubertad: Primera fase de la adolescencia, en la
cual se producen las modificaciones propias del
paso de la infancia a la edad adulta, por lo que es
capaz de concebir.

Residuo seminal: Hay ocasiones en que el fluido
seminal permanece en el área vaginal de la mujer
después del acto sexual.

Retirada: Un método de control natal que consiste
en remover el pene fuera de la vagina de la mujer
antes de que ocurra la eyaculación; también se le
conoce como coitus interruptus.

Ritmo Calendario (El Ritmo): El precursor de los
años 30 de la PNF moderna, basada en que la
ovulación ocurría cerca del Día 14 del ciclo. Este
tomaba en cuenta el historial de los ciclos de la
mujer pero no tomaba en cuenta la actividad que
ocurría en su ciclo actual. (Vea las Normas para el
Ritmo calendario en la página 125 de la *Guía del
Estudiante*).

Sangrado intermenstrual: Un episodio de sangrado que no es parte de la menstruación. Puede
aparecer como un manchado o como días de
sangrado en medio de un ciclo. También puede
ocurrir como periodo regular en un ciclo anovulatorio. El sangrado intermenstrual puede
encubrir la presencia de las mucosidades y puede
ocurrir durante un periodo potencialmente fértil.

Seis precambio: Seis temperaturas bajas que preceden inmediatamente a las tres temperaturas
elevadas, en un patrón sostenido. Se utilizan para
establecer el Nivel Bajo de Temperatura (NAT).

Sensaciones de las mucosidades: La descripcion
de lo que la mujer *siente* y *percibe*, en el area vaginal, a través del día y al usar el papel higiénico.

Símbolos de la mucosidad: El símbolo gráfico
usado para describir las observaciones del día
de las mucosidades: O = no mucosidad, ⊖ =
mucosidad del tipo menos fértil, ⊕ = mucosidad
del tipo más fértil.

Sintotérmica, Norma: Una fórmula para determinar el tiempo infértil en el ciclo de la mujer
después de la ovulación. La Fase III comienza
en la noche del tercer día de secado después del
Día Cúspide combinado con tres temperaturas
poscúspide, en un patrón ascendente sobre el
NBT y donde la tercera temperatura se encuentra
en o sobre el NAT o el cuello del útero se encuentra cerrado y firme por tres días. Si estas condiciones no se cumplen, la Fase III comenzará el
siguiente día de temperatura elevada poscúspide
sobre el NBT.

Temperatura alterada: Una temperatura que se
sale de la región donde se encuentran el resto
de las temperaturas. Éstas podrían estar influen-
ciadas por el consumo de alcohol, enfermedad, medicamentos, viajes o algún otro evento
extraordinario.

Temperatura basal del cuerpo: La temperatura
del cuerpo humano en descanso a la hora de despertar, la cual no esta influenciada por comida,
bebida o actividad.

Temperatura sin anotar: Una temperatura basal del cuerpo que no fue anotada en la gráfica en un día dado.

Temperatura Solamente, Norma de: La fórmula de la LPP para determinar el tiempo infértil de la mujer en un ciclo menstrual, que sigue a la ovulación. Ésta utiliza solamente los datos de las temperaturas. La Fase III comienza en la tarde del cuarto día de temperatura normal elevada sobre el Nivel Bajo de Temperatura (NBT). Las últimas tres temperaturas deben ser consecutivas y estar en o sobre el Nivel Alto de Temperatura (NAT).

Temperaturas normales: Temperaturas basales del cuerpo que fueron tomadas de forma adecuada y a la hora usual.

Teología del Cuerpo: Una serie de 129 audiencias presentadas por el Papa Juan Pablo II de 1979 a 1984.

Testículos: Los órganos sexuales masculinos que se encuentran dentro del escroto y producen los espermatozoides.

Tiempo fértil: Incluye el tiempo durante el ciclo menstrual de la mujer de preparación para la ovulación y el tiempo durante la ovulación, caracterizado, en parte por la presencia de mucosidades cervicales. Las relaciones sexuales durante este tiempo (Fase II) pueden resultar en un embarazo.

Tiempo infértil: Incluye tanto el tiempo del ciclo menstrual femenino antes de que comience el proceso de ovulación, como también el de después de la ovulación. El mismo está caracterizado en parte por la ausencia de mucosidades cervicales. Las relaciones sexuales durante este tiempo (Fases I y III) no resultan en embarazo.

Trompas de Falopio: El par de tubos que transporta el óvulo femenino de cualquiera de los ovarios al útero.

Último día seco, Norma del: Una fórmula para determinar el tiempo infértil al principio del ciclo basado en las características de la mucosidad. El final de la Fase I es el último día sin sensaciones o características de mucosidad.

Útero: Un órgano, en forma de pera, dentro del cual crece el bebé durante los nueve meses del embarazo.

Vagina: Canal genital femenino que se extiende del útero hasta la vulva.

Vasectomía: Incisión quirúrgica en parte del vaso deferente, usada como método de esterilización.

Vaso deferente: Un tubo muscular muy fino que conecta los testículos a la uretra dentro del pene, a través del cual los espermas fluyen.

Vesícula seminal: Órgano en forma de "bolsa" que se encuentra unido al vaso deferente y que produce un fluido rico en azúcar (fructosa) que provee al esperma una fuente de energía y le ayuda a moverse.

Vulva: Parte externa de la vagina, incluyendo los labios.

Índice I